KT-452-588

БИЗНЕС
И УСПЕХ

И. Л. ДОБРОТВОРСКИЙ

БИЗНЕС
И УСПЕХ

Как по-настоящему достичь успеха

НОВЫЕ ТЕХНОЛОГИИ ПОБЕДЫ

ПРАКТИЧЕСКОЕ РУКОВОДСТВО

РИПОЛ
КЛАССИК
МОСКВА
2003

ББК 88.52
Д56

Добротворский И. Л.

Д56 Новые технологии победы: Как по-настоящему достичь успеха: Практическое руководство.— М.: РИПОЛ КЛАССИК, 2003.— 352 с.— (Бизнес и успех).

ISBN 5-7905-1811-7

Что помогает человеку всю жизнь идти вперед, устраивать свое счастье и умножать богатство? Что дает одному силу и энергию, а других оставляет пассивными? Почему одни способны разглядеть перспективу в клубке проблем и пробиться к тому, о чем мечтали, в то время как другие прилагают отчаянные усилия, бесконечно ошибаются, но так ни к чему и не приходят?

На эти и многие подобные вопросы вы найдете ответ в этой книге.

ББК 88.52

ISBN 5-7905-1811-7

ПРЕДИСЛОВИЕ ОТ ИЗДАТЕЛЬСТВА

Что помогает человеку всю жизнь идти вперед, устраивать свое счастье и умножать богатство, тогда как другие не могут даже начать? Что дает одному силу и энергию, а других оставляет пассивными? Почему одни способны разглядеть перспективу в клубке проблем и пробиться к тому, о чем они мечтали, в то время как другие прилагают отчаянные усилия, бесконечно ошибаются, но так ни к чему и не приходят?

Ответы на многочисленные подобные вопросы содержатся в этой книге, где вы найдете подчас неожиданные рекомендации практически для каждого человека: рабочего или предпринимателя, рекламного агента или преподавателя, банкира или врача, фотомодели или научного сотрудника и многих, многих других.

Если вы хотите жить лучше,

если вы желаете стать самим собой,

если вы хотите на самом деле обрести уверенность в себе, ясность мысли, удачу в делах и радость жизни — значит, эта книга предназначена для вас.

Прочитав ее, вы действительно получите преимущества:

- ☛ научитесь использовать свои скрытые возможности,
- ☛ приобретете способность превращать минусы в плюсы,
- ☛ разовьете в себе волю и самодисциплину,
- ☛ будете свободнее общаться с другими людьми,

☛ освоите искусство склонять людей к своей точке зрения,

☛ усилите в себе творческие способности

☛ и сможете по-настоящему достигать поставленных целей!

Автор книги — кандидат психологических наук, специалист по менеджменту, лидерству, личностному развитию, продажам, переговорам, управлению персоналом. В 1980-х годах разработал систему комплексной интеграции личности.

Она является результатом пятнадцатилетней работы автора, в ходе которой было использовано более 840 отечественных и иностранных источников. Кроме того, система опирается на большое число авторских консультаций в области практической психологии и на более чем 90 статей автора в различных газетах и журналах.

С этой книгой к вам придет знание, которое по-настоящему перевернет всю нашу жизнь.

Это ваш шанс.

E-mail: info@dobrotv.ru
www.dobrotv.ru

Часть I.

ИСКУССТВО ОБЩЕНИЯ С ЛЮДЬМИ

Человеку отпущена одна-единственная жизнь, так проживите ее, не принижая своих достоинств! И пусть это будет ваш собственный выбор. Ведь именно в вашей голове рождается самооценка — высокая или низкая. Если вы застенчивы, то наверняка на себя навесили ярлык низкой самооценки. И хотя этот ярлык высечен, попробуем все же с ним расстаться. С унижением должно быть покончено! Думайте о себе только хорошо. Поставьте перед собой серьезные цели, достижение которых требует честолюбия, усердия и настойчивости. А потом научитесь честно и объективно оценивать то, чего достигли.

ПЯТНАДЦАТЬ ШАГОВ К УВЕРЕННОСТИ В СЕБЕ

1. Признайтесь себе в своих сильных и слабых сторонах и соответственно сформулируйте свои цели.
2. Решите, что для вас ценно, во что вы верите, какой вы хотели бы видеть свою жизнь. Проанализируйте свои планы и оцените их с точки зрения сегодняшнего дня — так, чтобы воспользоваться этим, когда наметится прогресс.

3. Докопайтесь до корней. Проанализировав свое прошлое, разберитесь в том, что привело вас к нынешнему положению. Постарайтесь понять и простить тех, кто заставил вас страдать или не оказал помощь, хоть и мог бы. Простите себе самому прошлые ошибки, заблуждения и грехи. После того как вы извлекли из тяжких воспоминаний хоть какую-то пользу, похороните их и не возвращайтесь к ним. Дурное прошлое живет в вашей памяти лишь до той поры, пока вы его не изгоните. Освободите место для воспоминаний о былых успехах, пусть и небольших.

4. Чувства вины и стыда не помогут вам добиться успеха. Не позволяйте себе предаваться им.

5. Ищите причины своего поведения в физических, социальных, экономических и политических аспектах нынешней ситуации, а не в недостатках собственной личности.

6. Не забывайте, что каждое событие можно оценить по-разному. Реальность — это не то, что видит человек по отдельности, это не более чем результат соглашений между людьми называть вещи определенными именами. Такой взгляд позволит вам терпимее относиться к людям и более великодушно сносить то, что может показаться унижением.

7. Никогда не говорите о себе плохо. Особенно избегайте приписывать себе отрицательные черты — «глупый», «уродливый», «неспособный», «невезучий», «неисправимый».

8. Ваши действия могут подлежать любой оценке. Если они подвергаются конструктивной критике — воспользуйтесь этим для своего блага, но не позволяйте другим критиковать вас как личность.

9. Помните, что иное поражение — это удача. Из него вы можете заключить, что преследовали ложные цели, которые не стоили затраченных усилий, зато

возможных последующих крупных неприятностей удалось избежать.

10. Не миритесь с людьми, занятиями и обстоятельствами, которые заставляют вас чувствовать свою неполноценность. Если вам не удается изменить их или себя настолько, чтобы почувствовать уверенность, лучше просто отвернуться от них. Жизнь слишком коротка, чтобы тратить ее на уныние.

11. Позволяйте себе расслабиться, прислушаться к своим мыслям, заняться тем, что вам по душе, побыть наедине с самим собой. Так вы сможете лучше себя понять.

12. Практикуйтесь в общении. Наслаждайтесь ощущением той энергии, которой обмениваются люди — такие непохожие и своеобразные. Ваши братья и сестры. Представьте себе, что они могут испытывать страх и неуверенность, постарайтесь им помочь. Решите, что вы хотите от них и что можете им дать. А затем дайте им понять, что вы открыты для такого обмена.

13. Перестаньте чрезмерно охранять свое «Я» — оно гораздо крепче и пластичнее, чем вам кажется. Оно гнется, но не ломается. Лучше испытать кратковременный эмоциональный удар, чем пребывать в бездействии и изоляции.

14. Выберите для себя несколько серьезных отдаленных целей, на пути к которым необходимо достижение целей более мелких, промежуточных. Трезво взвесьте, какие средства необходимы, чтобы достичь этих промежуточных целей. Не оставляйте без внимания каждый свой успешный шаг и не забывайте подбодрить и похвалить себя. Не бойтесь оказаться нескромным, ведь вас никто не услышит.

15. Вы не пассивный объект, на который валятся неприятности, не травинка, которая с трепетом ждет, что на нее наступят. Вы — вершина эволюционной

пирамиды. Вы — воплощение космоса. Вы — неповторимая личность, активный творец своей жизни. Вы повелеваете событиями. Если вы уверены в себе, то препятствие становится для вас вызовом, а вызов побуждает к преодолению.

ФОРМИРУЕМ УВЕРЕННОСТЬ В СЕБЕ

Уверенность в себе вырабатывается за счет успешного выполнения трудных задач. Начать можно и с малых дел, постепенно поднимая планку.

Первым делом надо, конечно, решить, чего вы хотите добиться. Выберите три цели, которых хотелось бы достичь в течение ближайшего месяца. Пусть эти цели будут конкретны и выполнимы. Нереалистично планировать стать первой дамой Москвы. А вот сходить на вечеринку и пообщаться хотя бы с парой человек — вполне реально. Выберите сначала из трех крупных целей одну и подразделите ее на несколько мелких. Что следует предпринять в первую очередь? Что потом? И так далее. Составьте план, в котором вы могли бы зафиксировать выполнение каждой части. Сформулируйте ближайшие задачи. Если вы хотите, например, публично выступить, подумайте, что именно вы собираетесь сказать. Выступление можно предварительно записать и отрепетировать.

После того как первый этап успешно завершен, наградите себя комплиментом, походом в кино, чашечкой кофе — тем, что вы, по вашему мнению, заслужили.

Затем приступайте к следующему этапу. И так далее, пока не будет достигнута главная цель.

Насладитесь ощущением успеха. Громко похвалите себя за сделанное дело.

После этого обратитесь к следующей цели, также подразделите ее и приступайте к выполнению. Все, чего вы хотите в жизни, может быть разбито на более мелкие задачи и осуществлено шаг за шагом!

ОТКАЖИТЕСЬ ОТ САМОУНИЧИЖЕНИЯ

Отметьте самые негативные моменты вашей жизни на протяжении последних двух недель, заставившие вас думать о себе плохо. Что именно, по-вашему, вызывало приступы самоуничижения?

Серьезно разберитесь в тех обвинениях, которые вы себе предъявляете. Каждый раз, стоит вам заняться самобичеванием, говорите «стоп». Делайте это до тех пор, пока совсем не отвыкнете от самоуничижения.

Отметьте, сколько раз в течение дня вам удалось удержаться от подобных мыслей. Вознаградите себя за это.

КОНТРАРГУМЕНТЫ

Составьте список своих слабых сторон. Поместите его на левой половине листа бумаги. На правой против каждого пункта укажите то положительное, что этому можно противопоставить. Например:

Ни одному из тех, кто меня знает, я не нравлюсь. Те, кто действительно меня знает, относятся ко мне хорошо. Во мне почти нет привлекательных черт. Во мне масса привлекательных черт.

Разверните и обоснуйте контраргументы. Найдите им подходящие примеры. Начните думать о себе в категориях правой колонки, а не левой.

КОНТРАКТ С САМИМ СОБОЙ

Ни один профсоюзный деятель, ведущий переговоры об улучшении условий труда, не удовлетворится, если ему предложить лишь общий план перемен. Ему необходим договор, в котором детально зафиксированы средства достижения его целей. Только в этом случае успех гарантирован, а обман исключен.

Приступая к усовершенствованию своего жизненного стиля, вы должны предъявить себе подобные требования. Настало время составить подробный контракт с самим собой. В нем необходимо отметить следующее.

Перемены, которые вы хотите осуществить

Выберите реалистичные цели. Выступить перед аудиторией в 400 человек нереально для того, кто боится даже общения один на один. Цель можно подразделить на более мелкие и легко выполнимые части. Например, если вам хочется завести больше друзей, первым шагом может стать просто обмен репликами с несколькими новыми знакомыми.

Фиксация успехов

Для того чтобы зафиксировать свои достижения, заведите таблицу или журнал. Можно попросить кого-то из друзей отмечать ваши успехи.

Вознаграждение за выполнение каждой части контракта

«Каждый раз, когда я поздороваюсь с незнакомым человеком, я почувствую себя лучше и вознагражу себя прогулкой, купанием или походом в кино». Будьте готовы и способны вознаградить каждый свой шаг, который соответствует избранному стилю поведения. Словесное одобрение должно следовать немедленно. Каждый раз говорите себе: «Как хорошо я сделал», «Я доволен тем, как поступил».

Критерии завершения контракта

«К концу следующей недели я обменяюсь приветствиями с четырьмя людьми и буду готов приступить к следующему этапу развития дружеских отношений».

Условия на случай невыполнения контракта

Назначьте себе ощутимое наказание. Это может быть какая-то неприятная и утомительная работа.

Контракт лучше оформить письменно. Тогда он приобретает черты официального документа, и шансы на его соблюдение повышаются.

Предметом договора может быть любой из описанных ниже видов деятельности. Все они направлены на обогащение арсенала социальных навыков, способствующих более эффективному общению с людьми. Выберите те из них, которые для вас наиболее важны, и составьте программу выполнения каждого из этих заданий. По мере тренировки и практики эти навыки вскоре станут вашей второй натурой.

РАЗГОВОР С НЕЗНАКОМЦЕМ

Если вы затрудняетесь обратиться к кому бы то ни было, попробуйте проделать следующее.

Позвоните на телефонный справочный узел и уточните номера, по которым будете дальше звонить. Помимо того, что это действие — элемент практики, вы к тому же будете уверены, что набираете правильные номера. Поблагодарите оператора и отметьте его (ее) реакцию.

Позвоните в ближайший магазин и справьтесь о цене какого-либо товара.

Позвоните на радио, выскажите свое мнение о какой-либо передаче, задайте какой-нибудь вопрос.

Позвоните в ближайший кинотеатр и поинтересуйтесь временем начала сеансов.

Позвоните в справочный отдел библиотеки и запросите информацию, которая вас интересует.

Телефон позволяет обратиться к незнакомому человеку и при этом самому остаться анонимным. Впоследствии вы можете усложнить свою задачу и позвонить незнакомому человеку или даже поприветствовать на улице прохожего, который вам симпатичен.

ОДЕЖДА И ВНЕШНОСТЬ

Лишь очень немногие из нас выглядят как кинозвезды. Но каждый может выглядеть хорошо — пожалуй, даже лучше, чем мы себе обычно позволяем.

Сделайте себе прическу — ту, которая вам больше к лицу, а не наимоднейшую. Волосы должны быть чистыми. Чтобы подчеркнуть привлекательные черты лица, воспользуйтесь косметикой (но не переусердствуйте).

Выясните, какая одежда вам больше идет. Если не можете решить сами, спросите мнение друзей. Какие цвета вам к лицу? Используйте именно их. Одежда должна быть чистой и выглаженной. Когда вы хорошо (и удобно) одеты, вы чувствуете себя лучше. По крайней мере, одежда не должна быть предметом переживаний.

ПРИВЕТСТВИЕ

На будущей неделе старайтесь приветствовать любого, с кем встретитесь в школе, институте, на работе, просто на улице. Улыбнитесь и скажите: «Прекрасный денек, не правда ли?» или: «Вы когда-нибудь видели столько снега?» Большинство из нас к такому не привыкли, и, вероятно, многие будут смотреть на вас с удивлением. Кто-то не отреагирует, но в нескольких случаях вам ответят столь же доброжелательно.

АНОНИМНАЯ БЕСЕДА

Хороший способ попрактиковаться в разговорных навыках — абсолютно безопасная беседа в общественных местах: в магазине самообслуживания, в театре, на политическом митинге, в приемной врача, на стадионе, в сберкассе, в церкви или в библиотеке. Завести разговор можно об общей проблеме, занимающей в данный момент всех. Например:

☛ «Какая длинная очередь в кассу! Наверное, фильм очень интересный».

☛ «Вы не знаете, это хорошая книга? Я ее не читал».

КОМПЛИМЕНТЫ

Удачным началом разговора и способом создать хорошее настроение у другого человека (да и самого себя) является комплимент.

Прокомментировать можно следующее:

☛ то, что человек носит: «Мне нравится ваш костюм»;

☛ внешность человека: «У вас прекрасная прическа»;

☛ умения: «Вы замечательный садовник»;

☛ особенности личности: «Мне нравится ваш смех, он так заразителен»;

☛ имущество: «У вас потрясающая машина».

Чтобы завязать разговор, задайте вопрос:

«У вас потрясающая машина. Давно вы на ней ездите?;

«Вы замечательный садовник. Как вам удается вырастить такие цветы?»

Научитесь с удовольствием принимать комплименты. Никогда не отвергайте их, например, так: «Мне нравится ваш костюм».— «О, что вы! Это старье давно пора выбросить». Говоря это, вы ставите другого человека в глупое положение. По крайней мере, поблагодарите за комплимент. Наилучшим ответом будет выразить и ваши собственные положительные чувства: «Мне нравится ваш костюм».— «Спасибо, мне он и самому нравится, он такой удобный».

В следующие две недели постарайтесь делать, по меньшей мере, три комплимента в день и не упускайте из внимания те комплименты, которые вы получаете. Принимайте их с благодарностью. Позвольте себе радоваться им и не скрывайте этого от человека, который делает вам комплимент. Вы можете также попробовать говорить приятное тем людям, которые вам симпатичны, но, как правило, не получают прямых знаков одобрения от окружающих в силу занимаемого ими положения, авторитета и власти. Выскажите одобрение лектору после интересной лекции. Вашим родителям после какого-то их доброго дела, вашему начальнику в связи с его дальновидным решением. Слова одобрения легко сказать и приятно услышать. Не жалейте их для тех, кто в них нуждается.

ВСТРЕЧАЯСЬ С ЛЮДЬМИ

Постарайтесь встречаться как можно с большим количеством людей. Поначалу важнее даже количество, а не качество. Это и есть практика социального взаимодействия.

Пойдите туда, где вы чувствуете себя комфортно: в универсам, в книжный магазин, в библиотеку, в музей. Куда бы вы ни пошли, постарайтесь хотя бы однажды завести с кем-то разговор.

Пойдите в те места, которые вас привлекают, но которые менее привычны для вас. Может быть, это кафе или клубы по интересам. Если вы поначалу чувствуете себя неловко, пойдите вместе с другом. Но лучше идти одному. И здесь заведите разговор на тему, представляющую общий интерес. Бары, известные как место свиданий и знакомств,— наихудшее место для спонтанного общения. Здесь вся атмосфера пронизана напряжением и наиболее высока вероятность быть отвергнутым.

Отправляйтесь куда-нибудь со своими друзьями: составьте им компанию, когда они идут на какие-то занятия, на спортивные мероприятия или в гости, постарайтесь, чтобы они представляли вас своим друзьям. Будьте внимательны к тем, кто также оказался там случайно. Скорее всего, они охотно пойдут на контакт с вами. Составьте календарный план ваших выходов. Отправляйтесь куда-нибудь не менее трех раз в неделю в течение месяца. Распределите неделю за неделей, куда вы пойдете и с кем. Если вы планируете привлечь друзей, договоритесь предварительно с ними об этом. Начните с привычных мест, затем отправляйтесь в места менее знакомые. Если это необходимо — оформите свои планы в виде контракта с самим собой.

После каждого раза записывайте, куда вы ходили, что произошло, что вы почувствовали. Отметьте, что вызвало положительные и отрицательные переживания.

ИМЕЙТЕ ЧТО СКАЗАТЬ

Чтобы завести разговор, нужно иметь что сказать. А для этого надо быть весьма и весьма информированным.

Читайте колонки новостей в газетах и журналах. Будьте в курсе политических событий в вашем городе, регионе, стране. Интересуйтесь рецензиями на новые книги и кинофильмы. Как следует вникните в пару проблем, касающихся музыки, живописи, театра, политики, науки или еще чего-либо, что вас интересует. Если нужно, пойдите в библиотеку и сделайте соответствующие выписки.

Облеките в форму занимательных историй несколько интересных и волнующих событий, которые с вами произошли. Отрепетируйте перед зеркалом или с помощью магнитофона, как вы будете их рассказывать.

Запишите пару интересных историй, которые вы услышали от других. Запомните анекдоты, которые считаете приличным повторить. Если же вы плохо запоминаете сюжет, то анекдоты не ваш конек. При встречах с людьми имейте наготове несколько историй, которые вы могли бы рассказать, или, по крайней мере, какие-то замечания и комментарии, которые вы могли бы сделать. Потренируйтесь сначала в обществе друзей. Для отработки навыка собеседника может также заменить зеркало или магнитофон.

Отметьте, сколько историй вам удалось рассказать людям за неделю. Постепенно расширяйте свой репертуар. Всегда старайтесь оценить, насколько ваш рассказ соответствует аудитории. Ведь кому-то иной рассказ может прийтись не по душе.

НАЧАЛО РАЗГОВОРА

И вот вы среди людей. Как начать разговор? Прежде всего, выберите человека, который не кажется недоступным — того, кто вам улыбнулся или сидит в одиночестве, озираясь вокруг. Не стоит подходить к тому, кто чем-то серьезно занят.

Есть масса способов начать разговор. Выберите тот, что наиболее соответствует ситуации и устраивает вас.

Представьтесь: «Здравствуйте, меня зовут...». Это необходимо в тех случаях, когда никто из собравшихся друг друга не знает. Обменяйтесь информацией о том, где вы живете, чем занимаетесь и т. п. Сделайте комплимент. А затем задайте вопрос: «Роскошный коктейль! Как это вам удается так смешивать напитки?»

Попросите о помощи. Дайте понять, что нуждаетесь в ней и рассчитываете, что вам смогут ее оказать:

«Я никак не найду нужную статью. Вы не могли бы мне помочь?»

«Вы не покажете мне, как надо танцевать этот танец?»

«Мне этот товар незнаком. Вы не объясните, что это такое?»

Попробуйте открыться. Вы увидите, что высказывание сугубо личного, как правило, вызывает позитивную реакцию.

«Я чувствую себя здесь не в своей тарелке. Вы знаете, я ведь очень застенчив».

«Я очень хотел бы научиться плавать (ходить под парусом, кататься на коньках и т. п.), но не знаю, получится ли у меня».

«Я недавно развелся и чувствую себя немного взвинченным».

Используйте обычные любезности:

«Позвольте, я зажгу вашу сигарету».

«У вас, кажется, пустой бокал. Позвольте, я вам налью».

«Давайте, я помогу вам уложить покупки».

Если найти удобный повод не удается, то воспользуйтесь тривиальным, но надежным вариантом:

«Хорошая погода, не правда ли?»

«Вам не кажется, что мы уже где-то встречались?»

«Нет ли у вас спичек?»

«Который час?»

Попрактикуйтесь в этих репликах перед зеркалом или с помощью магнитофона. Испробуйте несколько вариантов на будущей неделе. Выясните, что действует лучше всего и почему.

ПОДДЕРЖАНИЕ РАЗГОВОРА

Поскольку вы завели разговор, то необходимо освоить и несколько приемов для его поддержания.

Задайте вопрос, который может быть как фактическим («Как обстоят дела?..»),35 так и персональным («Как вы считаете?..).

Предложите одну из ваших историй. Побудите человека рассказать о себе («Откуда вы родом?», «Вам нравится ваша работа?»).

Продемонстрируйте заинтересованность во мнении собеседника.

И самое важное: поделитесь своими впечатлениями о том, что происходит вокруг в момент вашего общения. Соотнесите ваши мысли и чувства с тем, что сказал или сделал другой человек.

АКТИВНОЕ СЛУШАНИЕ

Станьте активным слушателем, научитесь придавать значение тому, что говорят окружающие. Внимательно слушая, вы почерпнете немало информации и найдете ключ к чужой личности.

Будьте внимательны к тому, что говорится, и демонстрируйте это словами: «Да, да», «Понимаю», «Это интересно», «Невероятно», «Неужели?», а также действиями: наклонившись к собеседнику, кивая головой и т. п.

Воздержитесь высказывать предположения о мотивах поступков человека и о его душевном состоянии, не имея на то достаточных оснований, например: «По-моему, ты обиделся, что тебя не пригласили. Ведь правда?» или «Ты, наверное, огорчился, что я не ответил на твое письмо?».

Активное слушание подразумевает идентификацию с состоянием другого человека, если это возможно. Если же нет, переведите то, что услышали, в плоскость своего понимания: «В армии я не служил, но могу себе представить, что значит получать бессмысленные приказы. Когда я работал вожатым в летнем лагере...»

Ведя разговор, без колебаний переспрашивайте, если чего-то не поняли: «Вы имеете в виду, что... ?» или «Извините, я не понял. Не могли бы вы объяснить подробнее?». Не бойтесь признаться, что вы чего-то не знаете. Людям часто доставляет удовольствие объяснять что-то другим.

«ДО СВИДАНИЯ, ПРИЯТНО БЫЛО ПОЗНАКОМИТЬСЯ»

Риторика прощания — замысловатый ритуал, имеющий немалое значение для межличностных отношений.

То, как вы восприняли уход другого человека, манера, в которой вы подвели разговор к завершению,— все это способно облегчить следующую встречу или же перечеркнуть все ваши усилия. Когда вы сказали все, что хотели, когда время, которым вы располагаете, истекло, следует признаться, что вам пора идти. Это сообщение должно включать три компонента:

☛ вам надо вскоре уйти;

☛ вам была очень приятна эта беседа;

☛ вы надеетесь, что в дальнейшем ваше общение будет иметь продолжение.

Выразить это можно так:

подтверждение — краткая реплика согласия в ответ на последние слова собеседника («Да, верно» и т. п.);

удовлетворение — выражение удовольствия, полученного от беседы («Было очень приятно поговорить с вами»);

завершающая фраза («Ну вот и все», «К сожалению, надо идти»).

Закончить беседу можно и с помощью невербальных знаков: отведя глаза, кивнув головой, улыбнувшись, протянув руку для пожатия.

Понаблюдайте, как завершают разговор люди, с которыми вы общаетесь. Сразу же после окончания беседы запишите, что было сказано и сделано в течение последней минуты.

Решите, какие знаки прощания наиболее ясны и удобны для вас, а у другого человека оставляют приятные впечатления о беседе. Именно их и включите в свой ритуал прощания.

СТАНЬТЕ ОБЩЕСТВЕННЫМ СУЩЕСТВОМ

Вот несколько упражнений, которые должны помочь вашей социализации. Выберите те из них, которые выполните на будущей неделе. Если необходимо, свяжите себя самоконтрактом. Начните с самого простого, а затем переходите к тому, что представляет для вас большую трудность. Фиксируйте ваши собственные реакции на каждое упражнение, а также реакции, которые удалось вызвать у других людей.

Представьтесь незнакомому человеку у себя на работе, в магазине, в учебной аудитории.

Пригласите кого-то, кто идет в том же направлении, что и вы, пройтись вместе.

Присоединитесь к играющим в какую-либо игру. На работе включитесь в общую беседу во время перерыва.

Проведите собственное маленькое исследование общественного мнения. Поинтересуйтесь мнением десяти человек по какому-либо вопросу.

Попросите у незнакомца карту для телефонного разговора из автомата. Конечно же, верните ее.

Выясните имя кого-то из коллег (противоположного пола), с которым прежде не общались. Позвоните ему по телефону и задайте какой-нибудь дежурный вопрос.

Сходите в кафе. Ответьте улыбкой первым трем людям, которые посмотрят на вас. Заведите разговор по крайней мере с одним человеком своего пола.

В очереди в магазине, в сберкассе или в кассе кинотеатра заговорите с тем, кто стоит рядом с вами.

Подсядьте в кино, в автобусе, в аудитории к человеку противоположного пола, который вам симпатичен. Произнесите что-то из вашего набора фраз для начала беседы.

Спросите у трех человек, как куда-то пройти. Постарайтесь, чтобы по крайней мере с одним из них разговор продлился не менее двух минут.

Отправляйтесь на стадион, на пляж или в бассейн. Заговорите с двумя-тремя незнакомцами, которых там встретите.

Организуйте небольшую вечеринку на пять-шесть человек. Пригласите по крайней мере одного человека, которого вы едва знаете.

Когда у вас возникнет бытовая проблема, обратитесь за помощью к кому-то из соседей, с кем вы раньше не общались.

Пригласите попить кофе человека, с которым никогда ранее этого не делали.

Поздоровайтесь сегодня с пятью людьми, с которыми раньше не здоровались. Постарайтесь сделать это так, чтобы вам ответили.

Отрепетируйте ваши реплики перед зеркалом или магнитофоном. Прислушайтесь к своему голосу, повторите все снова — до тех пор, пока ваш голос не наполнится энергией и энтузиазмом.

СЕГОДНЯ — ЗНАКОМЫЕ, ЗАВТРА — ДРУЗЬЯ

Дружба, как правило, основывается на пространственной близости людей, совместной деятельности, а также сходстве установок, ценностей, интересов, социального происхождения и личностных особенностей. В дружеских отношениях находит выражение взаимная симпатия.

С кем из тех людей, кого вы знаете лишь поверхностно, хотелось бы сойтись поближе, подружиться? Выберите несколько кандидатур, по отношению к которым вы предпримете серьезную попытку сближения в надежде обратить знакомство в дружбу. Запишите все, что вам известно о каждом из этих людей и что у вас с ними есть общего.

Предварительно подготовившись, договоритесь о встрече по телефону или лично. Подберите подходящие темы для беседы и возможные способы начать разговор. Предупредите, что вы рассчитываете не более чем на короткую встречу с тем, чтобы что-то выяснить, получить совет или поделиться какими-то соображениями, представляющими взаимный интерес. Завершите эту предварительную встречу на положительной ноте. Через несколько дней пригласите этого человека провести с вами некоторое время за каким-то общим занятием — сходите на прогулку, в пиццерию или в кафе.

Если вы чувствуете расположение к человеку, то дайте это понять выражениями симпатии, поддержки, привнесением в общение личностных мотивов. Используйте этот метод взаимопонимания для расширения круга ваших друзей.

ДВЕНАДЦАТЬ ПРОБ ПО А. Б. ДОБРОВИЧУ

Проба первая. В каком бы настроении вы ни проснулись, задержитесь взглядом на своем отражении в зеркале и состройте гримасу, которая может вас рассмешить. Если не получается, имейте в виду, что люди могут воспринимать вас как надменного или даже злого субъекта. Вам, возможно, не удается общение на игровом уровне, а стало быть, вы бываете утомительно скучным. Разумеется, ваше право — оставаться таким, какой вы есть. Но тогда не сетуйте на недоброжелательство окружающих.

Проба вторая. Расположите два зеркала так, чтобы увидеть себя в профиль. Заставьте себя не «охорашиваться»: ссутультесь, не выпячивайте подбородок, подержите рот приоткрытым, взгляд рассеянным... постарайтесь принять себя в этом непарадном виде. Трудно? Тогда не исключено, что вы не умеете реалистически оценивать ситуацию, каким вы видитесь другому человеку. Вы предпочитаете обманываться на свой счет и поэтому сами нередко становитесь жертвой обмана.

Проба третья. Находясь в транспорте, исподволь приглядитесь к чьему-то лицу. Постарайтесь сделать так, чтобы ваш интерес к человеку остался для него незаметным. Если не получается, это может означать, что ваш взгляд слишком настойчивый, неделикатный, а это ограничивает возможности коммуникации. Следовательно, само неназойливое изучение другого взглядом должно стать вашим обыденным упражнением. Естественно, надо тут же отвести глаза, если вас заметили. Но это еще, так сказать, предварительная проба. Главное вот в чем: попытайтесь вообразить изучаемое лицо улыбающимся, опечаленным, насмешливым, гневным, испуганным, полным нежности... Тот, кто не умеет этого домыслить (основываясь на сиюминутном выражении реального лица), вероятно, не вполне понимает смену чувств и намерений на лицах своих собеседников.

Проба четвертая. При случайной ссоре (например, в переполненном транспорте) заставьте себя, правы вы или нет, спокойно произнести «виноват» или «извините», а затем замолчать, как бы ни унижал вас партнер по ссоре. Разглядывайте затылок впереди стоящего, потолок, вид в окне. С точки зрения окружающих, тот, кто молчит, ведет себя достойнее того, кто неистовствует, и тогда «публика» определенно станет на вашу сторону... Не можете сдержаться? Значит, вы либо чересчур доминантны, либо слишком нервны. И то и другое — помеха общению. Дайте себе зарок: в течение месяца (или года) воспитывать у себя в подобных случаях хладнокровие и выдержку.

Проба пятая. Испытайте свое умение шутить в напряженной обстановке. Тому, кто в транспорте наваливается на вас корпусом, скажите с улыбкой: «Я смотрю, нам вдвоем в одном автобусе не уместиться». Интонацию этой реплики и свою мимику при ее произнесении надо заранее отрепетировать перед зеркалом. Проба имеет обратную связь: если тон взят верный, то партнер, как правило, подхватывает шутку: «И не говорите, какие-то автобусы тесные стали делать». Если реплика не удалась либо партнер настроен особенно агрессивно, возникает ситуация, описанная в предыдущей четвертой пробе, и ее вы можете использовать для тренировки хладнокровия.

Проба шестая. Заметив пожилого человека или женщину с ребенком, которой, как и вам, негде сесть в переполненном транспорте, наклонитесь к сидящему поблизости молодому пассажиру с негромкими словами: «Обратите внимание — его (ее) надо бы усадить...» На поучающий и требовательный тон этих слов партнер, скорее всего, даст негативную реакцию (даже если он вообще человек отзывчивый). Поэтому такая реплика должна быть хорошо отрепетирована. Если вас не послушались, значит, вы злоупотребляете «родительской» позицией либо, наоборот, произносите фразу заискивающе. Конечно, иногда дело просто в невоспитанности партнера, но это не освобождает вас от тренировки действенного обращения.

Проба седьмая. Возможно, на работе у вас, как и у многих других, есть один или несколько сослуживцев, вызывающих определенную степень неприязни. Когда представится случай незаметно понаблюдать за этим человеком, настройтесь таким образом, будто вы его близкий родственник (мать, отец, сын, дочь, брат, сестра) и, следовательно, он вам дорог каждой своей черточкой... Не получается? Возможно, вы не умеете быть объективным и принимаете свои предубеждения за «истину в последней инстанции».

Проба восьмая. Присмотритесь к тому, как работает какой-либо незнакомый человек, и заставьте себя выразить ему свое одобрение. Например, продавщице, быстро и умело режущей сыр, скажите с улыбкой: «Ловко это у вас получается!» Не можете решиться? Должно быть вы склонны к контакту масок (стандартный уровень общения) вместо эмоционального взаимодействия с собеседником. Тон одобрения должен быть не покровительственным, а дружелюбным и чуть завистливым (мне бы, мол, так уметь). Проба имеет обратную связь: на покровительственно-снисходительные нотки вам ответят кривой усмешкой, неприязненным взглядом или грубостью. Отсюда вывод: необходимо упражняться дальше.

Проба девятая. В кругу приятелей дайте себе задание никого не перебивать и внимательно слушайте говорящего. При этом размышляйте: «Почему он это и сейчас говорит? Весел или

притворяется? Грустен или делает вид? Имеет ли скрытую цель высказывания? Какую?»
Вообразите, что он — это вы. Представьте, каким вы видитесь сейчас его глазами. Настройтесь так, чтобы при этом не осуждать человека и не искать черт своего «превосходства» над ним. Просто вникните в его душевное состояние... Не выходит? Не удается выполнить собственное задание? Видимо, вы слишком поглощены собой и в беседе слушаете скорее себя, чем собеседника.

Проба десятая. В общении с приятелями испытывайте свое умение чуть-чуть дурачиться. Например, вам предлагают: «Пойдем в кино?», а вы, напустив на себя важный вид, отвечаете: «Это надо всесторонне обдумать. Зайдите завтра». Или просят возвратить взятую вами книгу. Вы со скорбным видом отвечаете: «Это невозможно — книга залита вишневым вареньем. Лизать можно, читать — нет». Если собеседник выразит негодование, то перестаньте паясничать и ответьте всерьез. Это маленькое актерство приучает вас овладеть ситуацией. Так вы выигрываете небольшую паузу перед своим ответом в трудном диалоге. За время паузы собеседник проверяет себя: так ли уж ему требуется то, о чем он просит. У вас же за эти секунды в голове складывается наилучшая формулировка отказа, и он прозвучит необидно — приветливо и спокойно. Людей обижает не столько сам отказ, сколько раздраженный и враждебный тон. Если эта проба у вас не получается, скорее всего, вы не умеете ответить «нет», не обижая, а значит, вынуждены идти на поводу у других (в частности, у манипуляторов).

Другой вариант пробы на владение ситуацией: беседуя с приятелем на тему, не слишком важную для вас обоих, взгляните на часы и непринужденно скажите: «Извини, тороплюсь, договорим в следующий раз». С этими словами немедленно удалитесь.

Проба одиннадцатая. Встретившись со знакомым, попытайтесь постепенно перевести беседу о чем угодно на духовный уровень общения. Исходите из возможностей конкретного партнера. Допустим, он не склонен говорить о музыке или литературе, поскольку не разбирается в них, зато неравнодушен к природе. Побудите его репликами, а главное — внимательным слушанием, выразить, например, свое огорчение в связи с тем, что редеют леса, загрязняются реки и т. п. Если вы хороший собеседник, партнер раньше или позже выскажет глубоко личное отношение к обсуждаемой теме: вспомнит, скажем, как ребенком удил рыбу в чистом (а ныне запущенном) пруду. Именно поворот к личному с оживлением воспоминаний и потаенных раздумий знаменует появление духовной интонации в вашей беседе. Попробуйте двинуться дальше, поделитесь в свою очередь с партнером чем-то личным. Не умеете? Вы крайне избирательны в подобном партнерстве? Ваше право. Однако есть опасение, что вы высокомерны и необоснованно отказываете другим в тех душевных достоинствах, какие приписываете себе.

Проба двенадцатая. Проанализируйте свой круг общения. Согласно древней мудрости, подлинное постижение духовной жизни других доступно лишь тому, кто одновременно связан приятельскими узами (именно приятельскими, а не должностными или семейными) хотя бы с одним: а) ровесником, б) человеком помоложе, в) значительно моложе, г) ребенком, д) человеком постарше, е) значительно старше, ж) стариком или пожилой женщиной. Эту простую, но психологически глубокую истину, как ни печально, многим приходится открывать для себя заново. Неспособность поддерживать приятельские отношения, например с подростком или стариком, может говорить о косности и узости вашей настроенности на других, что, пожалуй, делает вас не слишком интересным собеседником в определенных ситуациях.

Часть II.

СЕКРЕТЫ ПРЕУСПЕВАНИЯ

Глава 1.

Как выработать в себе сознание преуспевания

Мысли и идеи фактически одушевлены. Они могут ощутимо, сильно и в течение долгого времени влиять на вашу жизнь, ваше благосостояние и содержание вашей записной книжки. Дело в том, что, если вы думаете и поступаете как преуспевающий человек, вы преуспеете. Если вы думаете и поступаете как бедняк, вы будете бедняком. Нами владеют общепринятые идеи: мнения и убеждения страховых компаний, начальства, так называемых мудрецов и предсказателей человеческой судьбы. Каждый из нас волен самостоятельно принимать решения или быть жертвой экономической пропаганды правительства, частных интересов определенных групп, играющих в свои игры коллег и сотрудников. Распознать эти претензии на наше внимание и убеждения и знать, что чужие идеи имеют в нашей жизни только ту силу, которую мы им отводим, означает начало утверждения нашей свободы бытия, обретения творческого подхода к жизни. Нам постоянно необходимо напоминать себе о том, что мы представляем собой стихийное и свободное выражение Всеобщего Принципа. Принципа, который воплощает Разум и который наделил каждого из нас правами на самосознание, самопризнание и самоутверждение.

Мы нуждаемся в руководстве для придания самим себе силы, мужества и убеждения — путей к цели, которая может изменить нашу жизнь. Ниже приводится описание динамических мыслительных моделей, которые помогут вам преуспеть. Вы можете прямо сейчас начать использовать эти правила, которые изменят вашу жизнь.

УМНОЖЕНИЕ

На земле и в космосе находятся громадные невостребованные ресурсы. Не обращайте внимания на разговоры об истощающихся запасах нефти, продовольствия или воды. Человек всегда способен найти новый выход, обрести новое понимание, разработать новые методы, отыскать альтернативные способы для удовлетворения своих нужд. Мы наполнены энергией, купаемся в ней. Энергия является источником и субстанцией нашего существования, постоянно питая нас. У нас не бывает ни нехватки, ни ограничений. Земля окружена первобытной субстанцией, запасами и энергией. Вселенная динамична.

Фактически мы находимся в центре действия щедрого жизненного принципа, в щедрой Вселенной. Только нетворческие умы, способные представить себе мертвую окружающую среду, могут испытывать страх перед будущим. Сэр Уолтер Рейли привез в XVI веке в Англию единственную картофелину. Эта картофелина, умножавшись, дала достаточно еды, чтобы накормить многие миллионы людей. Единственное помидорное семя может дать миллионы семян в течение одного года.

Однажды было в шутку сказано: «Два непроверенных яйца могут произвести мировой переворот в птичьем царстве». Энергия, вложенная в образование, может умножиться во много раз. Подумайте, чем обернулась для человечества энергия, затраченная на обучение Эйнштейна, да Винчи, Шекспира и Моцарта! Природа в нашей Вселенной действительно богата энергией. И у человека есть возможность воспользоваться этими богатствами. При этом мы должны правильно понимать изобилие, осознавать свою личную долю в нем. Однако мы должны позаботиться и о широте наших мыслей. Не допускайте мыслей о неудаче. Развейте у себя сознание свершения, не важно чего. Воспринимайте неудачу как конец старого, уступающего дорогу новому. Пусть такое отношение явится отражением вашего сознания преуспевания. Понаблюдайте, какие результаты это принесет. Готовность к риску, основанная на позитивном убеждении, требует дисциплины и опыта конструктивного мышления.

По мере того как мы учимся раскрывать свои таланты и расширять умственные способности, внутренняя энергия находит в нас выражение. Чтобы добиться успеха, мы должны думать, чувствовать и работать. Никогда не принижайте себя или свое значение в жизни. Если вы почувствуете, что божественная сила внутри вас исходит из главного Источника — маловероятно возникновение пустого и напыщенного самомнения. Принимайте свои способности как искру всеобщей энергии, и вы обретете новое самоуважение. Не позволяйте никому бранить или унижать вас. Если приходится выслушивать кого-либо, кто вас недооценивает, пропустите это мимо ушей. Лучше спокойно извиниться и сказать: «Простите, но мне надо идти. У меня дела». Помните о том, что посредством состояния вашего сознания вы порождаете добро или преграждаете ему путь. Ваши мысли, чувства и отношения открывают возможности или воздвигают преграды для личного роста, карьеры и преуспевания. Не позволяйте пустякам или обстоятельствам, тормозящим ваш успех, сбить вас с толку.

Это старая истина. Великие люди прошлого не позволяли подобным соображениям сдерживать себя. Если бы они поддавались им, то никогда бы не смогли свершить свои великие дела. Цезарь и Наполеон были великими триумфаторами, при этом страдая от эпилепсии. Когда Джон Мильтон создавал свой шедевр «Потерянный рай», он был слеп и жил в нищете. Бетховен подарил миру потрясающие своей гармонией произведения, когда он был слишком глух, для того чтобы услышать их. Эти люди не склонились перед обстоятельствами. Сила их сознания позволила им подняться над существующими трудностями. Они обладали духовной мощью, которая нашла свое выражение через собственный образ и самопризнание. Для того чтобы добиться успеха, вам необходимо поступать подобным образом.

Понаблюдайте за своим сознанием, за тем, как вы видите самого себя. Проконтролируйте свои мысли. Проследите за своими отношениями. Направьте их в жизнеутверждающее русло. Заставьте великую динамическую идею работать на себя.

ИСПОЛЬЗОВАНИЕ РЫЧАГА

Греческий математик Архимед сказал: «Дайте мне точку опоры, и я переверну весь мир». Он говорил о рычаге — приспособлении, которое помогает человеку поднять тяжелый автомобиль с помощью простого домкрата. В переносном смысле вы можете использовать в качестве рычага одну из функций великого Принципа Преуспевания. Таким рычагом является идея, мысль. Она может приподнять вас ваше, чем вы можете себе это представить, и держать вас на этой высоте. Весь секрет заключается в правильной идентификации. Когда вы идентифицируете себя, основываясь на ограниченном, чисто материалистическом взгляде на жизнь, самого себя и природу, ваше мышление остается привязанным к обычной жизни. На этом уровне мышления все определяется мнением других, банками данных человеческих домыслов и наблюдений, жизненной необходимостью выражаться через повторяющуюся историю. Единственное отличие, похоже, заключается в обстановке.

Все представляет собой модифицированную непрерывность прошлого. Фактор духовного рычага возникает тогда, когда к вам приходит великая идея, когда вы ощущаете свою связь с Великой Жизнью, Великой Силой и Великой Возможностью. Затем, подтверждая истинную природу существования, высшая сила Умственной Энергии движется через вас, изменяя каждый аспект вашего существования. Библейское описание этого действия описывается как изменение посредством обновления вашего ума. Когда вы обретете новый взгляд на ум, жизнь и закон созидательности, вы сможете воспользоваться умственным фактором Вселенной. Вы сможете приподняться над ограниченным мышлением и убеждениями человечества. И вы почувствуете свободу.

БЛАГОДАРНОСТЬ

Великий римский философ Цицерон сказал: «Благодарность — мать всех добродетелей». Он мог бы добавить, что людям не хватает благодарности. Благодарность тесно связана с признательностью. Очень немногие из нас действительно ценят жизнь, переживая действия и связи. Поэтому мы редко испытываем благодарность. Конечно, многие из нас говорят «спасибо» достаточно часто. Но обычно это пустая фраза, а настоящая признательность отсутствует. Признательность, видимо, должна включать тонкое свойство, которое является одним из ключей к Принципу Преуспевания. Это признание. Кто из нас в действительности принимает других такими, какие они есть? Мы слишком часто критикуем своих детей, коллег или родственников, потому что они не соответствуют нашим требованиям. Они не такие, какими нам хотелось бы их видеть. Они не вписываются в нашу формулу или модель жизни. И поэтому не получают того уважения, которое заслуживают как люди. И мы присваиваем себе это право, которого не заслужили. Решение проблемы заключается в освобождении. Освободите других от цепей ваших отживших требований. Предоставьте им быть самими собой. И конечно же, освободите сами себя. Такое состояние ума позволит вам принять жизнь с большим спокойствием. Это позволит достичь самоуважения, принять других такими, какие они есть, и получить от них то, что они могут дать. Не будучи на первый взгляд прямо связанным с сознанием преуспевания, это в действительности является его существенным элементом. Как только вы научитесь принимать, вы приблизитесь к способности получать. А способность получать даст вам возможность оценить щедрость жизни, независимо от того, исходит ли она от отдельных лиц, группы людей или другого источника.

Ваша благодарность служит подтверждением того, что жизнь преподносит вам подарок из своего бесконечного тайника богатств. Такое отношение открывает ваше сознание для получения вечной энергии. Критика — это какофония придирчивого ума. И она может только увести вас от любви, поддержки и приносящих радость взаимоотношений, которых вы заслуживаете и в которых нуждаетесь. Конечно, мы обсуждаем психологическую критику, а не необходимый и поучительный научный анализ или разницу между моральным и аморальным положением или действием. Давайте поймем, что благодарность сложным образом переплетается с признательностью, а признательность невозможна без признания. Признание — это восприимчивость к кому бы то ни было. Именно она является краеугольным камнем преуспевающего сознания.

Многие люди пытаются исказить понятие благодарности. Вместо того чтобы реагировать на добро положительно, они часто поступают наоборот. Окажите кому-либо услугу и что вы получите? Часто результат далек от ожидаемого. О том, что происходит, когда даешь деньги взаймы, ходят забавные и грустные анекдоты. Дарение вызывает скорее циничные чувства, нежели воодушевление. Примеры этому можно найти даже в античные времена. Новый Завет рассказывает о том, как Иисус исцелил десять прокаженных, и только один из них вернулся, чтобы поблагодарить. Говорят, что, когда делаешь добро, этого никто не помнит. А когда делаешь зло, никто этого не забывает. Хотя использование Принципа Благодарности не вызывает трудностей, человеческая природа противится ему. Единственное, что требуется, это — осознание ваших мотивов и действий. Если вы поймете то, как благодарность связана с сознанием преуспевания, всякое сопротивление исчезнет. Это требует дисциплины, а не каких-то сверхчеловеческих усилий.

Понимание открывает путь благодарности, и она становится привычной и относительно легкой. Говоря проще, вы совершаете поступок, не думая о награде. Признание и оценка могут прийти к вам, но вы их не требуете. Дела заканчиваются по мере их завершения. Ваши мотивы не включают жажду признательности. Вы делаете, добиваясь наилучших результатов, и не рассчитываете на похвалы или благодарности. Становится очевидным, что важным аспектом благодарности является служение другим; это одно из свойств дарения. Оно отражает всеобщее «дарение» жизни, которое бесконечно выражает, производит, проявляет себя и заявляет о себе. Таким образом, служение другим действительно является отражением этого всеобщего свойства жизни. Оно осуществляется ради самого себя без всяких ограничений и наград. Все это может напомнить вам религиозные или библейские высказывания, потому что это существенные идеи так называемой вечной философии. Большая часть священных писаний мира иллюстрирует эти идеи. Однако они должны восприниматься скорее как всеобщие истины, чем принадлежность какой-либо отдельной теологической науки или религиозных убеждений.

В сущности, одинаковое подтверждение жизнеутверждающего принципа присутствует во всех конструктивных духовных убеждениях человечества. Ваше добро не проходит незамеченным. Если вашей целью является не личная слава, а идея «пожертвования» для других, радость и удовлетворение, которые вы получите, превзойдут ваше воображение. Это доказано жизнью, потому что исходит из сути истины. Цените, принимайте, уважайте, служите, хвалите, освобождайте. Все это составные части благодарности. Они являются необходимым элементом сознания преуспевания. Если вы будете отдавать, вы сами получите. Это непреодолимый, непреклонный закон. Он действует всегда!

ЗАДЕРЖКИ РОСТА

Уильям Блейк писал: «Человек, который никогда не меняет своих мнений, подобен стоячей воде и вскармливает рептилий ума». Подобно библейским «лисятам, портящим лозу», устоявшиеся убеждения и мнения проникают в наше мышление, останавливая развитие процесса познания. Самообман берет верх и заставляет нас отступиться от проблем. Вместо того чтобы открыто взглянуть на них, мы пытаемся решить свои проблемы, прибегая к предубеждениям и понятиям прошлого. Зачастую мы заменяем решение проблем таким отношением. В результате мы часто оказываемся в трудной ситуации, неправильно понимая то, что я называю «отрицанием». Мы предпринимаем слабую попытку «что-либо сделать», отказываясь реально оценить ситуацию. Из-за скрытого страха результаты часто оказываются плачевными. А страх является частью изначально неправильного понимания причины и следствия — непонимания того, как и почему происходят некоторые вещи и как изменить эту ситуацию. Для того чтобы избежать неудач, вам необходимо очистить свое сознание для нового опыта, новых знаний и навыков. В этом вам помогут приемы Формирования и Духовного Исцеления Разума. Как только вы перестанете играть «в притворство» и начнете жить по-настоящему, все переменится. Возникнут правильные решения и действия. Вами теперь движут жизнеутверждающие силы — они способны победить то, что сдерживает ваш рост.

БУМЕРАНГ

Если вы хотите, чтобы вас любили, хотите пожинать плоды уважения, доверия и признательности, вам необходимо знать две вещи. Первое: заслужите эти плоды. Некоторые люди ожидают многого от жизни, от своих друзей, от работы. Но многие ли ведут себя так, чтобы заслужить эти награды? Спросите себя: «Какая жизнь кажется мне достаточной и успешной? Насколько последовательно я осуществил те цели, которые себе поставил? Подчинялся ли я личной дисциплине и что делал для того, чтобы достичь более высокого уровня? Достоин ли я своего выбора?» Лорд Альфред Теннисон писал: «Чувство собственного достоинства, самопознание и самоконтроль — только эти три качества ведут нас к верховной власти». Бездумная жизнь никогда не приведет нас к пониманию, достижению или свободе. В одном из интервью Диана фон Фюрстенберг, всемирно известный модельер и производитель женской одежды и аксессуаров, описывая свой относительный уход из делового мира, фактически раскрыла этот процесс. После переоценки своих желаний и целей она перешла в новое состояние самоконтроля, которое, по всей видимости, явилось результатом такого очищения сознания. Ее многомиллионная империя и личное состояние отражают ее кредо по отношению к деньгам, выраженное в следующих словах: «Я делаю деньги для того, чтобы использовать их ради свободы. Свобода. Вы видите, я начала работать для свободы».

Второе: проявляете ли вы сами те качества, которые хотите видеть в других? Любите ли вы? Уважаете ли права других? Присутствуют ли в вашем отношении к друзьям, семье, сотрудникам искреннее доверие и обязательства? Эта идея содержится в каждом духовном учении; она составляет сущность всех моральных и этических норм поведения. Конечно, это не в буквальном смысле бумеранг. Однако основополагающая предпосылка именно такова: как посеешь, так и пожнешь. То, что вы отдаете, в той или иной форме всегда возвращается к вам.

ПРЯМОЕ И ОБРАТНОЕ ДЕЙСТВИЕ

Это правило действует в мире мыслей, чувств и дел. Евангелие от Матфея описывает это следующим образом: «Растет ли виноград на колючках или инжир на чертополохе? Каждое хорошее дерево приносит хорошие плоды, а каждое испорченное дерево приносит дурные плоды». В жизни также подтверждается мысль: сначала вы должны дать то, что хотите получить. Если вы нуждаетесь в дружбе, сами будьте другом. Хотите любви? Отдавайте любовь. Если вы хотите быть уверены в других, развивайте уверенность в себе и демонстрируйте обратное правило. Враждебность порождает враждебность. Вы, наверное, знаете людей, враждебных с самого начала. Возможно, у них проблемы, с которыми они не могут справиться. Какова бы ни была причина, они все время жалуются, что у них нет друзей, постоянно спорят, у них всегда неприятности. Это происходит потому, что они переполнены отрицательной энергией и воплощают собой закон притяжения. Если бы они могли понять, что эмоции и чувства, проявляемые ими, опять возвращаются к ним, они бы попытались изменить свое сознание и поступать правильно. Мы сначала должны отдать то, что хотим получить. Желая получить без отдачи, вы искажаете принцип прямого и обратного действия, что нередко приводит к смятению и хаосу.

ВОЗНАГРАЖДЕНИЕ

Ралф Уолд Эмерсон писал: «Природа требует действий, способствуя развитию личности, а всякое развитие является результатом усилий, и они — эти усилия — делают личность сильнее». Далее он утверждал, что плата за все действия равноценна — добро за добро и зло в ответ на зло. Все действия вознаграждаются или наказываются. Результат заложен в причине, подобно тому, как из семени должен появиться фрукт. Эмерсон поймал искру вечной энергии. Он понял, что жизнь постоянно требует действий, а ожидание результатов, в свою очередь, требует терпения. Без сомнения, причина порождает следствие. Если вы принимаете это условие, то терпение приходит легко. Никакие усилия не пропадают втуне. Жизнь не может обмануть вас. Еще один важный момент: незначительные усилия дают незначительные результаты. Лень сама по себе является наказанием. Любое недостаточное усилие наказуемо.

Конструктивное мышление должно давать положительный результат. Вы не можете избежать этого. Духовные занятия всегда вознаграждаются. Вознаграждение — это всеобщая истина. Терпение основывается на убеждении, что конструктивный процесс происходит постоянно, и мы являемся свидетелями действия закона созидательности. В данном случае он называется Принципом Вознаграждения.

ОБУСЛОВЛЕННАЯ РЕАКЦИЯ

1 января 1995 г. в научном разделе газеты «Нью-Йорк таймс» была напечатана статья, рассказывающая об исследованиях в области активизации иммунных клеток мышей, проводимых в Национальном институте здоровья. Было показано, как эти клетки, которые защищают тело от болезни, появляются в результате тренировки мозга. Мыши подвергались воздействию запаха камфары в течение трех часов за один сеанс. Не было обнаружено никакого влияния

на иммунную систему. Другой группе мышей во время воздействия запаха камфары вводилось химическое соединение, усиливающее активность естественных защитных клеток. После девяти сеансов таких инъекций, сопровождавшихся запахом камфары, десятый сеанс, включавший только воздействие камфарным запахом, вызвал такое же увеличение защитных клеток. В результате испытаний было установлено, что активность клеток животных, подвергавшихся воздействию запаха, в 35 раз превышала активность естественных защитных клеток животных контрольной группы.

Очевидно, что мозг и ум могут оказывать сильное влияние на иммунную систему. Увеличивающееся число данных, получаемых во всем мире, показывает, что физическое и эмоциональное влияние ума на жизнь человека огромно. Все мы чем-то обусловлены и постоянно подвергаемся какому-либо воздействию. На нас влияют общие закономерности жизни, давление окружающей среды.

Некоторые из нас способны видоизменять такое воздействие посредством корректирующего, правильного мышления и практически духовного исцеления. Основное правило позитивного мышления гласит: «Действуйте так, как если бы что-либо уже произошло,— и это произойдет». Если вы хотите приобрести определенное качество, поступайте так, как если бы оно у вас уже было. Тогда оно станет вашей неотъемлемой частью. Это означает, что вы можете управлять своей собственной жизнью. Вам не придется быть жертвой психологического давления или советов своих друзей, деловых знакомых или родственников. Вы сами отвечаете за свою жизнь, только если вы не передоверили ее другим. Вы держите штурвал вашего корабля. Вы выбираете маршрут и порты назначения.

Ваш ум постоянно действует и отвечает на действия, реагируя на предложения, условия и выбор. Это нормальный постоянный процесс. Активным импульсом в этом процессе является мысль.

Ответные реакции воплощают закон Ума и Действия. Весь этот механизм является частью всеобщего Жизненного Принципа. Будучи обусловлены внешними обстоятельствами и чужими действиями, вы аналогичным образом воздействуете на других. Результат этой обусловленности и то, как она проявится в вашей жизни, зависит от вашего отношения, мыслей и чувств, которые выражают ваше понимание этой жизни. Итак, понимание созидательного процесса дает возможность определить свой путь. Контроль осуществляется сознанием того, кто вы есть, откуда вы пришли и куда идете. Познайте себя. Начните искать ответы на основные вопросы существования. Вы начнете обретать новое понимание, изучая себя и отыскивая доступные всем духовные и материальные ресурсы. Ищущему да воздастся. Ответы на ваши вопросы не скрыты навечно, они ждут, когда вы их обнаружите.

МУЖЕСТВО

Мужество — это умение не сдаваться, справляться с проблемами, вызванными временем, местом или обстоятельствами. Мужество порождает решимость достичь успеха в определенной области жизни, несмотря на огромное количество кажущихся непреодолимыми препятствий. Мужество встречать тяжелые и неприятные известия может стать началом пути к свободе. Сэр Георг Солти, музыкант и дирижер, заявил в 1984 г., в возрасте 71 года, что он намеревается руководить

Чикагским симфоническим оркестром до его столетнего юбилея в 1990 г. В 1940 г. карьера Солти почти закончилась, едва начавшись. Будучи венгерским евреем, в начале Второй мировой войны он бежал в Швейцарию. Его великолепное музыкальное образование позволило ему получать случайные заработки в качестве пианиста или вокального репетитора. Тогда для него это было единственным средством существования. Однако в1945 г., когда ему было около 35 лет, он начал заниматься дирижированием. Он говорит следующее об этом периоде своей карьеры: «Я начал так поздно, что это было почти безнадежно». Сила его убеждения предоставила Солти редкую возможность. С помощью военного правительства США в Германии он получил пост музыкального директора Баварской государственной оперы в Мюнхене. В послевоенный период он приобрел репутацию человека, возрождающего музыкальные традиции в Германии.

Любой человек может развить в себе мужество. Однако это требует усилий и регулярных занятий. Вот некоторые советы. Во-первых, основная модель приобретения мужества должна основываться на убеждении и желании победить. Если хотите, вы можете применить эту модель к деньгам или карьере. Вашей целью могут стать богатство, счастье и свершения. Жестокие люди тоже хотят этого. Но вы хотите остаться гуманным человеком. Нет необходимости жертвовать каким-либо из этих желаний. Вы должны развить в себе уверенность, преданность, смелость, настойчивость и энергичное желание преуспеть. Поддерживайте свое сознание на высоком уровне, действуя с жизнеутверждающим оптимизмом и ожиданием свершений,— и вы одержите победу. Это легко сказать, но нелегко достичь. Сначала раскройтесь навстречу идее. Одним из самых легких способов является чтение о выдающихся людях. Вы можете не соглашаться с тем, что они говорят и делают, но в этом и нет необходимости. Посмотрите на ментальную или внутреннюю сторону их достижений. Что именно в их поведении и взглядах привело к успеху? Не заостряйте свое мышление на негативных моментах, на клише публичных мнений и убеждений. Обратите особое внимание на отношения и дела мужественных людей и творческих мыслителей.

В любой области и человеческой деятельности вы найдете выдающихся, жертвенных людей. Вы также найдете людей, мешающих и тормозящих. Избегайте их как чумы. Вместо этого думайте о тех, кто достиг чего-либо. Изучите моменты их достижений, свершений. Цените жизнь вместе со всеми ее трудностями. Они есть всегда. Жизнь может быть созидательной, наполненной красотой, светом и любовью, но в ней могут быть также проблемы, кризисы и осложнения. Секрет заключается в том, чтобы ценить жизнь, все ее богатство и полноту, включая и преодоление трудностей. Мы должны знать, что располагаем средствами, помогающими нам внутренне справиться с жизненными невзгодами. Развивайте в себе оригинальность, находчивость, способность отстаивать свою индивидуальность. Обретите самостоятельное, независимое мышление, способное обеспечить выполнение ваших собственных жизненных планов. Чтобы идти своим собственным путем, игнорируя групповое мышление и мнение окружающих, требуется большое мужество.

Каждый акт мужества — это сделанный выбор, который помогает вам создать запасы энергии и веры в свои возможности, необходимые для свершения. Чем больше ваши достижения, тем большего вы можете достичь. Чем больше трудностей вы преодолеваете, тем больше вы можете преодолеть. Составьте себе план и следуйте ему, что бы ни происходило. Иногда вам придется скорректировать свой план в соответствии с новыми условиями или требованиями. Но всегда помните о конечной цели и не позволяйте чему-либо увести вас в сторону. С помощью этой решимости вы не только достигнете своей цели, но и станете сильнее. Исполняйтесь решимости для осуществления своих планов, невзирая на страх и обескураженность. Ежедневно отметайте все сомнения. Работайте над собой каждый день. В этом вам помогут приемы, описанные в данной книге.

Возможно, вначале вы не сумеете прогнать все отрицательные мысли. Некоторые из них останутся, но по мере того, как вы будете работать изо дня в день, они буду постепенно улетучиваться. Шекспир писал: «Наши сомнения предают нас и часто заставляют терять то, что мы могли бы приобрести. Риск приносит удачу». Страхи связывают нас и порождают сожаления. Сомнения разрушительны. Вы изгоните их, как только выработаете в себе мужество. Никогда не ворчите на судьбу, не жалуйтесь и не жалейте себя. Это верный путь к поражению. С другой стороны, духовное понимание дает вам силы выстоять, принять удары судьбы и изменить все отрицательные мысли и чувства. Постепенно вы измените неприемлемые условия в своей жизни. Все время помните о том, что вам необходимо мужество. Оно требуется во всех проявлениях жизни. Если вы примете эту идею, вы выстоите — не можете не выстоять. Вы поймете, что дело заключается только в том, чтобы утвердиться и двигаться вперед. Каждая успешная жизнь переживает моменты растерянности. У всех выдающихся людей были срывы и отступления.

ПРИЗНАНИЕ СВОЕГО «Я»

Получайте удовольствие от своих свершений. Будьте довольны собой, когда ваши действия удовлетворят вашим требованиям. Оценивая свою работу и жизнь или составляя планы на будущее, не впадайте в зависимость от других. Конечно, ваше «Я» жаждет признательности и получает удовольствие, одобряя других. Все мы получаем подтверждение своих дел, расточая энергичные похвалы другим. Это нормально, и мы всегда приветствуем такое одобрение добрых дел в своей жизни.

Однако, когда вас критикуют или кто-то с вами не согласен, не испытывайте чувства неравенства или унижения. Хотя нам, конечно, приятно слышать от других добрые слова, но они нам не нужны. Человеку не требуется ничего, кроме собственного убеждения и самопризнания. Мы обсудили 10 основных условий, которые помогут вам утвердить модель преуспевания в своей жизни. Модель, включающую отношения, мысли и чувства и позволяющую принципу преуспевания течь сквозь вас. Вы узнали о том, как заставить служить свой безграничный динамичный потенциал для достижения внутренних изменений, которые откроют вам возможность получения Божественной Энергии Жизни. Настало время обсудить такой всеми признаваемый, но лишь частично понимаемый аспект преуспевания, как деньги.

ЧТО В ДЕЙСТВИТЕЛЬНОСТИ ПРЕДСТАВЛЯЮТ СОБОЙ ДЕНЬГИ

Деньги — одно из величайших изобретений человечества, они заменили неуклюжий бартер, затрудняющий обмен товарами и услугами. Деньги явились результатом мыслительного процесса человека, умственных способностей отдельных личностей. Поэтому деньги можно назвать символом Энергии Ума. В повседневной жизни деньги выполняют 4 функции.

1) Это единица стоимости. Деньги позволяют нам установить цену куска хлеба, дома или проделанной работы.

2) Это средство, которое облегчает обмен товарами и услугами на упорядоченной, понятной всем основе.

3) Это средство хранения. Если вам заплатили за труд цыплятами, коровами или продуктами, вы не сможете их хранить достаточно долго, чтобы использовать в будущем. Деньги легко хранятся.

4) Кроме того, вы можете одолжить кому-либо для немедленного использования те деньги, которые вам в данный момент не нужны, кредитор получает плату, называемую процентом.

Можно заметить, что деньги создают люди, а не правительства. Мы создаем деньги посредством того, что мы делаем и производим. Возникает необходимость в средстве обмена. Итак, деньги — это благо. Однако многие с детства усвоили, что деньги — это грязь. Презренный металл. Корень всех зол. Некоторые чувствуют, что они получают деньги за счет других. Такое мнение сбивает с толку. Оно может привести только к бедности и недостатку. Однако это неверно. Нужно понимать, что деньги появляются при осуществлении прибыльной идеи.

Ярким примером тому может служить история с Джин Нейдич, которая основала и возглавила общество людей, следящих за своим весом. Она сама имела избыточный вес и решила что-либо предпринять. Она сумела предпринять. Она сумела превратить свой недостаток в источник прибыли. Изменив свое мышление, четко осуществляя все принципы контроля за весом, она смогла создать успешное предприятие, приносящее огромную пользу другим. Пример Джин Нейдич, весьма преуспевающей женщины,— отличная иллюстрация силы правильного мышления, отношения и действий.

Марк Твен сказал, что корень зла заключается в отсутствии денег. Мы можем продолжить его мысль. Бедность — особенно в нашем обществе западного типа — является символом искаженного сознания, которое нуждается в исправлении. Отдельного внимания заслуживают искажения в умах людей стран третьего мира. Однако эта книга предназначена людям, живущим в западном индустриальном обществе, тем, кто наполовину знаком с правдой и частично информирован. Я верю, что бедность в конце концов может быть стерта с лица земли.

Сильно сказано? Давайте вернемся к основам. По существу, бедность является вопросом сознания. В неправильном понимании идей и поступков коренится состояние замешательства, основанное на неправильных мыслях, коренным образом это является проблемой Разума и действия. А это возвращает нас к существенной субстанции энергии разума, лежащей в основе этих вещей. Каждый человек имеет право и способности для того, чтобы работать с сознанием, чтобы выбирать мысли, формировать эту духовную субстанцию, являющуюся причиной всего.

Радикальным лекарством от бедности является перемена в сознании. Одним из величайших учителей с этой точки зрения был Эрнест Холмс. Он говорил: «Бог любит преуспевающих людей». Задумавшись над смыслом этих слов, можно понять то, что поначалу кажется грубым и бесчувственным. Бог, о котором он говорит, должен быть Источником, Субстанцией и обеспечивать все доброе, включая преуспевание.

Первоначальная Энергия, из которой все возникло, непременно является единственным Источником всего существующего или могущего существовать. Этот Источник постоянно отдает, выражается, поддерживает. Он изливается через нас сейчас, когда мы приобретаем знания и учимся работать с Принципом Преуспевания.

Глава 2.
Приемы преуспевания

С древних времен мудрецы и пророки пытались понять, как работает Умственная энергия. Они пробовали направить ум с помощью духовных дисциплин, таких, как молитва, медитация и контроль над психикой. Их действия часто описывались мистическим или живописным образом.

Честные и преданные духовные исследователи передавали другим то, что они узнали о сознании, о том, как нужно работать с чьим-либо сознанием и эмоциями для достижения желаемых целей. К сожалению, эти усилия ни к чему не привели, так как не учитывали общего процесса, который приводит творческое подсознание к пониманию чего-то такого, что имеет значение в повседневной жизни. Они владели определенными приемами, обучали последователей, обладали личной силой и в основном направляли эту науку к религиозному идеалу. Потомки были озадачены тем, что всеобщее значение этих исследований было погребено среди артефактов узкой религиозной или этнической ориентации. Индусы, например, учили в древней ведической доктрине, что «Истина одна, это люди называют Ее различными именами».

Однако полученные знания не имели практического применения, за исключением высшего интеллектуального мышления. В сущности, говоря другими словами, поощрялся уход от повседневной деятельности. Не предлагалось способа, обеспечивающего более преуспевающую и успешную жизнь. Гораздо больше внимания уделялось улучшению следующей жизни на земле или где бы то ни было. Учителя и гуру не рассказывали обо всем. Возможно, их религиозные убеждения не допускали мысли об использовании Умственной энергии для достижения так называемых мирских целей.

Мудрецы понимали всеобщую природу Разума, принимали истину о том, что Разум Бесконечен и Вечен, а значит, равен Принципу существования. И все же пропасть между этим знанием и его практическим применением сохранялась. Как дитя всеобщей силы, человечество имело лишь частичную картину действующего разума.

До настоящего времени многие люди занимаются различными формами йоги, концентрации и восточных духовных наук. Однако остается главный вопрос — как перекинуть мост через пропасть, разделяющую энергию разума и физическое благополучие. Многие из этих методов имеют благотворные результаты. И все же им чего-то не хватает.

Необходимо, чтобы успех и преуспевание составляли единое целое с духовной жизнью. Часто люди, изучающие духовные науки, создают впечатление, что достижения в деловом мире надо умалять, даже прятать. Это происходит от неправильного понимания этих людей: они считают, что должны сторониться мирских дел. Если мир настолько плох, то как мог Первоначальный Источник, или Бог любви, света и жизни, создать такой хаос? Именно то, как человек использует мир, делает этот мир беспокойным и гибельным. Все отрицательные явления — результат искажения и извращения человеком энергии Разума, результат страхов, неуверенности и попыток справиться с вечными тревогами и проблемами. Все это, осложненное жадностью, алчностью и эгоистическими интересами, которые опустошают конструктивные моральные нормы, привело к дисбалансу жизни и мира. Однако Разум энергии имеет мало общего с внешними условиями. Он нацелен на внутреннюю Истину.

Энергия Разума является самым мощным средством изменения и обновления нашего мира. Всякое благосостояние, преуспевание и достижение являются результатом сильного, утверждающего состояния ума. Мы буквально можем принять наставление Нового Завета: «Изменись, обновляя свой ум». Использование этого принципа может привести к коренным изменениям в вашей жизни.

ДУХОВНОЕ ИСЦЕЛЕНИЕ РАЗУМА

Как мы можем направить энергию Разума для достижения наших конструктивных, прогрессивных желаний? На этот вопрос можно ответить так: с помощью Духовного Исцеления Разума. Это можно назвать наукой о внутренней трансформации. Некоторые люди определяют ее как научную молитву. Однако существует большое различие между традиционным понятием молитвы и исцелением разума. Молитва обычно используется как выход. Вы просите помощи, ответа на свои мольбы от всемогущего Источника, находящегося вне вас. Когда вы используете Духовное Исцеление Разума, вам не нужны мольбы. Скорее вы пытаетесь приблизить себя к Принципу Сознания. Вы достигаете нового личного уровня сознания, выбираете определенную идею для осуществления и направляете ее в подсознательную область разума. Вы изменяете направление энергии, которая находится внутри вас.

Во время духовного исцеления мысль движется сквозь вас, в глубине вашей души, где она находит автоматический отклик. Это можно называть божественным или созидательным процессом; слова и символы не имеют значения. Важным является то, что на подсознательном уровне вашей жизни существует отзывчивая сила. Она никогда не спит!

Как действует исцеление разума? Оно не создает ничего нового. Его действие заключается в очищении сознания от вредного негативного мышления и ощущения с тем, чтобы принцип обеспечения мог свободно протекать сквозь вас. Когда это случится, произойдет новое автоматическое взаимодействие между сознанием и подсознанием. Почувствовав себя обновленным, вы обнаружите, что из глубины вашего существа поднимается огромная энергия. Большинство видов лечения включает отрицательные и утвердительные слова для того, чтобы направить сознание. Сами по себе эти слова не искореняют дурного и не насаждают хорошего. То, что стоит за этими словами, изменяет состояние вашего ума, отрицающего целостность, гармонию и обильное обеспечение всем добрым, в сторону принятия этих желаемых качеств. С помощью процесса исцеления вы возвращаете вещам изначальную сущность — мысли, понятия, идеи. И каждая мысль, понятие или идея рассматриваются как энергетический заряд разума. Затем воздействие отдельных ложных предположений или понятий, отрицательных причин и их последствий нейтрализуется и устраняется. Они заменяются сознательным подтверждением определенных истин бытия и конструктивными понятиями и идеями. Таким образом создаются и питаются положительные результаты.

ОСНОВНЫЕ ПРИЕМЫ

Первым шагом в Духовном Исцелении Разума является признание единого принципа Разума, единого Великого Духа Вселенной, который является причиной всему. Второе, вы должны признать, что представляете собой проекцию идеи этого принципа Разума, что вы и Всеобщий Принцип выступаете заодно.

Убедите себя в том, что все свойства этого Высшего Духа присущи вам. Избавьтесь от своих страхов по поводу нехватки и ограничений. Относитесь к своим нуждам как к конструктивным идеям, живущим в вас. И наконец, отбросив все лишние ощущения, обеспечьте нормальное взаимодействие между сознанием и подсознанием. Поступайте так, как если бы вы уже решили свои проблемы. Вдохните жизнь в вашу идею. Воображение придает избранным духовным идеям новую окраску, звучание и силу.

ИСЦЕЛЕНИЕ РАЗУМА МЫШЛЕНИЕМ

Мышление является величайшим даром человека. Это наиболее важный аспект его существования. Нам необходимо направлять свои мысли по определенному руслу. Как это сделать? Прежде всего осознайте то, что вы думаете.

Действительно, в основном то, что с вами случается, происходит в физическом мире. Это накладывает отпечаток на ваше мышление. Ваше сознание показывает вас в реальном свете. Ваше мышление создает состояние вашего мира. Если вы осознаете свое мышление, то ясно поймете, кто вы и что вы есть. Отвечая на свои мысли, вы сможете изменить направление вашей жизни, потому что мышление представляет собой творческий импульс, действующий в каждом из нас. Как можно изменить свои мысли,— решив изменить их? Когда вы заменяете свои мысли, вы начинаете создавать новые внутренние модели сознания. Это приводит к внешним изменениям, проявляющимся в улучшении вашей жизни. Вы начали сознательно отождествлять себя с огромной силой, существующей во Вселенной. Вы все больше познаете силу мысли, текущей сквозь все живое. Это Всеобщий Созидательный Процесс — первопричина всего происходящего. Отождествите себя с этим Принципом. Скажите себе, что вы выступаете заодно с Силой, которая постоянно порождает новизну.

ОСВОБОЖДЕНИЕ ОТ ПРОШЛОГО

Далее скажите себе, что вы отдаете свою жизнь этой Великой силе. Освободитесь от старого понимания своей жизни. Освободитесь от убеждений и предрассудков мира, который манипулировал вами. Очистите свое сознание, утверждая, что вы открыты для действия Принципа, создающего новую жизнь. Неожиданно вы начнете отождествлять себя с великой и могучей Силой, с Всеобщим Источником или, если хотите, Богом. В этот момент вы поймете, что, отрицая прошлое, вы одновременно утверждаете созидательную

Энергию, первичную Силу, которая наполняет вас новой жизнью.

ОПРЕДЕЛЕНИЕ ЦЕЛЕЙ И ЖЕЛАНИЙ

Далее вы должны поставить перед собой определенные цели и понять, какой мир вы хотите создать для себя. Возможно, вы захотите счастья, хорошей работы, сопровождающейся признанием и свершениями. Вы можете захотеть улучшить отношения со своими коллегами и подчиненными, получить возможность рождать новые идеи для решения проблем, приобрести новое чувство силы и энергии, личное ощущение существенной целостности и гармонии, присутствующей в жизни и во Вселенной. И вы принимаете все это как немедленное включение в подсознательную часть вашего разума. Убедитесь в том, что вы принимаете все это прямо сейчас, независимо от того, насколько поверхностным это может вам показаться. В тот момент, когда вы произнесете: «Я принимаю это сейчас»,— вы от чего-то освобождаетесь. Вы присоединяетесь к Высшей силе, которая интенсивно движется сквозь ваше сознание. Вы доверяете свои цели, желания, свой выбор могущественной Силе.

ЗАВЕРШЕНИЕ ПРОЦЕССА ИСЦЕЛЕНИЯ РАЗУМА

В заключительной стадии вашего исцеления вы переходите к реальной жизни. Приступая к своим делам, вы говорите себе: «Я смотрю на все новыми глазами. Я приподнят, мои знания увеличились. У меня обновленное сознание. Моя жизнь может стать более счастливой, радостной и продуктивной. Это правда. Закон Разума принимает ее и становится действием в моей жизни». Так это и происходит.

ЧЕГО МОЖНО ДОСТИЧЬ С ПОМОЩЬЮ ДУХОВНОГО ИСЦЕЛЕНИЯ РАЗУМА

Исцеление — это процесс, который делает больных здоровыми, бедных преуспевающими, несчастных счастливыми, а скучных и нетворческих людей — жизненными. Исцеление обеспечивает это, изменяя направление энергии внутри нас. Главное здесь — правильное отождествление. С кем и с чем вы сейчас отождествляете себя? Поразмышляйте над тем, как вы проводите свои дни, с какими людьми встречаетесь, какие задания выполняете, что расстраивает или радует вас.

Можете ли вы представить себя в более прогрессивном, удовлетворяющем вас окружении, без напряжения, наполненным радостным чувством свершения? Вы можете добиться этого. Вы можете устранить стресс и беспокойство. Все то доброе, что необходимо вам в вашем мире, вы можете получить с помощью нового личного отождествления. Как только вы оцените по достоинству Силу внутри себя, постоянно действующий Всеобщий принцип, вы поймете, что ваше сознание возвысилось. Вы обнаружите, что приближаетесь к своим целям. По мере работы над собой с использованием великой Науки Разума, вы освоите много приемов, которые обеспечат дальнейший рост вашего сознания, потому что мысль — это сила. Огромный запас силы, движущейся внутри вас. Это совместный процесс со Вселенной. Именно поэтому с Богом мы никогда не бываем одинокими. Итак, тщательно проанализируйте свои мысли. Освободитесь от старых. Очистите свое сознание. По мере того как вы ощущаете целительную силу, вы впускаете в себя новую энергию и позволяете ей течь сквозь вас.

ДАЛЬНЕЙШЕЕ ИСЦЕЛЕНИЕ

Занимайтесь исцелением каждый день в течение 3–4 минут. Лучше делать это вслух, однако, это не всегда удобно или возможно. Проводите их молча. Однако имейте в виду, что занятия вслух более эффективны, потому что в процессе исцеления участвует больше органов чувств. Всегда рассматривайте себя как действующий Разум. Говорите себе: «Я любовь, сила, радость, гармония, истина, целостность, правильные действия, ум и т. д.». Если вы не ощущаете свою связь с Принципом Всеобъемлющего Разума, вы будете воспринимать себя только ограниченным человеческим существом со всеми проблемами, бедами и трудностями, которые сопутствуют человеку. Великий Дух жизни — это Сама цельность. Возможно, вы испытываете неловкость или смущение, думая о себе таким образом. Это естественное, но ненужное чувство. Вспомните элементы Духовного Исцеления Разума. Вы начинаете с того, что признаете существование только одной абсолютной Любви и силы. За этим признанием следует единение. Вы утверждаете, что теперь Абсолютная Любовь — ваша любовь. Абсолютная сила — теперь ваша сила. Единение с Абсолютом и его свойствами является основным элементом Духовного Исцеления Разума. Итак, избавьтесь от малейших признаков самоунижения. Это становится невозможным, если вы признаете свое единство с Великой силой. Из этого не следует, что вы должны позволять своему «Я» впасть в гордыню. Научитесь понимать себя через самоутверждение как духовную сущность.

Цените то, что излучаете и раскрываете в себе божественный потенциал. Неудачи и ошибки имеют значение только для тех, у кого нет созидательной цели. Если вы имеете цель и пытаетесь достичь ее, вы сможете сами наблюдать свой прогресс. Вас не должны беспокоить ошибки и неудачи. Вас интересует только самоочищение для того, чтобы двигаться вперед. Вы должны избавиться от всего, что заставляет вас думать о себе хуже.

Многие люди оказывают себе весьма дурную услугу, утопая в грязи собственного отрицательного образа. Часто впечатления раннего детства не позволяют им выполнить свое назначение. Эти модели, заложенные в подсознании, создаются родителями или другими людьми, имеющими для них значение. Необходимо разобраться в этих отрицательных ощущениях и оценить их должным образом — это не что иное, как восприятие и мнение людей, которые не могут понять или почувствовать то, что происходит внутри вас. Они никогда не смогут сделать это. Они знают только то, что думают, понимают или принимают как вашу реальность. Чаще всего это их реальность, имеющая весьма отдаленное отношение к вам и к тому, что вы представляете собой в действительности. Начните рассматривать свою жизнь как уровни и степени сознания. Этот процесс позволит вам избегать зависимости от понятий и мнений других.

Духовное Исцеление Разума поможет вам избавиться от личной зависимости. Человек был рожден как созидательное начало. Каждый из нас является выражением Всеобщего Ума со свободной волей. Мы учимся, познавая жизнь, преодолевая окружающие нас испытания. Когда мы осознаем свою связь с Источником всего сущего, мы достигаем точки высшего могущества. Мы понимаем, что существует только одна Жизненная сила и эта сила находит свое выражение в каждом из нас. Автономия, способность направлять свою жизнь происходят на уровне понимания и принятия этой духовной связи человеком.

По мере развития и расширения нашего сознания мы раскрываем все хорошее, что уже находится глубоко внутри нас,— то, о чем мы еще не очень хорошо знаем на осязаемом физическом уровне. Совокупность добра — это совокупность Всеобщего Принципа Жизни, который поддерживает нас везде и всегда. Действие Духовного Исцеления Разума можно сравнить с неотполированным, лишенным блеска серебром, благодаря чему становится видна его естественная красота. Исцеление именно так снимает блеск, чтобы обнажить совершенство того, что прячется за ним. Всю нашу сущность, которая находилась там постоянно. В силу нашего невежества мы думаем, что мы больны, несчастны, бедны, запуганы, беспокойны. Духовное Исцеление Разума помогает нам активизировать умственный процесс. И мы становимся свидетелями чудесных изменений, происходящих по мере исцеления.

Чтобы приобрести свободу и спокойствие, вы должны знать, кто вы и что собой представляете. Большинство из нас страдает от своего рода амнезии по отношению к своим врожденным способностям. Прежде чем действовать, вам необходимо познать себя. Тогда и только тогда вы будете готовы принять принцип Преуспевания в свою жизнь и в свое сознание.

Проводя самоисцеление, пожалуйста, помните о необходимости определить свой выбор и потребности. Продумайте детально свои желания. В процессе исцеления используйте воображение. Первое исцеление общего характера включает следующее. Бесконечный универсальный Ум, называемый Богом, говорит, что все, что я создал,— благо. Признавая этот божественный императив, мы тем самым проясняем свое сознание, принимая как факт, истину и реальность то, что каждый из нас является центром созидательного действия, зная, что все прекрасно, целостно, гармонично, во всем присутствует божественный порядок, все представляет собой совершенство. В результате каждый получает новое понимание истины, которое освобождает сознание и личность. Все чувствуют себя приподнятыми, более сведущими, готовыми идти вперед с новым, расширенным пониманием, творческим мышлением, способным на плодотворную работу, разумные поступки и гармоничные отношения. Мы действительно подчиняемся Созидательному Закону Разума!

Вот как я проводил исцеление одного актера. Я подтверждаю своими словами, что во Вселенной существует Одна Жизнь, Один Разум, Одна сила и Одно Присутствие, Одно Созидательное Божественное побуждение, которое постоянно самовыражается посредством своих творений, таких, как мужчины и женщины. В частности, это Божественное побуждение находит выражение в индивидуальном желании работать актером в театре, на телевидении, радио и в кино. Оно желает таким специфическим образом ощутить Творческий процесс. Это позитивная идея, не вызывающая противодействия. Всеобъемлющий Разум принимает эту идею. Она зародилась в Разуме и проецируется великим принципом Разума Вселенной. Поэтому все, необходимое для осуществления его правильной актерской работы, в правильном окружении, с правильной возможностью самовыражения и свершений, становится законом его жизни, потому что не встречает сопротивления. За него выступает сама жизнь. Это является частью Закона созидательного процесса, Закона причины и следствия, действующего в очень узкой области Вселенной, называемой миром этого актера и состоящей из профессии и карьеры. Поэтому то, что в подсознании этого актера мирится с нехваткой возможностей, или нехваткой хороших ролей, или трудностями в игре, или острой конкуренцией в работе, наряду с любыми личными чувствами или ограничениями, теперь искореняется, нейтрализуется, устраняется, уничтожается, изгоняется раз и навсегда через эту установку на Закон подсознательного Разума.

Этот актер представляет собой канал, через который Созидательный Ум находит весьма специфическое выражение. Теперь этот актер радостно воспринимает идею, что он актер, любит ее, зная, что все работает на него, что его возможности заключаются в приятии духовной идеи правильных средств достижения для него, правильных агентов, продюсеров, режиссеров, правильного окружения для выражения своего таланта. Все это является выражением Всеобщего Ума, который теперь действует через разум актера. Поэтому он движется вперед, испытывая новое чувство свободы и спокойствия в жизни, свершений, удовлетворения и радости. Теперь он успешно работает как актер, постоянно играя те роли, которые обеспечивают ему поддержку коллег в профессиональном мире, а также достаточную финансовую поддержку его работы. Эти слова произносятся во имя Созидательного Закона Разума. Так оно и есть.

В заключение этой главы описывается Духовное Исцеление Разума, направленное на преуспевание: Мы признаем, что существует только Одна Сила и Одно

Присутствие во Вселенной. Один Принцип Вечного, Бесконечного, Непрерывного Добра. Мы действительно открыты Ему и воспринимаем его, потому что мы лучше понимаем, кто мы и что мы собой представляем как часть этой космической идеи. Мы принимаем свое нынешнее движение вперед посредством развития познания, духовного понимания и сознания. Мы составляем часть программы преуспевания, которая является принципом Жизни, проявляющимся более сильно, красиво, успешно и счастливо. Он находит свое выражение в каждом из нас. Мы радуемся этой истине, мы восхваляем ее, и мы видим ее проявление в больших свершениях прямо сейчас. Так оно и есть.

Глава 3.

В пользу преуспевания

Мы знаем из исследований и наблюдений, что люди, которые приобретают богатство, отличаются определенными чертами характера. Возможно, нашей главной целью является не богатство, а достижение такого состояния сознания, при котором можно сказать: «Я победитель. И я счастлив, что являюсь выражением Всеобщего Принципа, пребывающего во мне». Полезно знать черты характера успешных финансовых людей для того, чтобы сравнить их достижения и таланты с нашими и выявить как различия, так и общие черты во взглядах и действиях. Мы знаем, что исцеление разума позволит нам совершить духовные изменения, необходимые, чтобы заручиться помощью Всеобщей Силы для наших свершений.

ОГРОМНАЯ ЭНЕРГИЯ

Наиболее характерной для людей, которые сами создали свое богатство, является огромная энергия. Они постоянно в действии. Помните, что человек, познающий действия Разума, может испытать быстрый прилив обновленной энергии как одно из самых чудесных его проявлений. С помощью разума вы можете почувствовать внутри себя новую жизненную силу, потому что вы научились думать в позитивном, прогрессивном направлении. Огромная энергия людей, желающих разбогатеть, проявляется в том, сколько часов они работают. Ли Якокка, возродивший корпорацию «Крайслер», сказал: «Главное — это быть уверенным в том, что вы не умрете раньше, чем преуспеете». Эрих Фромм, американский психоаналитик, писал: «Новое отношение к усилиям и работе... может рассматриваться как самое важное психологическое изменение, происшедшее с человеком, начиная с конца Средних Веков». Энн Рэнд, писатель и философ, утверждала: «Богатство — это продукт умственной деятельности человека».

В начале своей карьеры Аристотель Онасис спал всего три часа в сутки. В одном из интервью он сказал: «Не спите слишком много, иначе вы проснетесь неудачником». Люди, добившиеся успеха, часто говорят о том, как тяжело они работают, сколько долгих часов проводят в переговорах с другими людьми, думая, утверждаясь. Все это время, проведенное вне дома, иногда сказывается на семейной жизни. Однако Анни Сазерленд Фокс, первая женщина-издатель американского журнала, рассказывает другую историю в интервью «Крисчен Сайенс монитор» в январе 1995 года: «Если бы у меня была возможность заниматься тем, чем я хочу, я бы делала то, что делаю

сейчас. Со дня существования «Женского дня» я просыпаюсь на рассвете из-за волнения». О своем отношении к мужу, Джиму Фоксу, бывшему олимпийскому чемпиону-легкоатлету, который теперь является президентом своей собственной компании, она отзывается так: «Джим поддерживает меня больше всех. Он великолепен. Он очень уверен в себе, он действительно желает мне добра. Между нами нет соперничества».

Люди, достигшие успеха и процветающие в течение долгого времени, нередко постоянно переживают стресс. Уильям Теобальд, профессор института в Пердью (США), изучал деятельность 60 главных исполнительных директоров, работающих в сети компаний «Форчун 500». В интервью, опубликованном в журнале «Американский путь» 5 февраля 1995 года, Теобальд завил: «Я обнаружил, что большинство руководящих работников высокого ранга предпочитают проводить свой отдых на Багамских островах. Они не получают удовольствия от отдыха, они чувствуют, что их отдыхом является работа. Большинство из них считают время отдыха непродуктивным». Далее Теобальд продолжает: «Когда я договаривался об интервью с ними утром, это означало семь или половина восьмого, не восемь и не девять часов».

У нас создается впечатление, что успеха можно достичь лишь ценой тяжелого труда. Многие одержали победу на этом пути, но всегда ли это происходит? Быть может, миллионы, посвящающих долгие годы своей работе, находятся к богатству не ближе, чем в начале своего пути?

Конечно, только тяжелая работа не решает этой проблемы. Возможно, для нас окажется полезной вторая характерная черта, присущая людям, которые сами создали свое богатство.

ВНУТРЕННЕЕ ВЛЕЧЕНИЕ

Такой чертой людей является внутреннее влечение, желание победить, всепоглощающее побуждение и необходимость преуспеть. Это влечение или внутренняя решимость человека, который хочет чего-либо достичь, помогает выработать и направить его огромную физическую энергию.

Сконцентрированные на определенной работе, все умственные и физические ресурсы мобилизуются для осуществления творческих идей. Энергия усиливается при помощи этого сознательного принятия динамических идей. Это действие Разума. В книге «Трудоголики: Жизнь и работа с ними» психолог Мэрилин Мэхловиц пишет: «Как группа, трудоголики на удивление счастливы, а также вполне здоровы. Каждый может убедиться в том, что они энергичны, сильны, увлечены и состоятельны. Они делают то, что им больше хочется,— работу, и она им не надоедает». Книга «Думай и богатей» является классической в своей области. Опубликованная в 1937 г., она до сих пор широко цитируется в журнале «Успех». В ней, в частности, Наполеон Хилл рассказывает историю Эдвина Барнса, который очень хотел стать деловым сотрудником Томаса Эдисона. При этом Барнс не хотел работать на Эдисона. Он хотел быть его партнером, быть равным ему. Барнсу так сильно этого хотелось, что однажды он вскочил в товарный поезд и добрался до Ориндкжа, штат Нью-Джерси, чтобы рассказать Эдисону о своих намерениях. Годы спустя Эдисон говорил: «Он стоял передо мной и выглядел как обычный бродяга, но в выражении его лица было что-то такое, что убедило меня: он исполнен решимости получить то, за чем сюда явился». И он получил это. Ему потребовалось пять лет, в течение которых Барнс работал метлой в должности уборщика на заводах Эдисона, получая очень скромное жалованье. Но когда наконец представилась возможность, Барнс был готов. Он не ставил перед собой цели приобрести богатство как таковое, однако, следуя своему внутреннему влечению, он добился именно этого. Чикагский вербовщик Аллан Кокс рассказывает в интервью (4 марта 1995 г.): «В моде опять влечение к успеху. И у студентов, и у работающих людей наблюдается новое чувство решимости, обязательств и понятие, что ты получаешь только то, из-за чего работаешь». Далее Кокс говорит, что 60-часовая рабочая неделя — обычное явление среди руководящих работников, хотя он подчеркивает: они получают огромное удовлетворение от своей работы.

ЭМОЦИОНАЛЬНАЯ ВЫНОСЛИВОСТЬ

Люди, идущие к своим целям, не подвержены стрессам. Неудачи могут иногда замедлить их движение, но ничто не может остановить. Их взгляд непоколебимо устремлен на желаемые цели. Мнение родственников, друзей, случайности, даже факт, что то, чего они хотят достичь, никогда не происходило раньше,— ничто не может отвлечь их мечты от ожидаемой награды. В книге «Богатые — изучение вида» Уильям Дэвис описывает карьеру Эдвина Лэнда, изобретателя фотоаппарата «поляроид». Лэнд был 17-летним первокурсником Гарварда, когда его осенило, что «поляризационные фильтры могут уменьшить яркий свет передних фар и тем самым снизить опасность ночных автомобильных поездок». Учеба была забыта. В течение последующих трех лет он занимался исследованиями в небольшой арендованной комнате. В результате он получил патент на «прозрачный листовой поляризатор». Позднее он основал корпорацию «Поляроид», намереваясь продавать фильтры производителям автомобилей для использования на передних фарах. Как оказалось, автомобилестроители не были в этом заинтересованы. Необескураженный Лэнд начал заниматься производством линз и прицелов для военного оружия. Но главным образом он направил усилия на разработку моментального фотоаппарата, результаты чего известны всему миру.

Однажды Лэнд сказал: «Я потратил всю свою жизнь, пытаясь научить людей тому, что сильная сосредоточенность, час за часом, может пробудить в людях такие ресурсы, о которых они не подозревали». Как четко доктор Лэнд сформулировал принцип Преуспевания! Он рано понял, что внутри нас таятся резервы, которые на самом деле являются частью Всеобщего Разума. Доктор Лэнд не побоялся пойти за своей мечтой. Такое желание рисковать типично для людей, делающих деньги.

В книге «Мультимиллионеры» Горондуэй Риз пишет: «Мультимиллионер любит свое дело так же, как игрок любит колесо рулетки; однако он использует все свои способности к расчетам, учитыванию фактов, предвидению, терпению для того, чтобы свести риск к минимуму». Риз рассказывает, как Пол Гетти затратил больше 80 миллионов долларов своих денег на бурение в Аравии, которое могло оказаться безуспешным. Одним из последних примеров внутренней силы и преодоления препятствий является статья в «Ю-Эс Ньюс энд Уорлд Рипорт» о Томасе Макинтоше, исполнительном вице-президенте корпорации «Запата». Последние два года были бедственными почти для всей энергетической промышленности, но Томас Макинтош, исполнительный вице-президент корпорации

«Запата», немало повеселился. В то время как нефтяная промышленность едва дышала, у Макинтоша 24 часа в сутки работали морские буровые вышки и рыбацкие суда. «Это было великолепно, настоящее испытание»,— говорит 47-летний главный оператор по добыче нефти.— Это работа в течение 24 часов в день 365 дней в году».

ОГРОМНАЯ САМОУВЕРЕННОСТЬ

Люди, стремящиеся к богатству, внутренне убеждены, что они добьются успеха, что бы ни случилось. Вместе с самоуверенностью приходит железная решимость. Такие люди являются живым доказательством силы действия Разума. Даже не имея ни гроша, они думают о себе как о богатых, знаменитых или сильных, и, что еще важнее, они ведут себя так, как если бы они уже добились успеха. Несчастья их не останавливают. Мировое мнение не может повернуть их назад. Несмотря ни на что, они знают, что добьются триумфа. Они принимают правильные решения, предпринимают правильные действия, встречают правильных людей и создают правильное окружение для продвижения своих проектов. Они демонстрируют Принцип Преуспевания. Огромная самоуверенность таких людей берет свое начало не от внутреннего огня. Общество обычно принимает миф о том, что школьные успехи и академические награды автоматически приносят финансовый успех. Это верно, что обычные люди с высшим образованием зарабатывают несколько больше, чем люди со средним образованием. Однако среди людей, добившихся богатства, успехи в постижении наук играют меньшую роль. В книге «Богатые — изучение вида» Уильям Дэвис рассказывает о своем разговоре с основателем знаменитой автомобильной компании. Соичиро Хонда признался, что он был исключен из технической школы. «Другие ученики запоминали уроки, а я сравнивал их с моим практическим опытом. Мои отметки были не такие хорошие, как у других, и директор сказал, что я должен уйти». Хонда добавил, что он, вероятно, не смог бы сдать вступительные экзамены в своей собственной компании. Жаклин Томпсон в «Очень богатой книге» также говорит, что для приобретения состояния интеллектуальные способности не нужны, для этого необходим первоначальный ум и умение сосредоточиваться и находить новые решения проблем.

Умение решать проблемы требует высокой степени творчества и живости ума. Поэтому люди, добивавшиеся своей цели, много говорят о творческом процессе, интуиции и предчувствиях.

УМСТВЕННАЯ ДИСЦИПЛИНА

Пол Гетти почувствовал, что существует такая вещь, как «менталитет миллионеров». Он определил его как «энергетическое состояние ума, которое использует все дела». Такие люди никогда не теряют из виду своих ближайших, а также дальних целей. Они используют для этого всю свою энергию, все свои таланты, все знания. Они сосредоточивают все свои личные ресурсы на одной цели — успехе. Короче говоря, они используют силу Разума.

ОБЩИТЕЛЬНОСТЬ

Обычно те, кто добивается богатства,— компанейские люди. Они ориентированы на действие, полны энтузиазма и оптимизма. Им не присуще чувство ложной скромности. Скромность представляет для них определенную помеху. Прежде чем равняться на таких людей, вы должны пробрести новое самосознание. Как можно достичь этого? Ясно, что начинать нужно с нового понимания жизни. Приемы Духовного Исцеления Разума являются необычным орудием. Я применял его, давая личные советы сотням людей!

Это орудие оказалось в высшей степени эффективным для направления внутренней энергии и достижения успеха и преуспевания. Это Всеобщий Принцип, принимаемый отдельным человеком. Первое, что должен сделать каждый, прежде чем использовать эти приемы, это переориентировать себя на то, что можно называть Высшим «Я». Вы начинаете этот процесс с понимания того, что вы дитя Вселенной, Космоса.

Когда вы твердо усвоите эту идею, вы станете проводником великой Силы. Вы ощутите Ее. Она станет вашей внутренней силой, и вы приобретете новую уверенность. Вы знаете о принципе Преуспевания, проходящем сквозь вас. В одной из своих книг Томас Тровард делает великолепное заявление, которое напрямую связано с предметом нашего обсуждения. Занимаясь со студентами, я прошу их размышлять над этим заявлением и использовать его как ежедневное подтверждение истины их бытия. Советую переписать его на карточку и носить с собой. Время от времени в течение дня читайте его, пока не выучите наизусть. Вот оно: «Мой ум является центром Божественных действий. Божественные действия всегда направлены на расширение и более полное выражение, и это означает появление чего-то такого, что не существовало раньше, чего-то совершенно нового, неведомого в прошлом, хотя вытекающего из него путем упорядоченной последовательности действий. Поэтому, поскольку

Божественное не может изменить присущую Ему природу, Оно должно также действовать и во мне. Своими особыми словами, центром которых я являюсь, Оно будет способствовать созданию новых условий, всегда совершеннее предыдущих». Из этих слов мы можем составить ясную картину того, что в действительности представляет собой принцип Преуспевания и как он действует. Теперь надо воспользоваться им. Нам необходимо сделать вклад в личное развитие, поработать над идеей внутренней трансформации. Затем мы ощутим неисчерпаемую силу и приобретем новое понимание того, как Преуспевающее Действие сказывается в нашей жизни.

Мы противостояли и отвергали Всеобщую Силу в себе. Мы сомневались в достатке, который доступен каждому из нас. Однако, когда мы решаем приобрести новое мышление и по-новому направить наши чувства, мы находим ответное действие во Вселенной. В наших силах стать живой демонстрацией принципа Преуспевания. Теперь давайте поговорим о конкретных действиях, необходимых для нашего преуспевания. Я коротко коснусь трех основных требований, необходимых для преуспевающей жизни: необходимости представлять себе (визуализация), планировать и действовать. Успех требует, чтобы мы выполнили все эти требования. Преуспевание — это не случайность. Это результат сознательного обращения к визуализации, планированию и действию.

ПРЕДСТАВЛЯЙТЕ СВОЮ ЦЕЛЬ ВЫПОЛНЕННОЙ

Чтобы исполнить свое желание, мы должны увидеть внутренним зрением, что это желание выполнено.

Недостаточно мечтать о деньгах для путешествий или о работе в определенных условиях, о том, чтобы быть знаменитым певцом или продвинуться по лестнице успеха. Вы должны представить себе исполнение вашего желания. Где и как вы видите возможность заработать деньги для путешествия? Достаточно ли вы квалифицированны для такой работы? Какого рода певцом вы хотите стать? Осуществимы ли ваши мечты? Или они относятся к области несбыточных желаний? Достаточно ли у вас образования и дисциплины для достижения желаемой цели?

ВЫБОР КОНКРЕТНЫХ, РЕАЛЬНЫХ ЦЕЛЕЙ

Самопроверка с помощью этих строк поможет вам представить достижимые цели. Вы хотите стать торговцем, имеющим достаточно средств для путешествий? Вы хотите работать корпоративным бухгалтером? Или вы хотите стать певцом народных песен со своей собственной группой? Эти конкретные цели дадут вам возможность выработать план для их достижения. Планы должны быть подробными и полными.

Составьте практическую, поэтапную программу, ведущую к вашей цели. Запишите ее. Определите ближние цели. По мере продвижения, вы можете обнаружить, что ее выполнение требует дополнительного обучения. Для того чтобы стать высококвалифицированным дипломированным бухгалтером, вам может понадобиться окончить курсы усовершенствования или изучить дополнительные программы. Включите их в свой план. Для того чтобы стать певцом в стиле «кантри», вам потребуются уроки пения, гитары и танца. Чтобы продвинуться по карьерной лестнице, возможно, вы решите вступить в какую-либо организацию, где собираются люди, достигшие успеха. Все это входит в ваш план. Ставьте перед собой реальные цели. Составьте план действий, определите ступени, которые вы должны преодолеть, на пути к вашей мечте. Ставьте высокие цели, но будьте уверены, что вы знаете, какие практические шаги надо предпринять, прежде чем вы сможете добиться желаемого.

ДОСТИЖЕНИЕ ВАШЕЙ ЦЕЛИ

Все ваши представления и планы ни к чему не приведут без третьего фактора — действия. Вы можете быть высококлассным бухгалтером, но это не имеет смысла до тех пор, пока вы не получите соответствующую работу. У вас может быть прекрасный голос, но он ничего не значит, если вы не учитесь, не репетируете и не выступаете перед публикой при каждой возможности. Каковы бы ни были ваши желания, за представлением и планированием должно следовать действие. Вы должны осуществить свой план. Если он включает обучение, завершите его. Если он требует поисков новой работы, делайте свой вывод. Если необходимо приобретение новой информации, проведите исследования. Если нужны консультации, получите их. Если план окажется невыполнимым, пересмотрите его. Но, приняв его, следуйте ему с преданностью и решимостью. И не останавливайтесь до тех пор, пока ваша цель не будет достигнута. Выделите время и постарайтесь взглянуть на себя и на свою жизнь в свете того, что мы обсуждали. Возможно, вы обнаружите, что вам нужно внести некоторые изменения в свое сознание. Внесите их с помощью корректирующего мышления, новых решений и Духовного Исцеления Разума. И вы будете готовы для свершений.

ОЦЕНИТЕ СВОЮ ФИНАНСОВУЮ СИТУАЦИЮ

Прежде чем ставить перед собой финансовую цель, необходимо точно определить свое нынешнее финансовое положение. Составьте список всех ваших источников доходов. Сравните их с вашими расходами. Если вам повезло и ваши доходы превышают расходы, решите, как лучше использовать оставшиеся деньги. Возможно, для вашей карьеры окажется полезным дальнейшее обучение, путешествия или покупка бытового компьютера. Если вы планируете начать собственное дело, то можете использовать свои деньги как начальный капитал. Возможно, что вы, как и большинство людей в настоящее время, с трудом удерживаете свою финансовую лодку на плаву. Если у вас есть долги, срочно избавьтесь от этого бремени. Составьте реальную программу по избавлению от долгов и начните ее немедленное осуществление. Даже если этот процесс будет происходить медленно, добейтесь полного избавления от долгов. Представьте себе, что вы совершенно спокойны по отношению к деньгам. Не опускайте бессильно руки при виде стопки счетов. Ведите атаку на долги терпеливо и настойчиво. Помните: чтобы получить положительный баланс, требуется время. Запаситесь терпением. Продолжайте ваши занятия по исцелению разума. Черпайте силу в убеждении, что вашим Источником является Бесконечная сила. Это действительно Бог как Разум, с неограниченными идеями и способами, с помощью которых к вам придет добро. Если вы будете исцелять себя с верой и надеждой, то скоро обнаружите, что ваши долги исчезли. Если уровень преуспевания в вашей жизни колеблется, изучите себя. Происходит ли что-нибудь в вашем сознании, отношении к жизни, к себе, к другим людям? Возможно, происходит что-либо, что отвлекает и беспокоит вас? Может быть, у вас есть чувство вины по отношению к тому, что вы делаете? Эти отрицательные чувства могут стать преградой для достижения преуспевания. Ваш конфликт или беспокойство может затуманить ясность вашего сознания. Сознание создает форму и окружающую среду, в которой преуспевание зарождается, растет, раскрывается и развивается. Итак, в коррекции нуждается ваше сознание. Вы уже знаете, как сделать это — путем исцеления разума. Исцеление поможет вам распознать внутренние преграды и негативное влияние, которое следует прекратить. Исцеление также поможет вам почувствовать Источник и ваше отождествление с ним. Вы должны избавиться от всех негативных мыслей и чувств, которые отделяют вас от этого Источника.

Колебания в понимании преуспевания могут быть велики. Во время исцеления просто доверьтесь Бесконечному Разуму внутри себя, позвольте ему выявить то, что блокирует или противится действию процветания. Обязанностью Источника Жизни является ваше постоянное и увеличивающееся снабжение, благодаря чему вы будете соответствовать действию Созидательного Процесса.

ОЦЕНИВАЙТЕ СВОЙ ПРОГРЕСС

Существуют критерии для измерения достижений в каждой области. Если вы учитесь вокалу, интересуйтесь отзывами о своих успехах. Если вы работаете в офисе, вы, возможно, услышите оценку от своего начальства. Когда вы начнете давать концерты или писать книги, вашу деятельность оценят критики. Независимо от своих целей, вы можете разработать систему определения прогресса. Регулярно проверяйте свое продвижение, например, 10-го числа каждого месяца. Только отмечая шаги по направлению к цели, вы можете сохранять уверенность, что идете в нужном направлении, и сделать необходимые поправки в сознании, если отклонитесь от своего пути.

Разрешите мне вкратце ознакомить вас с некоторыми советами по поводу разумного ведения финансовых дел. Вам знакомы эти правила, но о них так часто забывают, что стоит упомянуть их еще раз.

ОПЛАЧИВАЙТЕ СВОИ ПОКУПКИ СРАЗУ

Покупки в кредит могут стать опасной и дорогой привычкой. Иногда кажется, что некоторые люди постоянно живут на деньги, взятые взаймы. Они выплачивают очередные взносы, влезая в долги с помощью кредитных карточек. Расходы могут превысить их банковские счета. Затем они покупают новые товары, закладывая свои дома,— и так до бесконечности. Вскоре их бюджет выходит из-под контроля, финансовая жизнь превращается для них в кошмар. Будьте честны перед собой. Не делайте импульсивных покупок. Не покупайте ничего, если вы не уверены, что можете себе это позволить и что эта покупка нужна вам именно сейчас. Сознание всегда все проявляет. Если ваши денежные дела запутанны и нелогичны, эта растерянность, нехватка и ограничения проявятся в вашей жизни. Это закон!

ОСТЕРЕГАЙТЕСЬ ДАВАТЬ И БРАТЬ ВЗАЙМЫ

Шекспир выразил это так: «Не будь ни должником, ни кредитором». Конечно, бывают случаи, когда займы желательны и даже нужны. Например, для развития производства или выгодных вкладов. В большинстве других случаев ни одалживание, ни ссуживание не помогают в достижении сознания преуспевания. Как первое, так и второе могут привести к потере дружбы и натянутым отношениям. Если кто-нибудь просит вас одолжить ему денег, лучше сказать: «Я просто дам вам деньги» или «Я дам вам часть этих денег». Дайте их, если вы можете себе это позволить, а затем забудьте о них, но не давайте взаймы.

НЕ РАССЧИТЫВАЙТЕ ПОЛУЧИТЬ ЧТО-НИБУДЬ ДАРОМ

Не стройте планов быстрого обогащения. Такие планы не осуществляются, но отнимают время и энергию, которые лучше затратить на достижение вашей цели. Покупайте лотерейные билеты, если вам хочется. Отложите их в сторону и сосредоточьтесь на своей программе преуспевания. Не пытайтесь также использовать других людей для достижения вашей цели. Некоторые люди преуспели в этом. Они могут, при необходимости, заставить своих друзей и знакомых, даже чужих людей покупать им вещи, вкладывать деньги в их безумные идеи, оплачивать их путешествия. Проверьте, нет ли таких черт в сознании у вас или у окружающих вас людей. В конце концов, такое поведение не приносит пользы. Оно может вызвать лавину неприятностей.

СОЗДАЙТЕ СЕБЕ РЕЗЕРВ

Начинайте действовать только после исцеления. Тогда вы сможете составить хороший план приобретения дополнительных средств. Вы можете решить поместить свои деньги в банк или вложить их во что-нибудь, например в ценные бумаги. Любое решение в отношении ваших дополнительных денег придаст вам чувство уверенности, самоуважения. Не потому, что вы сохраняете деньги, а потому, что вы поступаете правильно с тем, что имеете.

ВЫРАБОТАЙТЕ В СЕБЕ ФИНАНСОВУЮ УВЕРЕННОСТЬ

Вам необходимо выработать сознание финансовой безопасности. Это отразится на ваших отношениях с банками, поставщиками, магазинами и всеми деловыми партнерами. Это облегчит ваши финансовые дела. Кроме того, в случае необходимости, финансовая помощь станет для вас легкодоступной. В этой главе мы приводим примеры того, как особое сознание позволило знаменитым людям получить свое богатство. Вы узнали, как приобрести сознание, необходимое для достижения преуспевания. Это связано с действующим Разумом, который знает, что каждый из нас имеет внутренние ресурсы, являющиеся источником добра. Мы сами должны решить для себя: процветать или погибать.

Следует ли из этого, что успех придет к каждому? Конечно нет. Некоторые потерпят поражение, потому что так и не научились добиваться успеха. Они слишком торопились. У них поверхностное отношение к жизни и к своей роли в ней. Многие терпят поражение, потому что не знают, как выполнить свои желания. Они не понимают, что для получения энергии, необходимо ее затратить. Вы должны вложить добро для того, чтобы получить его. Главным является ясное осознание того, чего вы хотите и сильное желание добиться этого. После этого приобретите навыки. Затем упражняйтесь, репетируйте, тренируйтесь. Вам не избежать суровой самодисциплины.

У вас должна быть личная ответственность за свое обучение и использование собственных талантов и способностей. Стройте все мысли и действия на духовной истине, на принадлежности ко Вселенной и на своей силе как на выражении космического Разума. Замените надежду уверенностью. Духовные законы всегда в действии. Вы можете их использовать. Это ваше право и ваша судьба.

Глава 4.

Кратчайший путь к финансовому благополучию и успеху

Жизнь — это чудесное приключение. Финансовое благополучие и успех являются краеугольными камнями этого приключения. Их достижение практически представляет собой путешествие в самопознание, которое мы можем совершить. Как и всякое путешествие, успешным и приятным оно может оказаться только в том случае, если будет тщательно спланировано и подготовлено. Вы сами составляете планы и делаете выбор в своем мире. Вы не можете позволить себе погрузиться в идеи и интеллект другого человека, потому что в таком случае вы будете находиться под его влиянием и утратите собственную индивидуальность. Отдайте предпочтение своему собственному плану, который вы составили только для себя. Не занимайтесь чем-либо только потому, что другие этим занимаются. Вы не сможете реализовать свой природный потенциал, следуя за другими и подражая им. Сохраните верность самому себе. Следуйте велениям своего собственного ясного сознания. Тогда вы станете проводником Бесконечного Разума, Бесконечной Созидательности и Бесконечного Изобилия.

Ваш личный уровень преуспевания зависит от того, насколько мудро и насколько хорошо вы раскрылись для добра, которое находится внутри и вокруг вас. В развитии сознания преуспевания есть пять существенных идей, которые заслуживают внимания. Эти идеи помогли другим, они помогут и вам. Я называю это Пятью Столпами Преуспевания.

САМОУВАЖЕНИЕ

Ваше самоуважение является просто осознанием того, что вы представляете собой часть космического действия. Вы обладаете разумом, который необходимо использовать и направлять. Это сама ваша натура и ваш ум. Конечно, Принцип Разума во Вселенной должен выражаться через космос, но он также должен индивидуализироваться с вашей помощью. Это фундамент, на котором мы строим всю нашу философию и практику. Он согласуется со всеми основными религиозными идеями, выработанными человечеством. Тем не менее, чтобы принять этот фундамент, нет необходимости подписываться под какими-либо конкретными религиозными или философскими понятиями.

Агностик, безусловно, может согласиться с наличием Высшей силы, находящей свое выражение через жизнь. Это ощущение своей связи с силой, находящейся вне вас — с Богом, если хотите,— дает вам такое самопризнание и самопонимание, которое ни один человек не сможет дать вам или отнять у вас. Я хочу сделать для вас очевидным тот факт, что вся природа порождающей Жизненной Силы движется внутри и сквозь вас. Фактически, она выражается через вашу жизнь прямо сейчас — в то время, когда вы читаете, обдумываете эти идеи и делаете выбор в пользу обновления своей жизни. Самоуважение, основанное только на наличии у вас денег, вызывает отрицательную реакцию. Настоящее самоуважение идет изнутри. Оно не имеет ничего общего с внешними явлениями. Измеряя свою ценность в долларах, вы меняете местами причину и следствие. В действительности ваше преуспевание проистекает из самоуважения, которое, в свою очередь, базируется на понимании своего родства с бесконечным Принципом Разума.

БЕЗОПАСНОСТЬ

Истинная безопасность исходит из сознания того, что за всем и всеми стоит Сила Преуспевания. Эта сила универсальна. Она находится внутри вас сейчас. Это энергия чистого Бытия, выражаемого через вас. Это ваше индивидуальное существование. Эта Бесконечная сила проявляется всегда. Она поддерживает вашу жизнь и ваше сознание. Основой всякого существования является Принцип. Находя в вас свое выражение, порождающая Природа не только создает вашу безопасность, но и поддерживает ее. Боле того, она оказывает порождающее действие. На уровне нашей клеточной структуры постоянно идет процесс обновляющего действия. Принцип Жизни формирует саму основу вашей безопасности.

Люди с негативным мышлением полагают, что их безопасность заключается в банковских счетах, акциях, облигациях, собственности. Однако их ценность может меняться по не зависящим от нас причинам. Акции могут падать, облигации могут быть не оплачены. Если человек с негативным мышлением испытывает финансовые потери, он чувствует себя опустошенным, бесполезным. У него больше ничего не остается, ему некуда идти. Он не может представить себе более широкую картину.

СВОБОДА

Преуспевание — это свободное и спокойное действие. Принцип Разума должен всегда присутствовать и использоваться без ограничений. Не имея начала или конца, он представляет собой полную Свободу. Поскольку мы продукт этой свободы — в сущности, мы представляем собой свободу в действии. Мы находимся в ней, состоим из нее и всегда выражаем ее. В сердце каждого живет стремление к свободе самовыражения, расширению познания и к личному росту. Свобода является существенной составляющей в достижении преуспевания, действием, которое выражается посредством всех видов творчества, являющегося Законом разума в действии. Как только вы испытаете прорыв на более высокий уровень сознания, вы обретете новое метафизическое понимание преуспевания. Вы можете принимать его. На этом уровне вы осознаете Принцип Преуспевания как беспрерывный. Деньги могут прийти и уйти, но вы при этом будете чувствовать себя преуспевающим. Это настоящая свобода. Существует много рассказов о преуспевающих людях, которые прошли через превратности, профессиональные взлеты и падения. Всегда устремленные к цели люди подтверждают это положение, как, например, покойный американский театральный режиссер Майк Тодд, который говорил, что он разорялся в разные времена, но никогда не был бедняком. Великолепной историей об успехе, случившейся в последнее время, является история о Билле и Шерон Крисвелл из г. Далласа (США). Он является председателем, а она — президентом «Крисвелл Девелопмент Компани», капитал которой оценивают в 600 миллионов долларов. В 1980-х годах Билл Крисвелл занялся устройством поместий, имея весьма скромный капитал. В интервью с Барбарой Вагнер для журнала «Успех» он сказал: «Мы с Шерон больше всего ценим в нашем успехе не деньги, а свободу».

Негативным аспектом свободы является сосредоточение на способах получения денег или даже на деньгах как таковых. За деньги и в самом деле можно купить определенные виды свободы — от нужды, голода, других физических лишений. Но эта свобода поверхностна, эфемерна и непредсказуема. Она зависит от сил, находящихся вне вас, от ресурсов, которые быстро истощаются. Проницательность ясного мышления дает понимание того, что свобода представляет собой духовное явление. Она отождествляет вас с Единым источником жизни, поднимая на новый уровень свободы. Открываясь таким образом, вы получите добро, которое станет вашим преимуществом и вашим правом.

ЛЮБОВЬ

Любовь знает, что вы происходите от Дающего, который позаботился о том, кто «пребывает в секретном уголке вашего сердца», как это описывали индусы. Вы являетесь выражением этой любви, которую называют «божественной» во многих священных писаниях мира. Вы являетесь действенным воплощением этого Божественного Дающего. Любовь является главным символом. И поскольку она присутствует везде, она бесконечна и универсальна. Любовь течет к вам от всех и отовсюду, поскольку каждый является Ее частью и выражением. Вы находитесь среди любви. Вы отдаете ее и всегда получаете Ее. Любовь является символом преуспевания. Люди с отрицательным мышлением полагают, что, будь у них деньги, они бы смогли приобрести притягательность, окружение нужных людей и необходимый опыт, которые принесли бы в их жизнь успех и любовь. Однако многие богатые люди рассказывают, что все их миллионы не смогли помочь им найти любовь в личной жизни. Пол Гетти, например, был женат семь раз.

Чисто материалистический подход к жизни и к миру может принести только огорчения. Иногда это заканчивается катастрофой. Помните, что в нашей работе по Духовному исцелению разума мы исходим из наличия во вселенной Одной Силы и Одного Присутствия. Мы являемся частью этой Силы и ее выражением. Мы говорим, что существует Одно Божественное Действие, Одна Сила, Один Импульс, посланный Одним Космическим Толчком. Как потомки этой Всеобщей силы, мы также представляем собой силу. Преуспевание является символом силы. Это выражение Первоначальной Энергии. Она возникает из глубинного действия природы. И это нормально.

Преуспевание — это один из способов описать проявление вечной Жизненной Силы, которая поддерживает вас и все сущее. Она присутствует в вас как непреодолимый динамизм. Вы сами решаете, как использовать эту силу в своей жизни. Она проявляется в соответствии с вашими мыслями, чувствами и отношением к богатству, достижению целей и самовыражению.

С отрицательной стороны деньги дают возможность манипулировать людьми и событиями. Некоторые люди считают, что они могут купить все и всех. Они говорят: «Каждый человек имеет свою цену». Это не преуспевание. Это предположение, основанное на узкой, материалистической точке зрения, отражающей скорее бедность мысли, чем сознание преуспевания. В самом деле, человек с таким мышлением может иметь деньги. Однако вряд ли это преуспевание в том смысле, в котором мы его понимаем, потому что сознание не имеет связи с самообновляющейся и непрерывной силой. Происходит ориентация на следствие, а не на причину. И деньги рассматриваются как реальная сила, а не как символ. Занимаясь одной из форм медитации, вы сможете почувствовать себя заодно с внутренним течением Жизни; как она движется сквозь вас, а затем вливается во внешний мир. Вы чувствуете, как из самой сердцевины вашей души поднимается любовь ко всему живому. Это чувство доброй воли возникает из признания общности между вами и другими людьми.

Приобретая сознание общности со всеми и всем, вы приобретете большую открытость по отношению к потоку Единой энергии, которая течет внутри вас. Она является основой того, что мы ощущаем как преуспевание и здоровье. К сожалению, большинство людей не знают, что такое сила принципа Преуспевания, потому что они закрылись от него. Их отношения и их модели веры не принимают следующих простых истин: Деньги — это символ преуспевания. Преуспевание — это разум в действии. Преуспевание — это норма. Любой, кто ясно себе это представляет, широко открыт принципу Преуспевания. Но любой, кто сомневается или относится к этому цинично, уже отрезан от благотворного действия. Я работал со многими людьми индивидуально и в группах. Я видел, как этот принцип вновь и вновь проявляется в них. Я также, к сожалению, видел людей, заблокированных своими внутренними конфликтами, связанными с моральной стороной денег, неясностью целей и простым неверием в Принцип. Я часто слышал, как сомневающиеся говорят: «Это слишком хорошо для того, чтобы быть верным», или: «Этого никогда не будет», или: «Это фантазии». Такая негативная реакция лишает вас возможности приобрести восприимчивое сознание. Давайте вспомним, что преуспевающее сознание приносит чувство большей целостности, выражающейся в улучшении здоровья, в гармонии, свершениях и любви.

Мы можем контролировать ход своей жизни, если используем Силу, Умение, Понимание и Фактор Обеспечения, которые находятся в глубине каждого из нас. Чтобы достичь этого, вы можете использовать следующие правила, которые я называю ступеньками на пути к богатству.

РАБОТАЙТЕ НА СЕБЯ

Возможно, вашей первой реакцией будет мысль, что это правило к вам не относится, поскольку вы работаете на некую корпорацию. Пожалуйста, подумайте еще раз. Как вы относитесь к своей работе? Не чувствуете ли особой ответственности, которая падает только на вас? Нет ли у вас по отношению к какому-либо аспекту вашей работы чувства, близкого к чувству собственности? Если так, то именно эта ступенька ведет к вашему преуспеванию. Люди, достигшие богатства, полагались только на себя. Богатство, которое они приобрели, стало наградой за испытанный риск. Они никогда бы не удовлетворились просто постоянной работой с регулярной зарплатой, как бы велика она ни была. Они чувствовали, что сами должны чего-то достичь, что не смогут обеспечить желаемое состояние и свершения, работая на кого-то другого. Это были проницательные, энергичные и смелые люди, чья уверенность иногда граничила с высокомерием. Однако их преданность своим идеям, их индивидуальность, неистовство были невероятными. В сегодняшнем корпоративном мире групповые «мозги» часто заменяют усилия одного человека. В такой атмосфере для успеха нужен другой тип лидера — такой, который может идти на компромиссы, убеждать, уговаривать, сидя на бесконечных совещаниях, вооружившись компьютерными данными.

Большое отличие между таким лидером и человеком, самостоятельно достигшим богатства, заключается в том, что первый использовал деньги других людей, т. е. акционеров, а не свои собственные.

В последние годы наблюдается активизация «предпринимательского сознания». Люди, обладающие им, обычно образованны, имеют понятие о технике и сторонятся больших компаний с их консервативными и медленными методами. Среди них мы можем найти Дональда Бэрра, основателя скоростных авиалиний; Стивена Джобса и Стивена Возняка, создателей компьютера «Эппл», и Нормана Бушнелла, создателя «Атари» и других передовых компаний. Являясь выразителями нового творческого импульса, эти лидеры представляют новую предпринимательскую волну. Они создают и расширяют компании по всему миру. Конечно, не каждая идея заканчивается успехом. Однако интересно наблюдать за сознанием нового пионерского духа, который витает над миром бизнеса. Проводя самоанализ, спросите себя, какие чувства вызывает у вас избранная карьера. Определите свое отношение к этому. Независимо от того, бросаете ли вы старую работу и начинаете собственное дело или продолжаете работу, которая вас устраивает, помните, что в буквальном смысле слова вы работаете на себя.

ПОЛУЧАЙТЕ УДОВОЛЬСТВИЕ ОТ СДЕЛАННОГО

Чикагский миллионер Джон Макартур сказал: «Я получаю удовольствие от того, что я делаю. Я очень занят. У меня больше ни на что не остается времени. Я очень счастлив. Я не хочу менять свою жизнь». Это высказывание типично для людей, достигших многого как в бизнесе, так и в других областях. В этом нет ничего удивительного, если вы вспомните, что успех в любой области требует врожденного таланта, а также огромной преданности своей работе. В самом деле, трудно поддерживать высокий уровень энтузиазма и энергии в работе, которая вам не нравится. Естественно, что дело, которое вам нравится, приносит большее удовлетворение, стимулирует энергию и помогает приобрести восприимчивое сознание.

ИСПОЛЬЗУЙТЕ ВАШИ СПЕЦИАЛЬНЫЕ ЗНАНИЯ И МАСТЕРСТВО

В молодости Сэм Уолтон два с половиной года стажировался в магазине Пенни в Дес-Мойнсе, штат Айова.

Оттуда, вместе со своим братом, он перешел работать управляющим одним из семнадцати магазинов Бена Франклина. В конце концов он с братом основал одну из самых быстрорастущих сетей американских магазинов розничной продажи, Уол-Март. Уолтон понял, в чем заключается его самый большой талант и опыт — в розничной продаже. Он совершенствовал свое мастерство до тех пор, пока не почувствовал готовность основать свою собственную компанию. Результат оказался заслуженно блестящим.

У каждого из нас есть свои уникальные знания и мастерство. Возможно, вы не являетесь талантливым музыкантом или художником, одаренным спортсменом или техническим гением. Тем не менее изучите самого себя, свои силы и таланты, используйте их для конструктивных и поступательных действий. Духовное Исцеление Разума поможет вам искоренить негативные отношения и модели веры. Оно поможет разбудить врожденный творческий потенциал, который дремлет в вас.

ПРЕДЛАГАЙТЕ ЛЮДЯМ ТО, ЧТО ОНИ ХОТЯТ

Чудесно, если вы работаете над новым изобретением или передовым методом торговли. Не обязательно, чтобы сама ваша идея была новой, однако ее использование должно быть таковым.

В последние годы размах торговли невероятно возрос. Фирмы, посылающие товары по почте, заваливают покупателей каталогами, которые становятся все более специализированными и узконаправленными. В них есть товары на любой вкус и уровень дохода. Существуют журналы для людей всех возрастов.

Очевидно, что нет конца желаниям потребителей и нет недостатка в творческих людях, которые бы выполняли эти желания.

Итак, изучите свое сознание. Что вы думаете о себе? Если вы отвечаете на этот вопрос: «Я просто продавец», вы им и останетесь. Однако, если вы мыслите творчески, вы станете особым человеком. Вы начнете использовать свои таланты и способности, они помогут вам идти вперед. Возможно, вам удастся предложить людям что-либо новое. В конце концов, вы можете предложить им то, чего они, по их мнению, хотят.

ТЩАТЕЛЬНО ВЫПОЛНЯЙТЕ СВОЮ «ДОМАШНЮЮ РАБОТУ»

Эйнштейн говорил, что за всю его жизнь у него были только две оригинальные идеи, которые явились результатом его интуиции и разума. Важно проводить соответствующие исследования и получать информацию. Интуиция и предчувствия дают свои результаты. Идеи начинают возникать на основе процесса, который движется сквозь нас. Творческий процесс разума часто выражается в виде интуиции. Читайте больше литературы по своей специальности. Посещайте лекции специалистов. Если можно, поступите на курсы. Прислушайтесь к мнению экспертов. Вдумывайтесь в то, что вы изучаете. Впитывайте идеи, и ваше подсознание начнет работать над ними. Ваша собственная идея должна проявить себя посредством интуиции. Примите пока мои заверения в том, что подсознательное имеет место в действительности.

ЭКСПЕРИМЕНТИРУЙТЕ С НОВЫМИ ПОДХОДАМИ

Будьте новатором. Экспериментируйте. Пробуйте новые методы. Возможно, вы начнете продавать имеющийся товар в новой, привлекательной упаковке или найдете оригинальный метод его продажи. Джено Паолуччи, известный как «магнат закусочных», может служить этому примером. Вы можете не знать его имя, но его замороженные продукты продаются повсюду. Паолуччи подчеркивает: «Невежество обходится слишком дорого. Если вы умны, вы уже знаете это». Дальше он говорит: «Если бы я был умен, я бы знал, что человеку, носящему имя Джено Франческо Паолуччи, нельзя заниматься бизнесом по производству китайской еды в скандинавской Миннесоте, имея лишь взятые в долг деньги, и менее чем через двадцать лет продать это дело за шестьдесят три миллиона долларов табачной компании Рейнольдса». У Джено была идея: популярную китайскую еду можно замораживать и продавать в супермаркетах. Подогрев ее (что упрощается с использованием микроволновой печи), семья может через несколько минут получить вкусный питательный обед. Он не допускал мысли, что его может остановить, например, то, что он итальянец, что для него более логично было бы замораживать итальянскую еду. Вскоре после продажи «Чан Кинг Фудс» он начал новое дело — «Замороженная пицца Джено». А почему бы и нет? Он уже доказал себе, что кое-что может. И он опять добьется успеха. Паолуччи продемонстрировал ясность ума. Его не сдерживали старые модели. Он отказался загонять свое мышление в узкие рамки. Запомните эту историю. У вас такие же возможности. Вы представляете собой Силу, потому что в вас действует тот же Всеобщий Разум, Принцип Жизни, Разумная Энергия. Постарайтесь использовать вашу врожденную силу и потенциал прямо сейчас.

МАКСИМАЛЬНО ИСПОЛЬЗУЙТЕ СЧАСТЛИВЫЙ СЛУЧАЙ

Иногда счастливый случай заключается просто в том, чтобы оказаться в нужном месте в нужное время. Он всегда возможен. Важно распознать возникающие возможности и воспользоваться ими. При необходимости вам придется коренным образом изменить свою жизнь — поменять работу, переехать в другой город, начать новую карьеру. Во время своих занятий по духовному исцелению разума мы постоянно обращаемся к Божественному Порядку, Совершенному Действию. Каждый настраивается на то, что именно он в нужное время окажется в нужной ситуации для самовыражения, признания и более полного вознаграждения. Мы не настраиваемся на счастье, потому что приходим к нему через использование Творческого Процесса. Мы знаем, что Творческий процесс всегда направляется нашим мышлением и чувствами, а также посредством наших знаний о том, кто мы и что собой представляем, где находимся и как действуем. Однако скажите себе: «Я сам создаю счастливые случаи, я являюсь их олицетворением так же, как и любой, кто этого захочет. Божественный Порядок и Совершенное Действие являются главными в моей жизни». Повторяйте это себе снова и снова. Напишите этот текст на карточках и вложите их в свой бумажник, прикрепите на зеркало в ванной комнате, но никогда не забывайте об этой важной истине.

НАСТОЙЧИВОСТЬ И ТЕРПЕНИЕ

Умение достичь успеха и богатства, несмотря на неудачное начало и неприятности, требует большого терпения. Для людей, которые сами создали свое богатство, неудача просто становится новой отправной точкой. Они быстро оправляются от очевидных поражений. У них нет времени жалеть себя. Люди, которые хотят чего-либо достичь, работают очень много и получают от этого удовольствие. Часто их личная жизнь отходит на второй план. Это происходит потому, что они любят свою работу. Окружающие могут назвать их безнадежными трудоголиками. Но ими управляют не только невротические модели, даже если таковые имеются. Важно то, что для них работа является наслаждением, увлечением. Они с большей радостью будут работать, чем заниматься чем-либо еще. В работе они находят самое большое удовлетворение и награду. Это их образ жизни. И он приносит свои плоды!

Вы можете ценить и уважать увлеченного человека, но вам не обязательно жить его жизнью. С помощью Духовного Исцеления Разума вы можете стать чистым центром сознания, через который с легкостью протекают и проявляются Божественный Порядок и Совершенное Действие. Слияние с высшим равновесием даст свои результаты.

РАССКАЗЫВАЙТЕ О СВОИХ УСПЕХАХ

Не позволяйте ложной скромности сдерживать себя. Если вам удалось достичь чего-либо выдающегося — расскажите об этом другим людям, особенно тем, кто занимается таким же делом. Поставьте себе в заслугу свои достижения. По возможности выступите в прессе, постарайтесь произвести впечатление. Дайте всем понять, что вы к чему-то стремитесь и что ваш план продолжает осуществляться. Это не значит, что вы должны грубо хвастаться своими триумфами и беспрерывно рассказывать о своих блестящих качествах. Такое поведение отпугнет тех, на кого вы хотите произвести впечатление. Лучше предстаньте перед людьми, имеющими для вас значение, в качестве человека, гордящегося своими достижениями, уверенного в своих способностях, готового к новым свершениям.

СОСРЕДОТОЧЬТЕСЬ НА ПРОЦЕССЕ, А НЕ НА ДОСТИЖЕНИИ БОГАТСТВА

Не думайте о тех миллионах, которые вы когда-либо получите. Сосредоточьтесь на повседневной деятельности, ведущей к цели. Исследователь и писатель Джордж Корстейн так пишет об этом: «Парадокс заключается в том, что накопление денег ради денег является побочным продуктом главного объекта усилий накопителей. Необходимость проявлять активность и то, что многие люди, добившиеся успеха, называют творчеством, играют гораздо большую роль, чем желание накопить деньги». Другие исследователи утверждают, что жадность редко является мотивом активного накопления денег. Накопители не тратят много времени для того, чтобы заработать. Деньги текут к ним в результате их правильных действий в нужное время и в нужном месте. Интересно, что большинство людей, достигших успеха, отвечают примерно одинаково на вопрос о том, что движет ими на пути к богатству. «Сколько костюмов я могу надеть за один раз?

Сколько браслетов и соболиных шуб я могу носить?» спрашивают они. «Я не могу носить больше двух рубашек и есть больше трех раз в день». Они рассказывают, что деньги нужны им не для того, чтобы бездельничать или покупать самые дорогие вещи. (Конечно, многие из них коллекционируют произведения искусства, старинные автомобили и занимаются филантропией после того, как они отложили больше денег, чем они могли бы истратить за несколько жизней.) Однако в основном им необходимо добиться успеха, стать лучшими или первыми. Деньги в их мире являются мерилом успеха и оценки этого успеха обществом.

Будучи на конференции, мне довелось обедать вместе с очень состоятельным человеком, который заработал миллионы на разработке нефти. Он не знал точно, каково его состояние. Во время нашего разговора он сказал то, что говорят многие миллионеры: «Сколько автомобилей и домов я могу использовать?» Видя энтузиазм, с которым он рассказывал о своей работе, о рискованных делах, о большой нефтяной забастовке, я мог легко сделать вывод о том, что его поведение определялось действием, желанием преодолеть трудности. Деньги были только показателем его успеха.

Если эти примеры нас чему-либо научили, так это необходимости сосредоточиваться на повседневной деятельности. Следите за тем, чтобы ваш план продвигался вперед. Одерживайте на этом пути небольшие, но частые победы. Добивайтесь ясности. Помните о том, что подсознательное действие Принципа Разума принимает ваше желание стать более богатым, здоровым и любимым или получить возможности для самовыражения. Деньги придут к вам как символ ваших растущих знаний о принципах, действующих вокруг и внутри вас. Эрнест Холмс в своей книге

«Наука разума» подчеркивает необходимость разума подсознательного. Он говорит: «Если бы наше субъективное сознание (т. е. подсознание) всегда было ясным, если бы оно никогда не получало фальшивых впечатлений, Дух всегда бы достигал точки объективности, и мы бы никогда не делали ошибок. Мы никогда бы не были больными, бедными или несчастными». Люди слишком часто жалуются: «У меня нет хорошего образования, нужных связей, таланта. Я беден». Такие мысли являются лишним багажом, бременем, созданным мнением, убеждениями и высказываниями людей, имеющих для нас значение — учителями, родителями, сотрудниками, начальством, подчиненными. Однако всегда помните о том, что мы — дети Всеобщей Жизненной силы. Наш опыт превышает нашу теперешнюю жизнь. Мы можем устранить наши негативные убеждения, понятия и суждения.

Для того чтобы жить по-настоящему, самому управлять своей жизнью, мы должны открыто встречать трудности. Преодоление препятствий дает нам возможность сделать следующий шаг вперед. Нам необходимо очистить свое сознание от мнения окружающих, а чувства — от нехватки и ограничений. Путем сознательно направленного мышления можно развить новое чувство, новое самоощущение, новую жизнь. По мере ежедневных занятий Духовным Исцелением Разума старые понятия исчезают, и мы приобретаем новое понимание всех сторон своей жизни. Наше мышление и деятельность переходят в совершенно новую сферу. Прошлое постепенно уходит. Гнев и обида растворяются, и мы устремляемся вперед к богатствам бытия.

Глава 5.

Дальнейшие рекомендации по достижению ваших целей

Мы видели, что во Вселенной существует система, поддерживающая жизнь. Мы называем ее Творческим Разумом, лежащим в основе всего. Он поддерживает и обеспечивает космос и каждого из нас. Жизненная сила является постоянным двигателем эволюционного процесса. Это не просто принцип, это дарение того, что должно называться Бесконечной Любовью. Каждый из нас может узнать об этой силе и о том, как она действует.

Мы уже видели, как творческий процесс проявляется в жизни каждого человека. Мы узнали о том, какие требования предъявляет нам жизнь. Это привело к открытию условий преуспевания и к способам достижения успешной и наполненной жизни.

Далее мы узнаем о том, как поддерживать сознание, обеспечивающее успешную жизнь и благополучие. Уровень такого преуспевания зависит от наших желаний, целей и от того, как мы используем Принцип. Он доступен каждому, не имеет личных пристрастий, однако каждый из нас при этом может свободно искать свой собственный путь к здоровью, изобилию и свершениям.

На пути к преуспеванию есть и преграды.

Известно, что на столе выдающегося мэра Нью-Йорка Эдварда Коха стояла табличка с надписью: «Если вы говорите, что это нельзя сделать, вы правы: этого не можете сделать вы». Новый Завет говорит об этом так: «Воздастся вам по вере вашей».

ПРЕУСПЕВАНИЕ И ВЫ

Чтобы поддерживать высокий уровень сознания преуспевания, необходимо иметь четкое представление о том, что это такое. Преуспевание всегда зависит от обстоятельств, от того, как вы воспринимаете жизнь. Бесконечный Принцип обеспечения, Субстанцию, которая является основой природы существования. Духовное определение преуспевания — это действие Бога.

Если подразумевается жизненное преуспевание, оно должно быть связано с вашим сознанием, то есть с тем, что вы думаете о себе, о Боге и самой сущности жизни, которую мы называем Бесконечной Субстанцией. Если преуспевание связано с финансовым благополучием, то оно имеет отношение к вашим мыслям и чувствам по поводу жизни, включая деньги. Оно имеет отношение к вашему прежнему обеспечению, к теперешнему отношению к богатству и мыслям о будущем. Как вы можете видеть, преуспевание совсем не обязательно означает деньги. Это отражение вашего сознания, включая ваши эмоции и общие убеждения в сочетании с энергией, выражающейся посредством вашей жизни. Здесь многое происходит на подсознательном уровне, поэтому большинство из нас вряд ли знает, что мотивирует наши действия.

Преуспевание постоянно меняется, потому что меняемся мы сами — ведь вы никогда не стоите на месте. Мы всегда можем воспользоваться Энергией, Бесконечной Субстанцией. Мы добиваемся этого «божественного» обеспечения с помощью состояния вашего сознания. Ваше мышление определяет уровень и размах вашей жизни. Большинство людей переживают взлеты и падения, связанные с процессом преуспевания, потому что они считают, что этот процесс зависит только от внешних обстоятельств. Они не могут представить себе, что он значит больше, чем просто люди, места, вещи и обстоятельства. Поэтому они страдают от взлетов и падений жизни, всегда зависящих от того, на чем сосредоточены их ум и эмоции в данное время.

Мы должны осознать преуспевание с точки зрения Принципа Природы, который лежит в основе и всегда представляет нам неограниченные запасы энергии. Эта энергия является духовной Субстанцией, которую мы признаем и используем в своей работе по духовному исцелению разума, поэтому переключите свое внимание; устремите свои мысли от просто физических денег к бесконечному богатству, которое с помощью идеи непрерывно демонстрирует поступление энергии, необходимой для эволюции жизни. Таким образом вы приблизитесь к Творческому Процессу — основе и сущности любой жизни.

УПРАВЛЕНИЕ СВОЕЙ ЖИЗНЬЮ

Преимущество управления сознанием очевидны. Мы хотим, чтобы люди в большей мере ощутили изобилие жизни, почувствовали свою связь с бесконечной Силой, которая всегда готова проявиться. Когда мы принимаем решение — заменить наше мышление, допускающее нехватку чего-либо, потери или ограничения, на мышление, предусматривающее неограниченные возможности, в нашей жизни и начинает действовать Закон обилия, или Творческого процесса. Не имеет значения, как вы назовете его. Это тот же основной, постоянно действующий закон природы.

ПУТЬ К СВЕРШЕНИЮ

Чтобы приобрести сознание преуспевания, необходимо предпринимать существенные шаги, ведущие к личному свершению. Ясно представляйте себе свое желание, цель или выбор. Будьте конкретны. Не воспринимайте исцеление как работу. Определите свое отношение к работе, планам или цели и убедите себя в том, что ваши свершения являются личной, правильной и нормальной частью изобильной жизни. Будь то деньги, карьера или отношения, вы должны отводить в своей новой жизни место счастью и радости.

Научитесь вести свой собственный баланс и понять, что означают наличные деньги. Только после того, как вы будете знать свои настоящие и будущие обязательства, вы можете начать работу над приобретением свободы и легкости по отношению к деньгам.

Убедите себя в том, что вы находитесь на пути к большему благосостоянию. Преуспевание является человеческим правом, и теперь вы сделали это право своей судьбой. Вы больше не являетесь жертвой случайности или удачи. Вы находитесь под действием закона своего собственного направленного мышления.

Научитесь любить то, что можно получить за деньги, цените это. Не гнушайтесь вести свои денежные дела, никогда не смотрите на финансовую сторону своей жизни с презрением. Сущность денег не может ухудшиться или исчезнуть. Искаженными или беспорядочными могут быть только наши мысли и использование денег.

Все имеет свою цену. Все требует каких-либо затрат: денег, времени, энергии и т. д. Всегда расплачивайтесь умственной, физической или духовной монетой и продолжайте свой путь.

Ежедневно занимайтесь духовным исцелением разума для достижения преуспевания. Вот слова, которые вы можете использовать: «Я, ... (назовите ваше имя), утверждаю, что совершенное и гармоничное действие постоянно происходит вокруг меня и во мне. Я ощущаю это действие как энергию, поступающую каждое мгновение.

Я везде вижу проявление этой изобильной энергии. Этот принцип Силы и Совершенного Действия поддерживает Вселенную и меня. Я прогоняю любые сомнения или неверие в изобильное добро этой Жизненной силы. Я понимаю, что единая Субстанция проявляется в моей жизни в любое время и при любых обстоятельствах.

Это космическое действо, и я — часть его. Я не могу существовать вне связи с красивым, добрым и истинным. Такова структура жизни и такова моя жизнь отныне и навсегда.

Мысли об ограничении, нехватке или потерях исчезают. Я остаюсь невредимым и цельным, несмотря на все прошлые события, обстоятельства или условия. Это были проходящие моменты в вечном движении Жизненного Принципа.

Сегодня я воспринимаю себя как действие непрерывного Добра. Легкость и свобода моей жизни являются постоянным фактом. Я принимаю это свершение, и мое преуспевание обеспечено».

Иногда мы позволяем различным негативным убеждениям и положениям жизни, уменьшающим наше благосостояние и не пропускающим добро, ограничивать нас. Они могут только забирать нашу энергию. В каком-то смысле мы ограничиваем свое существование, поскольку все физическое является внешним отражением внутренних событий.

Мы видим, что деньги являются внешним символом состояния сознания. Нехватка чего-либо — это всегда предупреждение о внутренней проблеме. Все наше понимание жизни основано на этой идее, и мы рассматриваем каждую проблему как личную. Это значит, что тем или иным способом мы разорвали божественную цепь. И только мы можем соединить ее с помощью коррекции нашего мышления. Мы называем эту коррекцию Духовным Исцелением Разума.

Добро может войти в вашу жизнь тогда, когда вы признаете свою связь с Высшей Силой или Источником Бытия. Финансовое благосостояние также заключается в этом понимании.

Циркуляция богатства, или десятина,— это просто возращение Источнику части полученного добра. Это древний обычай, признающий, что все исходит от единого Источника, который использует бесконечное количество путей для своего выражения. Конкретное действие предполагает поддержку позитивной, конструктивной и жизнеутверждающей деятельности. Мы достигаем этого с помощью денег. Это действие может включать добровольную деятельность участия в благотворительных организациях. Чаще всего люди жертвуют 10% прибыли. Интересно заметить, что как церковь, которая приветствует десятину, так и прихожане, жертвующие ее, как правило, процветают.

Делайте щедрые подаяния — и вы обретете новое чувство свободы и благосостояния. Для вас откроются новые двери, ведущие к достатку и процветанию. Таков Закон природы в действии. Иисус понимал этот закон и учил ему своих учеников и последователей. Он говорил о негласном пожертвовании и гласном вознаграждении.

Некоторые люди записывают свои цели, желания, планы и совершенные действия. Следите за выполнением пунктов этих записей. Вы также можете включить в свои записи расходы по десятине.

ЛАБОРАТОРИЯ ДОБРА

Во время всей вашей духовной работы вы имеете дело с идеями. И вы соединяете их с формулой движения, называемой Духовным Исцелением Разума. Этот процесс действует в лаборатории вашего ума. Далее вы найдете тексты для духовного исцеления разума. Вы можете использовать их в том виде, в котором они даны, или сделать их более личными. Они помогут вам обрести новое сознание.

Чтобы добиться эффективности, необходимо следить за важными аспектами вашей работы.

Не позволяйте внешним обстоятельствам вовлекать вас в действия, противоречащие вашей духовной работе по исцелению.

Поймите, что вы достойны желаемого добра, и ожидайте лучшего. Знайте, что Закон действия Разума извлекает из вашего сознания как раз то, что необходимо для свершения.

Признайте тот факт, что первоначально ваше желание представляет собой идею, существующую как невидимый, но фактический элемент вашего и Всеобщего Разума.

Знайте о том, что идея, лежащая в основе вашего выбора является энергией, которая должна приобрести конкретную форму.

Отдайте эту энергию Творческому Процессу, зная, что вы сами и все, что вы делаете, подчиняются Всеобщему Закону Причины и Следствия. Будьте благодарны тому, что вам дана возможность использовать Творческий Процесс.

ВЕЛИКИЙ ПРЕОБРАЗОВАТЕЛЬ

Научитесь ценить и хвалить себя, свою работу, свои способности и таланты, умение отдавать и получать любовь, вносить свой вклад в жизнь. Оценивайте свои достижения, какими бы незначительными они ни казались.

Выражайте признательность жизни каждый день. Будьте благодарны людям, имеющим значение в вашем мире. Если вы можете что-либо сделать для них, как-то облегчить их ситуацию,— сделайте это. Мысли и дела, связанные с любовью, отражают принцип Жизни. Это истинная щедрость и самоотдача.

Старайтесь начинать каждый день с периода спокойствия, по окончании которого записывайте свои мысли, чувства и планы. Научитесь слышать внутренний голос интуиции и сознания. Это голос из глубины вашего бытия. Таким образом Бесконечный Разум выражается через ваш индивидуальный разум. При этом происходит слияние всеобщего с личным и индивидуальным и выявление нелогичных, противоречивых целей вашего мышления и действий. Он может привести вас к необходимым переменам и подсказать, что вы можете сделать для других.

Всегда завершайте свою внутреннюю работу соответствующим текстом по духовному исцелению Разума. Включите в него свои насущные потребности, трудности, а также избранные вами цели. Признайте тот факт, что Субстанция Жизни вечна и что она увеличивает количество добра, поступающего в вас и через вас. Избавьтесь от всяческого страха неполноценности и ограничений. Знайте о том, что Принцип Жизни неограничен.

Убедите себя в том, что вы открыты и готовы к приему Энергии, выражающейся посредством бесконечного числа идей. Эти идеи проходят через ваше сознание Вы уже находитесь на пути к преуспеванию! В конце развития используйте следующий текст: «Занятия вызвали во мне развитие идей, присутствующих в моем сознании, и возникновение новых идей. Я — новый человек. Каждая клеточка моего существа обновлена и заряжена энергией. Я воспринимаю Бесконечную

Субстанцию как непрерывное поступление добра в мою жизнь. Я понимаю, что Принцип Жизни поддерживает меня во всех моих начинаниях. Я приобрел иное самоощущение, новое чувство обеспечения. И я радуюсь этому новому. Я признаю требования Бесконечного принципа Жизни, подтверждаю свой союз с ними и вижу, как они мотивируют мои действия и выражаются посредством моих личных планов. Каждый день Божественное Присутствие проявляется во мне. Мой разум и мой мир трансформируются. Я воспринимаю себя как новое существо, наполненное щедростью и красотой природы. Я благодарен жизни за эту чудесную возможность прикоснуться к Божественному Богатству. И я знаю, что все это — благодеяние Высшей Силы».

Часть III.

ТЕХНОЛОГИЯ ПРЕВРАЩЕНИЯ МЕЧТЫ В РЕАЛЬНОСТЬ

Глава 1.

Кто вы есть на самом деле, что вы можете сделать в жизни

Если вы не знаете, кто вы есть, то я вам скажу. Вы — совершенное выражение Бесконечной Жизни, капелька могучего Океана. Это именно так, наперекор всем остальным мнениям и теориям. И как каждая капля содержит всю сущность Океана, так и вы вмещаете в себе всю сущность Бесконечной Жизни. Ваш долг — постичь то, что Океан хочет от вас. То есть вы не должны говорить Богу, что вы хотите от него; вы должны постичь то, что Бог хочет от вас.

Миллионы людей в современном мире так часто, долго и подробно объясняют жизни, чего они хотят от нее, что у них не остается времени прислушаться к тихому, едва слышному внутреннему голосу, исходящему из глубины души. Эта книга — не для эгоистов; она для тех, кто желает раскрыться для большего осознания сущности. Пожалуйста, воспользуйтесь этой возможностью, отдавшись жизни, с открытым умом и спокойным сердцем. Если вы это сделаете, в вашей жизни не будет ничего невозможного.

То, что вы есть, как человеческое существо, является сочетанием божественных качеств и разума. Разум — это воплощение «думающего принципа». Ваша — жизнь в этом мире невозможна без физического тела, которое объединяет наследственные качества ваших родителей и вашу собственную душу. Будьте благодарны своим родителям, ибо это они сделали возможным ваше земное воплощение. Ваша жизнь предоставляет возможность для изменений, что проявляется в духовном пробуждении и росте, составляющих ваш конкретный жизненный опыт, на котором в дальнейшем можно учиться. Все, с чем мы сталкиваемся в своей жизни, при правильном понимании может обогатить наш опыт. И каждый человек, с которым мы встречаемся, может сделать нашу жизнь богаче.

То, с чем мы фактически взаимодействуем,— это жизнь как органичное целое. Под целым подразумевается все то, что мы чувствуем и переживаем; кажущиеся несоответствия — это результат нашей неспособности применять знания без ошибок в суждениях.

Мы только допускаем, что мир состоит из хаотичных явлений и событий, случайно соединенных между собой. Истина же в том, что мир намного более целостный и системный: Единая Жизненная Сила оживляет Единую Субстанцию, которая проявляется затем как разнообразные явления и события.

Не думайте, что вы пришли в этот мир, только для удовлетворения ваших эгоистических потребностей. Вы здесь с более серьезными целями. Вы призваны выражать полноту Бесконечной Жизни! Вы можете, используя свои таланты и способности, добиться определенного успеха в материальном плане. Вам может даже показаться, что вы стали хозяином материального мира, но без внутреннего понимания, без определенного космического видения ваши приобретения будут ничто в конечном счете. Умственные способности могут позволить вам добиться выполнения почти любой поставленной цели. Целесообразное и ответственное поведение позволит вам превзойти своих сверстников. Физические характеристики помогут вам отлично выполнять невероятные вещи. Ваше понимание законов природы даст вам возможность стать почти ее властелином. Ваши самые сокровенные мечты легко исполнятся. Но без внутреннего осознания того, кто вы есть и что представляют ваши отношения с Океаном, нельзя реализовать ваш внутренний потенциал.

У того, кто не един с Источником, меняется ощущение «эго» — «Я». Я имею в виду внутреннее чувство отчужденности от Бога. Когда мы ощущаем, что находимся в стороне от Источника, мы делаем попытки установить хоть какую-нибудь связь с чем-либо или кем-либо, что на данный момент кажется нам достаточно реальным, чтобы смягчить чувство отчужденности от Бога. Это хотя и может обеспечивать на время комфорт, но почти всегда имеет результатом дальнейшую боль. Не может быть длительной реализации внутреннего потенциала во внешнем мире; единственно возможная длительная практика — это жизненный опыт внутреннего осознания. Когда определена внутренняя, духовная основа, отношения с внешними миром поддерживаются без напряжения и в течение длительного времени.

Таким образом, вы являетесь сочетанием духа (души), разума и тела. В связи с тем, что мы живем в сложном мире, вы также являетесь сочетанием всего того, что ощущаете как реальность этого мира. Однако большинство из этой ощущаемой вами реальности является бесполезным и даже ложным. Многое из того, что представляет собой наш мир, пусто, бессмысленно и ничтожно. Все формы и кажущаяся реальность отношений есть не более чем временное явление: они проходят и уходят. Фундаментальная же Реальность никогда не меняется.

Почему вы здесь, в этом мире? Вы здесь для того, чтобы постичь, что представляет собой жизнь. Вы здесь для того, чтобы пробудить свои врожденные способности и развить возможности. Вы здесь для того, чтобы способствовать эволюционному процессу (Высшей Воле) соответствующим образом. Выражали ли вы желание прийти в этот мир? Помните ли вы этот момент? Нет, мы просто согласились. Давайте же тогда будем придерживаться нашего соглашения. Давайте делать то, что должно быть сделано для выражения эволюционного потенциала. И разве это не более радостно, чем влачить рабское существование в повседневной жизни под диктовку нашего «эго»?

Часто самый короткий путь к знанию и действию — это учиться жить сознательно там, где мы есть. Когда мы начинаем жить в гармонии с законами природы, мы обнаруживаем, что жизнь всегда обеспечивает нас возможностями для трансформации и роста.

Планируя свое будущее, живите в настоящем. Чрезмерно задерживаться на воспоминаниях прошлого или на мечтах о будущих возможностях — значит упускать возможность жить полноценной жизнью в настоящем. Если мы не научимся жить в настоящем и ценить это, мы не сможем быть счастливы в будущем, потому что будем вечно воспринимать его лишь как потребность реализации.

Начните прямо сейчас быть тем, кем вы хотели бы быть. Думайте, чувствуйте, ведите себя как личность, которой вы хотели бы быть. Устраните из своей жизни все, что не является полезным или что не является совместимым с вашими идеалами. Начинайте жить такой жизнью, которая достойна вас.

Вам придется быть честными перед собой и принимать некоторые трудные решения. Без этого вы не добьетесь духовного роста и останетесь таким, каким были.

Вы настолько же компетентны, как и любой другой человек. У вас тот же доступ к информации и к принципам самореализации, как и у любого другого. Определяющим фактором являются то, что вы желаете делать с информацией, которую приобретаете, и ваше знание принципов. Вам не нужно ни у кого спрашивать разрешения духовно пробудиться, расти и реализовывать свой потенциал. Все, что вам нужно,— это учиться безошибочно видеть и определять целесообразность своих поступков. Вы можете делать все, что вы в состоянии делать, потому что таков закон сознания: мы поступаем в соответствии с нашим уровнем духовного пробуждения.

Общая ошибка, присущая человеческому сознанию, заключается в нашем убеждении, что мы являемся ограниченными существами, вместо того, чтобы знать, что мы рождены с почти безграничными способностями. Поэтому, пожалуйста, применяйте этот план по реализации личного потенциала с убеждением, что вы можете, с Божьей помощью, испытывать удовлетворение от вашего сердечного желания. Говоря «Божья помощь», я имею в виду то, что сила эволюции будет двигать вас к реализации задуманного, раз вы настроены на это и открыты ее влиянию.

Читайте книгу внимательно, не пропуская ничего. Применяйте аффирмации (позитивные утверждения), произнося их вслух с убеждением, до тех пор, пока они не станут реальностью. Обязательно выполняйте свои планы. Делайте то, что вы наметили, не давая себе каких-либо поблажек.

Если вы живете с человеком, который не разделяет ваши взгляды, держите эту книгу в укромном месте, только для личного пользования. Не обсуждайте чрезмерно ваши планы и проекты, потому что результатом этого может быть ослабление энергии, которую следует направлять на достижение определенных результатов.

Сядьте, спокойно подумайте, а затем напишите список ваших надежд и мечтаний, определите свои жизненно важные цели и способы их достижения. Запишите надежды и мечтания относительно родных, друзей и вашего окружения. Дайте простор своему воображению. Поработайте с удовольствием над этим проектом. Вы будете приятно удивлены, когда увидите, как много ваших надежд осуществляются просто потому, что вы мечтали о них и изложили их на бумаге.

Глава 2.

Живите полноценной сознательной жизнью

Духовное пробуждение состоит в том, чтобы быть сознательным и понимать, что есть Бог, душа, мир. Быть духовно пробужденным — значит знать, а не просто верить. Быть духовно пробужденным — значит понимать внутреннюю работу разума и природы. Внутренние причины проявляются во внешних результатах; поэтому духовно пробужденный человек живет в царстве причин — видит их следствия, естественно проявляющиеся в окружающем мире.

ЧЕТЫРЕ ВЕЛИКИХ ПРИНЦИПА ПОЗНАНИЯ ИСТИНЫ

1. **Самодисциплина.** Успеха не будет, если вам не хватает самодисциплины. Для осуществления наших целей самодисциплина означает, что мы должны регулировать мышление, чувства и поведение так, чтобы достичь цели и выполнить задачу с минимумом помех или трудностей. Запомните аксиому: если вы делаете то, что, как вы знаете, вам следует делать для достижения успеха, вы почти наверняка выиграете. Сконцентрируйтесь на существенном и устраните бесполезные мысли, чувства и действия; направляйтесь прямо к вашей цели.
2. **Познание.** Познавайте книгу жизни. Познавайте природу сознания, природу разума. Познавайте, как работает тело. Учитесь тому, что идет на пользу, и применяйте в своей жизни то, чему вы научились. Есть много людей с благими намерениями, которые не достигают успеха потому, что у них нет четкого представления о том, что такое истина и что такое ложь, о том, что срабатывает и что не срабатывает. Нетрудно понять, что Жизнь пронизывает Вселенную, что все материальное пришло из невидимого и что энергия этой Жизни питает и поддерживает все. Нетрудно понять, что душа является конкретным выражением Одной Жизни, Бога, и то, что она использует тело и разум для того, чтобы функционировать в материальном мире.

Не верьте тому, что невозможно познать истину о жизни. Такое рассуждение справедливо только для невежд и для тех, кому не хватает смелости. Вы обладаете божественными способностями. И эти способности могут раскрываться и проявляться по мере того, как вы начнете развивать их.

3. **Медитация.** Любой духовно пробужденный человек может медитировать и получать от этого пользу. Медитация не имеет ничего общего с аутотренингом или самогипнозом. Медитация — это процесс, применяемый для концентрации внимания на нашем собственном сознании. Чтобы медитировать, просто определите время и место для ее проведения — и приступайте. Медитируйте в одно и то же время. Регулярные медитации самодисциплинируют.
4. **Подавление «неправильного» чувства «эго»** — того, что мы ощущаем, будучи в стороне от Одной Жизни, от Бога. Избавьтесь от этого ложного ощущения и осознайте себя составной частью всего, что есть. Ваше маленькое «я» само по себе эгоцентрично; оно чувствует себя ограниченным и, временами, даже жертвой. Ваше большое Истинное «Я» — это Океан Бесконечного Сознания, оно вездесуще, всемогуще и всезнающе. Ощущайте себя продолжением Единого. Знайте, что вы здесь для того, чтобы выразить Его волю и Его цели. Именно тогда вы осознаете, что не одиноки в этом мире, в борьбе против окружающих вас обстоятельств; вы становитесь сознательным участником великого эволюционного процесса. И чем более вы открыты, тем больше Единая Жизнь выражается через вас.

ЖИВИТЕ СБАЛАНСИРОВАННОЙ ЖИЗНЬЮ

Соблюдайте самодисциплину, познавайте, медитируйте, подавляйте чувство «эго» и участвуйте в практических делах, чтобы жить сбалансированной жизнью. Относитесь к обязанностям и персональной ответственности с тщательным вниманием. Духовное пробуждение совместимо лишь с полнокровной жизнью в этом мире. Самореализация — это внутренний процесс. Не думайте об этом как о будущем, иначе ваша жизнь будет пустой и ваши мечты не материализуются.

Находите добро в других. Ищите и исповедуйте его. В этом случае оно будет раскрываться еще больше в других и в вас самих. Культивируйте духовные ценности и живите самой идеальной жизнью, которую вы только можете представить. Проявляйте терпение к себе и другим.

Идеал — это жить с пониманием целей и задач; жить, не цепляясь за вещи и пережитое, но и не отвергая блага жизни. Мы принимаем ответственность за самих себя и за наш мир. Без такой ответственности мы нагружаем других нашим грузом, поступаем нечестно как по отношению к ним, так и к самим себе. Исполняемые должным образом обязанности — это средство нашего духовного пробуждения и личной свободы.

Посещать или не посещать церковь — это личное дело каждого. Если вы ходите в церковь, изберите наиболее близкую вам по духу и обязательно отдавайте ей ваше сознание, вашу энергию и часть ваших материальных средств.

Бог уже дал нам все; все, что мы должны сделать,— это принять это. Бог уже дал нам жизнь; все, что мы должны сделать, это прожить ее.

ПЛАН САМОРЕАЛИЗАЦИИ

Духовное пробуждение

1. Цель моего духовного пробуждения в этой жизни:
2. Чтобы выполнить эту цель, я буду:
3. Мне мешают следующие препятствия:
4. Чтобы устранить эти препятствия, я буду:
5. Конкретные духовные приемы, которые я применяю (буду применять):
6. Книги и пособия, которые я использую:
7. По-моему, Бог — это:
8. По-моему, я — это:
9. Мое ежедневное время медитаций:
10. Способ медитации, которого я придерживаюсь:
11. Напишите утверждение, которое выражает ваши цели и убеждения.

Глава 3.

Пробудите чудотворные способности вашего разума

Ваш индивидуальный разум является частью Универсального Разума. Четко понимайте, что то, что мы называем «нашим» разумом, является лишь частью целого. Созидательные идеи рождаются на уровне души и отрабатываются на уровне сознательного разума. Возможно также «подбирать» мысли и идеи, которые плавают в море Разума. Более того, мы можем сами «посылать» мысли в Универсальный Разум — мысли, которые в дальнейшем получат воплощение. Умственный образ, поддерживаемый верой, проявляется в материальном мире. Таким образом, мысли являются внутренними причинами возникновения вещей, обстоятельств и событий.

Наш разум имеет четыре составные части:

1. **Чувство «эго»** — ощущение бытия индивидуальности отдельно от Единого Разума. Это ложное чувство является причиной многих забот и страданий, испытываемых непросвещенным человеком. Запомните: Не существует независимого мира, не существует индивидуальной личности. Мир неотделим от Того, кто создал его, а душа (настоящая сущность) неотделима от Единой Жизни.
2. **Ощущения.** Разум наделен чувствующей природой, потому что на него влияет жизнь души. Мы страстно желаем чего-либо и не удовлетворены, когда желания не исполняются. Желания не только полезны, они необходимы, если мы хотим выжить в этом мире. Однако бредовые и навязчивые желания связывают нас и вызывают проблемы.
3. **Принцип мышления.** Используя разум, мы можем исследовать данные, координировать их и приходить к заключению. Если мы не воспринимаем наш мир таким, какой он есть на самом деле, когда у нас нет достаточного количества данных, когда сознательный разум чересчур подпадает под влияние подсознательного, наше мышление не является упорядоченным.
4. **Интеллект.** Сущность, или душа, используя разум, применяет энергию интеллекта. Учитесь применять силу своего интеллекта. Ваши интеллектуальные

способности улучшаются по мере того, как расширяется ваше сознание, и по мере того, как вы больше наблюдаете и рассуждаете.

УРОВНИ РАЗУМА

На уровне реального сознания мы наблюдаем, вступаем в отношения, думаем и решаем. Уровень подсознания является кладовой памяти. Он получает и удерживает данные. Все, о чем мы думаем, что чувствуем, видим и переживаем, записывается на уровне подсознания. Бессознательное недоступно для среднего человека. Здесь хранятся самые глубокие воспоминания, самая старая память. Здесь же находятся и модели мышления, чувств, вдохновения, присущих человеку. Бессознательное содержит также воспоминания и чувства, которые мы подавляем и не хотим сознательно признавать, но влияние которых на нас имеет большое значение. Уровень сверхсознания является листом белой бумаги для нашего разума. Именно этот уровень — уровень гениальности, созидательности, воображения и чудесных способностей.

Для самореализации необходимо научиться жить, признавая существование сверхсознания, управляя сознанием и оставаясь при этом свободным от нежелательных воздействий, которые хранятся в подсознании. Время от времени, как результат сознательной жизни и глубокой медитации, подсознательный и бессознательный уровни разума будут очищаться от всех разрушающих и ограничивающих влияний, мотиваций, обычаев и тенденций. При этом вы сможете применять в полном диапазоне способности собственного разума, испытывая безграничное удовлетворение от осознания этого.

Мир, в котором мы живем, не является суровым и враждебным для нас. Он пластичен и текуч, постоянно меняется и подвержен регулировке. Ничто в мире не зафиксировано раз и навсегда, не застыло во времени и пространстве. Можно изменять обстоятельства, решать проблемы, достигать поставленных целей, выполнять задуманное, только если вы верите и делаете что-то позитивное для изменения вашего мировоззрения. Если вы видите окружающий вас мир по-другому, вы сможете делать и переживать такое, что многие люди не могут даже вообразить, если они не разделяют подобное восприятие мира.

Вам никогда не увидеть осуществления своей мечты, если вы не представляете ее мысленно, как возможность. Необходимо желание участвовать в творческом воображении, чтобы начать процесс изменений и трансформации. Если вы хотите чего-нибудь, прежде всего представьте себе, что это уже реально существует. В этом — ключ к исполнению вашей мечты и вообще полноценной жизни в этом мире. Если вам необходимо исцелиться от болезни, представьте себя здоровым и свободным от ограничений. Если вы хотите сделать что-либо стоящее в жизни, представьте, что уже делаете это. Делайте свою жизнь реальной, сперва реальность. Затем живите в вере, то есть поддерживайте внутреннее знание и внутреннее ощущение до тех пор, пока внешняя картина не будет соответствовать идеалу, который вы уже представили.

Мы воображаем и ощущаем конечный результат, оставаясь открытыми для привлечения желаемых обстоятельств и нужных людей, если это необходимо. Используя свои творческие способности, мы никогда не должны манипулировать, управлять или доминировать над другими.

Одной из самых разрушительных привычек является негативное мышление, отрицательные чувства и разговоры. Это возникает из подавленного разума и является печальным отражением собственного жалкого имиджа.

Подпитывайте свой разум и душу, читая духовную литературу, общаясь со счастливыми людьми, имеющими серьезные жизненные цели, уверенно планируйте достойное вас будущее. Мыслите категориями успеха, счастья. Думайте, как принести пользу людям и реализовать себя. Следуйте этому, и пусть ваш внутренний свет сияет в полную силу.

Утверждайте: «Я четко понимаю, что мой разум является частью Универсального Разума. С этого момента и в будущем я буду мыслить четко, рассуждать, очищать глубинные уровни разума и жить с пониманием сверхсознательного. Я буду практиковать творческое воображение, анализировать возможности и иметь конструктивные взаимоотношения с окружающим меня миром».

ПЛАН САМОРЕАЛИЗАЦИИ

Умственное творчество и гармония с универсальным разумом

1. Опишите Универсальный Разум.
2. Мой разум соотносится с Универсальным Разумом следующими способами:
3. Четыре составные части разума человека — это:
4. Мои умственные способности в настоящее время — это:
5. Умственные способности, которые мне необходимо раскрыть и культивировать в себе:
6. Чтобы раскрыть эти способности, я буду:

7. Модели мыслей и отношения, от которых я должен избавиться:

8. То, что я ожидаю от жизни в настоящее время:

9. Я бы хотел, чтобы меня понимали другие в следующем:

10. Дополнительные качества, которые мне необходимо приобрести:

11. Напишите утверждение, в котором ясно выразите ваши идеалы и ваши взаимоотношения с Богом через Универсальный Разум.

Глава 4.
Вы можете быть зрелым и ответственным настолько, насколько желаете

Иметь «твердый» разум не означает не быть мягкосердечным. Иными словами, мы можем ясно мыслить и быть решительными и все же наслаждаться жизнью и испытывать приятные ощущения. Главное здесь — не дать чувствам взять верх над интеллектом в важных вопросах.

Никогда не заявляйте, что не можете контролировать свои чувства или что являетесь рабом эмоциональных всплесков. Вы — прекрасное духовное су-щество и поэтому имеете контроль над разумом, чувствами и телом. В соотношении «дух — разум — тело» весьма существенно понимать картину целиком. Если мы оптимисты, настроены на успех, здоровы, нам легче управлять своими эмоциями. Если мы пессимисты, успех не сопутствует нам; если мы опутаны внешними обстоятельствами, да еще не чувствуем себя хорошо, мы больше подвергаемся риску стать жертвой неконтролируемых эмоциональных моделей поведения. Поэтому для полноценной жизни и эмоциональной стабильности необходимо заботиться о здоровье и правильном функционировании во всех областях жизни.

ВЗРОСЛЫЙ ЛИ ВЫ ЧЕЛОВЕК НА САМОМ ДЕЛЕ?

Свидетельством нашей зрелости является способность быть ответственным за свои мысли, чувства, поведение, здоровье, взаимоотношения, полезные проекты и совместные предприятия. Зрелость обычно ассоциируется с состоянием «взрослости». Считается, часто неправильно, что для человека, вступившего во «взрослую» пору жизни, зрелость наступает автоматически. Но так ли это?

В прошлом вас, возможно, обижали, использовали, отвергали. Вы, возможно, делали ошибки, терпели неудачи. У вас, возможно, были печальные потери. Ну и что? Не имеет значения, что вы переживали в прошлом. Воспоминания можно признать, понять и нейтрализовать, если это потребуется. Вы можете никогда не забывать события и опыт прошлого, но память о них не должна ограничивать вас в настоящем и будущем.

Большинство неприятных переживаний случились потому, что вы не были достаточно сознательны и просто испытывали то, что может случиться с любым другим человеческим существом. Если вы наделали ошибок — простите себя и не повторяйте их. В этом скрыт великий секрет, и если его понять и воспользоваться им в жизни, то высвободятся огромные энергетические ресурсы: согласитесь со всем, что причиняет вам боль, и освободите жизненную силу, которая так долго была скрыта в ментально-эмоциональных моделях вашего мышления.

Теперь уже убедительно доказано, что страх, озабоченность, ненависть, зависть, неприязнь, печаль и все другие эмоциональные деструктивные состояния отражаются в химических процессах в организме и могут даже привести к болезни. Эмоциональные расстройства вызывают болезнь, а эмоциональное благополучие способствует исцелению. Ну а теперь ответьте: что вы выбираете для себя?

Не существует внешней силы, которая может вызвать у нас эмоциональное расстройство или боль, если мы не позволим ей этого. Не существует ничего вне нас, что может сделать нас рабами, если только мы сами не наделим это силой, которой на самом деле нет. Переедание, злоупотребление спиртным, зависимость от никотина, чувственные излишества — все это обусловлено эмоциональной незрелостью. Спросите любого, кто злоупотребляет вышеприведенным, и вы почти всегда обнаружите, что одиночество, бесплодность и бесцельность существования, а также отсутствие должного самоуважения лежат в основе такого поведения.

Никогда не утверждайте, что вы слабы и некомпетентны, что вы — раб своих привычек или шаблонов поведения. Никогда не утверждайте, что вы одиноки, бедны, боитесь провала или что вы жертва обстоятельств. Утверждайте, что вы связаны с Богом, что вы оптимист и счастливчик, смельчак и везунчик и что обстоятельства — не что иное, как отражение того, как ваш разум и сознание взаимодействуют с жизнью. Вы — победитель, а не проигравший! Вы — свободный дух, а не ограниченное человеческое существо! Вы есть особое выражение Единой Жизни, чтобы позволить ей проявляться через вас!

Учитесь на практике быть благополучным, даже когда вы одиноки. Учитесь быть совершенной и зрелой личностью. Наслаждайтесь взаимоотношениями, вещами, жизнью, но делайте это, концентрируясь на осознании вашей неизменной природы. Таким образом вы проживете полноценную жизнь и избежите ловушек в виде чувств и обстоятельств, которые разрушают вашу силу, вносят путаницу в разум и вселяют отчаяние в душу.

То, как вы будете использовать эту книгу, будет тестом на вашу зрелость, тестом на ваше желание стать ответственной личностью. Думайте конструктивно, чувствуйте себя уверенно, делайте добро другим, ставьте перед собой серьезные жизненные цели, помогайте ближним, правильно питайтесь, больше смейтесь и чаще проявляйте свое чувство юмора. По мере возможности избегайте неблагоприятных обстоятельств и отношений, разрушающих и отравляющих вашу эмоциональную жизнь. Делитесь с другими своим ясным сознанием, но не берите на себя отчаяние тех, кто потерял надежду и мыслит негативно.

Применяйте ваши знания на практике, для чего определите свои жизненные цели и начните их осуществлять. В процессе этого придут уверенность и умение. Ваша жизнь станет лучше, потому что вы раскрываетесь, учитесь и осознаете себя сознательной частицей всеобщего целого.

Утверждайте: «Я принимаю ответственность за состояние моего ума, мои мысли, чувства и поведение. Я остаюсь спокойным, уравновешенным и уверенным при всех обстоятельствах. Я выбираю Бога, как моего компаньона во всем, что я делаю».

ПЛАН САМОРЕАЛИЗАЦИИ

Эмоциональная зрелость и ответственная жизнь

1. То, что мне в себе нравится, это:
2. То, что мне в себе не нравится, это:
3. Чтобы изменить то, что необходимо изменить, я буду:
4. Станьте перед зеркалом и взгляните на свое отражение. Вам нравится то, что вы видите? Если да, поблагодарите за это. Если нет — что вы предпримете, чтобы изменить свою внешность, поведение, жесты и т. д.?
5. Станьте перед зеркалом и взгляните себе в глаза. Утверждайте: «Я есть особое выражение Бога. С моими раскрытыми способностями и с Божьей помощью я выполню свое предназначение в этой жизни и принесу пользу другим».
6. Мои позитивные и конструктивные отношения и чувства:
7. Мои негативные отношения, чувства и поведение:
8. Чтобы избавиться от внутренних конфликтов и деструктивных отношений, чувств и поведения, я буду:
9. Мое определение эмоциональной зрелости:
10. Чувствуете ли вы, что можете жить счастливой и полноценной жизнью? Если нет, то что вы предпримете, чтобы изменить свою жизнь и стать зрелой и ответственной личностью?
11. Напишите утверждение, в котором представьте себя идеальной, эмоционально стабильной и ответственной личностью.

Глава 5.

Здоровая жизнь в здоровом теле

Ваше тело является продолжением вашего мозга, а ваш мозг — это орган вашей души. Вы сами не являетесь ни разумом, ни телом, но, пребывая в материальном мире, вы проявляетесь через разум и тело. Поэтому разве не правильно поддерживать тело в хорошем состоянии? Здоровы ли вы, работоспособны ли? Если нет, то это можно поправить. Если да, то продолжайте поддерживать такое состояние.

Жизнеспособность тела обеспечивается душевной силой. Жизнь тела зависит также от воздуха, которым вы дышите, и потребляемой вами пищи. Солнечное излучение преобразуется растениями в хлорофилл при помощи процесса фотосинтеза. А мы поглощаем солнечную энергию, когда употребляем «живую» пищу. Для человека естественно питаться зерном, орехами и семенами, овощами и фруктами. Употребляемые в соответствующих пропорциях, эти продукты обеспечивают потребности тела человека в питании.

Физические упражнения — это вопрос личного предпочтения. Широко распространено мнение, что необходимо заниматься ими по крайней мере три раза в неделю по двадцать минут до достижения учащенного сердцебиения и ритма дыхания. Это укрепляет сердечно-сосудистую систему, способствует лучшему поглощению кислорода, повышает мышечный тонус и улучшает общее состояние здоровья. Можно также порекомендовать йогу и любые другие упражнения, которые приносят удовольствие и пользу.

СТРЕСС — ОСНОВНАЯ ПРИЧИНА БОЛЕЗНЕЙ

В результате стресса часто повышается кровяное давление, происходят негативные изменения и нарушается работа различных систем и органов тела. Оптимизм в мышлении, эмоциональное спокойствие, сбалансированное питание, гармоничные взаимоотношения, личное счастье, свобода от ограничений — все это в большой степени снижает влияние стрессов на организм. При перенапряжении мы не в состоянии думать четко и ясно, мы не уверены в себе, не можем хорошо отдохнуть, а наша нервная система не в состоянии эффективно работать.

Основным способом снятия стресса является медитация. Даже если вы не практикуете длительную медитацию с целью духовного пробуждения, то регулярные медитации с целью расслабления будут чрезвычайно полезны для вас. Упорядочивание мыслей и умственных процессов, происходящее во время медитации, расширяет ее полезное влияние на нервную систему и тело в целом.

Необходимо заботиться о полноценном восстановлении сил. Физические упражнения и активный отдых помогают снизить стрессы и «оживить» тело. Глубокий освежающий сон восстанавливает силы.

РАЗБУДИТЕ ЖИЗНЕННУЮ ЭНЕРГИЮ ДЛЯ ПОЛНОЦЕННОЙ ЖИЗНИ

Чувствуйте, что глубоко внутри вас есть неиссякаемый источник жизненной силы. Она пронизывает все ваше тело и имеет свои истоки в могучем Океане Жизни.

У вас есть все необходимое для полноценной жизни, если вы избавились от ограничений, которые сковывают ваш разум, эмоции и тело. Молитва и медитация пробуждают спящую жизненную силу. Оптимизм, радость, любовь, творчество и расширение представления о ваших возможностях также включают в действие жизненную энергию.

Для пробуждения и применения на практике регулярно очищайте тело. Ниже следуют советы, как осуществить этот очень простой процесс. Уже через несколько дней вы заметите, насколько яснее вы думаете, лучше себя чувствуете и насколько улучшился окружающий вас мир.

1. **Следите за чистотой тела.** Тщательно удаляйте жировые выделения и омертвевшие клетки кожи. Массируйте тело грубым полотенцем перед ванной, чтобы улучшить кровообращение. Делайте это до тех пор, пока тело не разогреется. Затем искупайтесь. Всегда носите чистую одежду.
2. **Соблюдайте очищающую диету.** Это очень легко. Если необходимо, проконсультируйтесь с врачом. Завтрак: свежие или тушеные фрукты столько, сколько хочется. Ломтика хлеба грубого помола с фруктами будет вполне достаточно. Обед: свежий салат из разнообразных овощей. Хорошую приправу можно приготовить из оливкового масла, лимонного сока, измельченного чеснока и т. п. Ужин: зеленый салат и рис. Украсьте рис нарезанным луком или чем-либо другим. (Рис можно есть и в обед.) По вашему желанию можно разнообразить меню чередованием риса, овсяных хлопьев, кукурузы или других злаков. Такое питание имеет очищающее и благотворное воздействие. Не употребляйте

консервы, соль, белый сахар и все то, что не является «живой» пищей. Особенно важно следить за регулярным и полным выведением шлаков из организма.

3. **Во время этой программы** (которая может продолжаться от одной до двух-трех недель) **уделяйте больше времени изучению духовности, сосредоточению и медитации.** Откройтесь жизни, и пусть ваши внутренние силы, данные вам от Бога, пробудятся и начнут в большей степени влиять на вашу судьбу. Утверждайте: «Я знаю, что я есть — духовное существо. Я уважаю свое тело и его цели. Я всегда делаю все, что могу, чтобы оно правильно функционировало и обеспечивало меня идеальным средством для выражения».

ПЛАН САМОРЕАЛИЗАЦИИ

Здоровье и функции тела

1. Моя основная программа питания:

2. Моя программа физических упражнений:

3. Составьте список своих физических качеств, которые, как вы чувствуете, помогут выполнению ваших целей:

4. Напишите список ваших физических характеристик, которые нуждаются в совершенствовании:

5. Каковы ваши ближайшие планы их реализации?

6. Свободны ли вы от нежелательных стрессов? Если да, продолжайте так жить и дальше. Если нет, практикуйте медитацию для расслабления. Учитесь быть более объективным и более ответственным за свое здоровье и благополучие.

7. Другое, что я хочу испытать для здоровой и полноценной жизни:

8. Составьте утверждение, в котором укажите, кто вы и каким, по вашему мнению, должно быть идеальное физическое состояние. Утверждайте любовь, жизнь, разумное поведение и отношения сотрудничества с природой.

Глава 6.

Вселенная — ваш друг

Природа гарантирует поддержку и развитие всему живущему. Поэтому мы определенно знаем, что она поддержит нас и будет к нам благосклонна. Вот почему можно быть уверенным в том, что, если мы находимся в гармонии с природой, наша безопасность и самореализация гарантируются.

Что является общим для всех живых существ? Имеются три принципа, общих для всего живого, и еще один, действующий только для людей.

1. **Выживание и безопасность.** Чтобы выполнить наши жизненные цели, мы должны заботиться о выживании, хорошей работе организма и безопасности тела. Нам требуется пища, кров и жизненные ресурсы.
2. **Согласие и самореализация.** Для того чтобы достичь согласия и самореализации, требуется больше усилий, чем для того, чтобы просто выжить. Мы также хотим делать что-то полезное в жизни, хотим ставить и добиваться выполнения жизненных целей и испытывать удовлетворение от их достижения, мы хотим развиваться, творить.

3. **Дееспособность.** Чтобы быть дееспособным, необходимо обладать достаточными знаниями, здоровьем, иметь удовлетворяющие взаимоотношения с окружающим миром и с теми, с кем мы взаимодействуем.
4. **Духовное пробуждение.** Люди с высоким уровнем сознания не удовлетворяются достижением первых трех принципов; такие люди желают знать высшую правду о жизни и достичь душевной самореализации. Душе недостаточно просто прожить в этом мире несколько десятков лет. Мы внутренне знаем, что переживем свое тело, что будем продолжать жить и выражать себя вечно.

ДРУЖИТЕ С ОКРУЖАЮЩИМ МИРОМ

Утверждайте всегда: «Я дружу с окружающим миром». При этом чувствуйте себя хорошо. Чувствуйте себя в безопасности, согласии, любви и гармонии со всей энергией природы и с каждым живым существом. Теперь, когда мир — ваш друг, у вас нет врагов, нет конкурентов, вам нечего бояться. Вы спокойны, и ваш личный мир гармоничен. Разве уже не лучше вы себя чувствуете? Если вы ощущаете опасность, переживаете конфликт, жизненные трения или вызов судьбы, утверждайте: «Я дружу с окружающим миром». Произнесите эти слова. Почувствуйте реальность того, что вы утверждаете. Будьте счастливы.

Не причиняйте никому вреда. Желайте всем добра. Любите и благословляйте. Знайте, что ваше будущее обеспечено, потому что Жизнь неизменно поддерживает вас. Жить праведной жизнью — значит жить в гармонии с естественными законами и принципами. Так вы узнаете, что вы на самом деле на своем месте.

Поддерживайте дух других людей. Позволяйте им поддерживать вас. Найдите такое место в жизни, где вы могли бы приносить пользу и оказывать свое влияние.

Ткань, из которой соткан этот мир, едина и состоит из созидательной энергии, пространства и времени. Из этой основной ткани возникает все сущее. Природа вырастает из бесформенного и возвращается в бесформенное. Энергия мира не увеличивается и не уменьшается: она просто изменяет свою форму. Все, с чем вы сталкиваетесь и взаимодействуете, образовано из одной основной ткани.

Ваше сознание является конкретным выражением высшего Сознания, и когда вы научитесь жить, осознавая это, то есть жить в гармонии с Жизнью Вселенной, вы окажетесь в едином потоке, в едином ритме с природой. Вы обнаружите, что жизнь несет вас, как течение реки.

Вы можете привлекать любую силу Вселенной, можете установить с ней связь и создать такие условия, при которых эта сила, в соответствии с законами, обязательно будет действовать через вас. Заметьте, пожалуйста, что перед тем, как привлечь и направить силы природы, вы должны стать своеобразным «приемником». Затем вы должны открыться жизни. А потом при помощи воображения и веры вы можете ощутить текучую жизненную силу, по мере того как она выражается и проявляется в вашем мире.

Культивируйте жизненные ценности. Отбросьте все негативные и ограничивающие отношения, чувства и привычки. Очистите ваш разум и тело от всего, что мешает естественной работе природы внутри вас. Это великое таинство, и оно часто требует глубокой внутренней работы и преобразования нашей психологии. Но разве это не сама жизнь? Разве мы здесь не для того, чтобы раскрыть наши врожденные способности? Разве мы здесь не для того, чтобы учиться, расти и занять место в жизни?

Жизнь непременно откликнется, поскольку вы отдаете ей все самое лучшее. Таким образом вы начнете большое путешествие, которое является привилегией каждой сознательной личности. Вы увидите то, что никогда не видели ранее. Вы переживете такое, что никогда и не надеялись пережить. Сила внутри вас будет вести и направлять ваши действия. Благоприятные возможности, одна за другой, будут раскрываться перед вами. Приготовьтесь же к этому.

Утверждайте: «Да, я радостно утверждаю, что я дружу с окружающим миром. Вселенная — мой друг, и все силы природы и ее проявления поддерживают меня. Все в моем сознании, в моем разуме, в моем мире находится теперь в божественном порядке».

ПЛАН САМОРЕАЛИЗАЦИИ

Испытывая гармонию со Вселенной

1. Удовлетворены ли вы своими взаимоотношениями с другими людьми? Если да, будьте благодарны. Если нет — что вы можете сделать, чтобы обеспечить гармонию и взаимную поддержку? (Ключ к пониманию этого: увидеть божественную природу других и общаться с ними на духовном уровне.)

2. Понимаете ли вы на самом деле, что вся ваша жизнь есть не что иное, как выражение Одной Жизни? Если это так, радуйтесь. Если нет, изучайте природу сознания до тех пор, пока вы не поймете полностью процессы жизни.

3. Мои цели на ближайшие двенадцать месяцев:

4. Мои цели на ближайшие пять лет:

5. Мои цели на более дальнюю перспективу:

6. Для достижения моих целей и выполнения серьезных желаний я должен:

7. Составьте утверждение, в котором сформулируйте свое видение идеальных взаимоотношений с миром, в котором живете.

Глава 7.

Преуспевайте во всем

Если кто-либо отрицает, что преуспевание является идеалом полноценной жизни, я полагаю, что такому человеку нужен совет и помощь. Этот идеал заключается в преуспевании духовном, умственном, эмоциональном и физическом, во взаимоотношениях с другими и во всех иных серьезных начинаниях и проектах!

Боитесь ли вы жить в этом мире, чувствуете, что в мире что-то не так, если вам кажется, что «приятные вещи» слишком хороши для вас, что «деньги — корень всякого зла», если вы так думаете и чувствуете, то у вас есть проблемы!

Одна из многих задач, с которыми сталкиваются миллионы людей, включая и тех, кто идет по духовной стезе,— это прийти к пониманию мира таким, каков он есть. Мир, каков он есть,— это полное проявление силы Бога.

Этот мир не суровый, грубый, жестокий или нечестный. Вселенная действует согласно планам и принципам. Быть в гармонии с этими планами и принципами, не нарушать порядок и соблюдать законы — в этом и заключается ваша жизнь в этом мире.

СУЩЕСТВУЕТ СИЛА ВНУТРИ ВАС — ПОЛОЖИТЕСЬ НА НЕЕ

Сила, которая находится внутри вас,— это сама Жизнь Вселенной. В каждом мгновении проявляется активность этой Жизни, выполняющей свое предназначение, и если мы позволим ей работать через нас, то она возьмет на себя наше бремя и приведет нас к победному финалу. Преуспевание не является условием — оно есть состояние сознания. Если вы хотите истинной и полноценной жизни, пожалуйста, согласитесь с мыслью, что вам предназначено прожить ее. Существует ли что-нибудь позитивное в невежестве и ограничениях? Вы знаете ответ так же, как я знаю его. И поскольку мы понимаем друг друга, давайте перейдем к практическим делам.

В ЧЕМ ВАША ИСТИННАЯ ЦЕННОСТЬ

Я не имею в виду: «Какова стоимость вашего имущества?» Я спрашиваю: «Кто вы такой, что вы о себе знаете и во что вы верите?» В этом ваша реальная ценность, в вашей собственной оценке и в оценке окружающих. И именно это важнее всего. А теперь давайте перейдем к главному.

О чем вы мечтаете? В чем вы видите свою пользу, какое добро вы можете сделать людям? Что вы хотите испытать или совершить в этом мире перед тем, как покинете его? Прочитайте книгу и приступите к выполнению. Заведите тетрадь для записей, если это необходимо.

Что вы делаете для воплощения вашей мечты? Если вы добросовестно работаете с этой книгой, то вы на правильном пути и непременно достигнете претворения в жизнь самых высоких идеалов. Если вы пренебрегли каким-либо упражнением, пожалуйста, оставьте эту главу и начните снова с первой страницы. Осознайте тот факт, что ваша собственная жизнь связана с Единой Жизнью.

Делаете ли вы добро? Если вы служите другим и делаете это правильно, у вас не будет недостатка в постоянном и обильном потоке добра в вашей собственной жизни. Будьте открыты благам Жизни. Человеку присуще, даже делая добро, не в полной мере воспринимать блага Жизни, чувствовать, что что-то мешает его процветанию. Определите четко в своем сознании, что преуспевать — это ваша обязанность и ваше право. Когда вы преуспеете во всех отношениях, включая материальное благополучие, вам легче поделиться с другими. Вы также станете более свободны в своих поступках.

Как вы используете свои сбережения? Ваша обязанность, как человека ответственного, обеспечить себя в настоящем и разумно планировать свои будущие потребности. Часть вашего дохода (вы сами определите, сколько) вложите в выгодное дело. Посоветуйтесь прежде со специалистами. Вы сами удивитесь тому, как быстро растут ваши сбережения. Эти деньги не являются мертвым грузом; они, в свою очередь, используются банком — таким образом, и другие люди тоже получают от них выгоду.

Планируете ли вы пожертвования? Ваши регулярные пожертвования не должны обязательно быть на уровне десяти процентов ваших общих доходов. Они могут быть больше или меньше. Предположим, что благодаря планированию вы сэкономили десять процентов ваших доходов и отдали эти деньги на полезные дела. У вас остались еще деньги для личных потребностей и деловых проектов. Вы намного лучше распорядитесь своими деньгами, если будете тратить их осознанно. Выделите деньги на развлечения. Жизнь дает нам, и наш долг отдавать Жизни. Жертвуйте своей церкви, жертвуйте на полезные социальные проекты. Отдавая, не думайте о том, что вы за это получите. Отдавайте потому, что это ваш моральный долг, с признательностью и благодарностью. Такие поступки откроют ваш разум и сознание течению Жизни, с тем чтобы вы испытали сознательное с ней партнерство.

Помните: все то, о чем вы мечтаете (если это вообще выполнимо в этом относительном мире), вы можете испытать и пережить. Идеи, энергия, люди, ресурсы — все это придет в божественном порядке, если вы мечтаете правильно, живете в вере, делаете свое дело и остаетесь открытым потоку Жизни.

Утверждайте: «Я открыт бесконечному добру. Я служу другим и принимаю поддержку и питание Жизни. Я здоров и крепок, я расцветаю и имею успех. Я преуспеваю во всех отношениях. Благодарю тебя, Боже, за ежедневную возможность раскрываться и выражаться в этом мире без ограничений».

ПЛАН САМОРЕАЛИЗАЦИИ

Преуспевание во всех отношениях

1. Преуспеваете ли вы во всех отношениях? Если да, продолжайте в том же русле. Если нет, проанализируйте ваше отношение к материальной Вселенной и выясните причины ваших временных неудач.
2. Перечислите, что хорошего вы делаете своим близким и всем окружающим:
3. Моя нынешняя цель — это:
4. Деньги, которые приходят ко мне,— это:
5. Я экономлю по крайней мере десять процентов из своих денег следующим образом:
6. Я отдаю по крайней мере десять процентов на следующие цели:

7. Утверждайте: «Я использую наличные ресурсы мудро и во благо».

8. Утверждайте: «Всеобщая жизнь, собственная жизнь Бога, благословляет меня и увеличивает все, что я имею, и все, что я свободно отдаю и получаю в своей жизни. Благодарю тебя, Боже, за изобилие и личную свободу».

9. Мои финансовые цели, краткосрочные и долгосрочные:

10. Чтобы добиться этих целей, я буду:

11. Ясно ли вы понимаете, что все во Вселенной создано Одной Сущностью? Если да, продолжайте путь к преуспеванию без каких-либо ограничений. Если нет, размышляйте об этом, пока ясно не увидите и не поймете, что Одна Сущность делает возможным все формы и выражения. В этом ключ к продолжительному преуспеванию.

12. Существуют и другие вещи, которые вы можете делать. Организуйте свое окружение так, чтобы оно способствовало достижению ваших целей. Учитесь с толком использовать свое время и энергию. Общайтесь только с теми людьми, которые разделяют ваши мечты и цели. Учитесь делать то, что вы хотите делать. По вашему усмотрению, при помощи управляемого воображения, увидьте себя личностью, которой вы заслуживаете быть, и почувствуйте себя таким.

Глава 8.

Техника медитации

Вот простая и результативная техника медитации, которую можно применять для снятия стрессов, физического расслабления, очищения ума, для приведения в порядок всех систем вашего тела и ваших дел. Следуйте нижеописанным рекомендациям:

1. Сядьте в тихом месте, выпрямите спину и расслабьтесь.

2. Закройте глаза и сфокусируйте внутреннее зрение чуть выше переносицы («третий глаз»), без усилий и напряжения.

3. Дышите спокойно; чувствуйте, как дышит тело.

4. С каждым выдохом повторяйте про себя определенное слово. Выберите его по своему усмотрению и произносите каждый раз во время медитации. Испытав однажды позитивное воздействие медитации при использовании этого слова, вы будете, по ассоциации, испытывать аналогичное состояние в будущем. Этим словом может быть «мир», или «радость», или «Бог», или «любовь», или любое другое, которое вы выберете.

5. Продолжайте этот процесс в расслабленном состоянии по крайней мере двадцать минут. Не напрягайтесь и не форсируйте результаты. Будьте просто участником процесса. Если мысли мешают сосредоточиться, дайте им спокойно уйти.

6. Выходите из процесса медитации с чувством счастья, расслабления и предвосхищения того, что жизнь должна предложить вам.

Практикуйте медитацию подобного рода дважды в день, если это возможно. Определите для занятий одно и то же время. Вы научитесь наслаждаться медитацией и после нескольких недель занятий заметите позитивные результаты.

Этот процесс подходит для человека любого возраста и любого социального положения. Дети также получают пользу от такой медитации, но, как правило, процесс им нравится больше, если он короче по времени.

Перед выходом из медитации дайте себе внутреннюю установку: «Я здоров, мне сопутствует успех». Ежедневно настраивайтесь на это.

Часть IV.

КАК ПО-НАСТОЯЩЕМУ ДОСТИГАТЬ УСПЕХА: ДЕВЯТЬ ШАГОВ (в изложении по Наполеону Хиллу)

Глава 1.

Шаг первый: воображение

Нет ли у вас долгов? Кому вы должны?

Не приходилось ли вам лишаться денег из-за неразумного их использования? Если так, то вы сможете найти некоторое утешение в осознании того факта, что даже некоторые из выдающихся людей порой ставили себя в безвыходное положение, вкладывая свои средства в то или иное дело.

Взять, к примеру, Марка Твена. Он был способен заставить смеяться или плакать весь мир. Однако когда он принимался вкладывать деньги, то проявлял при этом не больше здравого смысла, чем вы или, допустим, я. Марк Твен потерял почти 20 тысяч долларов, направляя их на финансирование различных изобретений, таких, как паровой двигатель, морской телеграф или же машины, способные усовершенствовать типографский процесс. Лишь одно предприятие показалось Марку Твену слишком фантастичным, чтобы вложить в него деньги. Это было столь «хитрое» изобретение, как телефон. Писателю был предложен основной пакет акций компании Александра Грэхема Белла, непосредственного изобретателя телефонной связи. Однако он лишь презрительно посмеялся над предложением, которое могло бы принести ему целое состояние. Зато он вошел в безнадежное дело с одним из своих родственников и в результате лишился всего.

Его друг предложил заплатить половину долгов, но Марк Твен не захотел и слышать об этом. Поклонники его таланта организовали массовой сбор средств для своего кумира. Чеки приходили со всех концов страны. Однако Марк Твен вернул все, вплоть до последнего пенса, настояв на собственной уплате долгов. Он ненавидел чтение лекций, однако вынужден был совершить кругосветную поездку, очень страдая в перерывах между публичными выступлениями от тоски по дому и от скуки. Шесть лет потребовалось ему для того, чтобы расплатиться с долгами, но в конце концов он добился своего.

Генерал У. С. Грант сумел нанести поражение армии южан, вышел победителем в Гражданской войне и стал президентом Соединенных Штатов. Однако это не обезопасило его от того, чтобы не впасть в зависимость от банков Уолл-Стрита. В последние годы его жизни двое мошенников вовлекли Гранта в бизнес. Злоупотребляя его добрым именем для осуществления своих корыстных целей, эти люди обманным путем присвоили 3 миллиона 200 тысяч долларов. Потом наступил крах. Грант отдал в счет долгов свои дома в Филадельфии и в Нью-Йорке, даже врученные ему за победы шпаги и другие военные награды.

Не располагая к тому времени ни единым долларом, он умирал от рака. Понимая, что после его смерти его жену ждет нищета, он взялся писать мемуары. Грант диктовал их до тех пор, пока прогрессирующий рак горла не лишил его голоса. Тогда он собственноручно с помощью карандаша закончил книгу. Последнюю главу он дописал за три дня до своей кончины.

Марк Твен издал эту книгу и выплатил вдове Гранта в качестве гонорара почти сто тысяч долларов.

Знаменитый американский государственный деятель Дэниел Уэбстер был однажды привлечен к суду за то, что не сумел оплатить предъявленный ему мясником счет.

Оливер Голдсмит однажды подвергся аресту за то, что не смог внести квартирную плату.

Великий французский писатель Оноре де Бальзак задолжал так много денег, что буквально боялся отвечать на звонки в дверь, опасаясь кредиторов.

Английский король Чарльз II был в таких долгах, что ему пришлось уступить все земли, составляющие сейчас штат Пенсильвания, всего за 15 тысяч долларов.

Миссис Линкольн, стремясь выбиться из долгов, вынуждена была продавать не только сохранившиеся у нее драгоценности, но даже меха и собственные платья. Покинув Белый Дом, она испытала столь острую нужду, что ей пришлось продать даже рубашки покойного мужа с вышитыми на них его инициалами.

Дж. Уистер, один из величайших американских художников, занимал деньги на каждом шагу, закладывая свои картины для того, чтобы расплатиться с долгами. Когда кредитор приходил и забирал в счет уплаты одно из его кресел или кровать, он рисовал на полу изображение этого предмета и, махнув рукой, расставался с ним.

Б. Брумель более ста лет назад определял социальную жизнь Англии. Однако он не мог привести в порядок свой собственный счет в банке. Он учил Уэльского принца модно одеваться, но не мог преодолеть своей страсти к конным бегам и картам. Когда, постучавшись в дверь, к нему наведывался шериф, изощренный Брумель бросался в платяной шкаф и укрывался в нем за одеждами. В конце концов за неуплату долгов его арестовали и бросили в тюрьму.

Так человек, который в свое время был законодателем моды во всем мире, чье имя даже сейчас воплощает в себе символ элегантности и совершенства в одежде, впал в такую нищету, что ходил по улицам в грязных лохмотьях и служил насмешкой для тех людей, к которым сам когда-то относился с презрением. Повредившись в уме, он жил в отвратительной трущобе и кончил тем, что умер в сумасшедшем доме.

А. Линкольн в свои юные годы попытался развернуть бакалейный бизнес, взяв в партнеры пьяницу. Затея провалилась: пьяница умер, оставив Линкольну все долги. Он мог вполне легально и с достоинством выйти из положения, избежав уплаты этих долгов. Если бы, конечно хотел. Однако тогда он не был бы Линкольном. Так что он скаредничал, копил и жертвовал всем, чем только мог в течение долгих и трудных одиннадцати лет, пока не выплатил кредиторам все, вплоть до последнего одолженного у них пенни, причем выплатил с процентами.

СИНТЕТИЧЕСКОЕ И ТВОРЧЕСКОЕ ВООБРАЖЕНИЕ

Как же приобрести деньги, чтобы не только рассчитаться с долгами, но и заработать во много раз больше.

Ваши возможности заключаются в вашем же воображении, этой мастерской разума. Оно способно преобразовать интеллектуальную энергию в свершения и благосостояние. Воображение — мастерская, в которой выковываются человеческие планы и желания. Импульс, страсть обретают форму и приводятся в движение. Не зря же говорится, что человек способен создать все, что способен вообразить.

За последние пятьдесят лет человеческое воображение открыло и приручило больше природных сил, чем за всю предыдущую историю. Человек так плотно «завоевал» воздух, что иногда полету мешают птицы. С расстояния в миллионы километров он изучил Солнце, определил его состав, вес,— и все это с помощью воображения. Он так увеличил скорость передвижения, что может путешествовать быстрее звука.

Но возможности воображения используются далеко не полностью. Точнее сказать, человек только обнаружил, что оно у него есть, и сделал первые элементарные шаги.

Функции воображения проявляются в виде «синтетического воображения» и «творческого воображения».

Синтетическое воображение. С его помощью человек складывает уже известные концепции, идеи и замыслы в новые комбинации. Эта функция ничего не создает, хотя и широко используется при обобщении наблюдений, опыта, а также в образовании. Именно такому воображению обязаны мы появлением большинства изобретений, за исключением гениальных озарений, которые не могли произойти без участия творческого воображения.

Творческое воображение. Посредством творческого воображения ограниченный разум человека имеет выход в Мировой Разум; генерирует новые идеи; входит в контакт с подсознанием других людей.

Творческое воображение работает автоматически. Но для того, чтобы оно начало действовать, сознание должно войти в соответствующий ритм, возбудиться хотя бы сильным желанием. Чем больше воображение используется, тем желанней для него совместная с вами работа. Великие деятели бизнеса и финансов, великие художники, музыканты и писатели стали таковыми благодаря своему великолепно развитому воображению.

И синтетическая, и творческая функции воображения возбуждаются от активности, совсем как наши мускулы.

Желание — только мысль, импульс. Оно бесплотно, абстрактно и эфемерно, пока не приобретет реальных очертаний. В процессе преобразования желаний вам чаще всего придется вводить в дело синтетическое воображение. Но не забывайте и о творческом.

РАЗВИВАЙТЕ ВООБРАЖЕНИЕ

При бездействии воображение слабеет, чахнет, но не умирает. Дайте ему жизнь вашей работой! Поскольку вам чаще придется иметь дело с синтетическим воображением, развивайте его усерднее, особенно в период составления конкретных планов добывания денег.

По прочтении всей книги вернитесь к этой главе. Заставьте воображение работать над составлением планов (или плана) превращения желания в деньги. Детальные рекомендации по построению планов даются почти в каждой главе. Выберите те, которые наиболее подходят для вашего случая, и запишите сам план, если до сих пор еще этого не сделали. В момент, когда это произойдет, ваше желание приобретет осязаемую форму. Перечитайте предыдущую фразу. Вслух. Очень медленно. Произнося, помните: вы делаете первый из множества шагов на пути превращения мысли в реальность.

ПРИРОДА ЗНАЕТ, ГДЕ СКРЫТ УСПЕХ

Земля, на которой мы живем, мы сами и весь материальный мир суть результат революционных изменений, в ходе которых мельчайшие частицы материи были организованы и оформлены соответствующим образом. Более того — и эту мысль трудно переоценить! — вся Земля, равно как и каждая из миллиардов клеточек вашего тела, как каждый атом материи, вся жизнь вспыхнули из бесплотной энергии.

Вы можете достичь богатства с помощью законов, которые не подвержены никаким изменениям. Но прежде вы должны узнать эти законы и научиться ими пользоваться. Через их многократное повторение и описание, через подход к ним с разных сторон автор надеется открыть вам секрет приобретения всех огромных состояний мира. Как ни парадоксально прозвучит следующее утверждение, в «секрете» этом нет ничего секретного. Его демонстрирует сама природа.

Следуя рекомендуемым принципам, вы поймете, как работает воображение. Возможно, не все удастся воспринять с первого раза. Но при дальнейшем чтении и изучении вы непременно почувствуете, что внутри вас что-то произошло, какой-то щелчок — и восприятие стало ясней, а понимание — шире. Изучение — это процесс, а не однократное усилие. Поэтому не останавливайтесь, пока не прочтете эти главы по меньшей мере три раза. Впрочем, потом вы и сами не сможете остановиться.

ИДЕЯ — ЭТО ДЕНЬГИ

Богатство начинается с идеи. Идеи рождаются воображением. Давайте-ка посмотрим несколько широко известных идей, из которых выросли огромные состояния. Надеюсь, вы поймете из этих рассказов, в чем заслуга воображения. И чего можете добиться вы сами.

А НЕ ХВАТИЛО МЕЛОЧИ

Однажды темной ночью старый сельский доктор приехал в небольшой американский городок. Он привязал лошадь и тихо, с черного хода, прошмыгнул в аптеку, где долго торговался о чем-то с аптекарским служащим. Потом доктор вышел и вернулся с большим старомодным котелком и деревянной мешалкой. Аптекарь изучил содержимое котелка и передал доктору пачку банкнот — ровно пятьсот долларов. Это были все его сбережения! Получив деньги, старик отдал наконец самое важное: листок бумаги с секретной формулой.

За то, что было написано на бумаге, короли отдавали полцарства. Эти магические слова должны были заставить котелок вскипеть. Но ни доктор, ни молодой клерк не знали, какие сказочные богатства вычерпать из этого котелка было предназначено судьбой. Клерк же никогда не думал, что вложит деньги в ветхий котелок. Но вскоре с этим котелком — по способности извлекать золото «из воздуха» — не сможет сравниться и волшебная лампа Аладдина.

Старик был доволен, продав свой рецепт за пятьсот долларов. Но аптекарь приобрел идею! Новый владелец прибавил к секретным инструкциям кое-что, о чем доктор не знал. Идея принесла огромные богатства, она озолотила тех, кто ныне продает содержимое котелка миллионам людей. Из содержимого старого котелка выросла гигантская империя «Кока-кола», а ее основателя — аптекаря — звали Э. Кэндлер. «Кока-кола» сейчас — крупнейший потребитель сахара, дающий работу сборщикам тростника и рабочим сахарных заводов. Ежегодно она потребляет миллионы стеклянных бутылок, обеспечивая занятость людей в стекольной промышленности. «Кока-кола» — работодатель огромной армии клерков, специалистов по рекламе, менеджеров.

Американский городок превратился в деловую столицу Юга США. Влияние этой идеи способствует развитию всего цивилизованного мира, принося золото всякому, кто к ней прикоснется.

На средства компании существует один из самых знаменитых колледжей Юга США, в котором тысячи студентов получают подготовку, необходимую для достижения успеха.

Если бы продукт из медного котелка умел говорить, он рассказал бы множество захватывающих историй на всех языках мира. Истории о любви и бизнесе, о тысячах мужчин и женщин, которых он ежедневно ободряет.

Кем бы вы ни были, где бы вы ни жили и чем бы ни занимались, вспомните всякий раз, когда увидите слова «кока-кола», что эта гигантская империя выросла из одной идеи и что таинственной составляющей, которую Эза Кэндлер, аптекарский клерк, прибавил к рецепту напитка, было воображение!

А теперь остановитесь. Подумайте. Подумайте о том, что принципы, излагаемые здесь, помогли «кока-коле» «захватить» каждый город, городок, поселок и перекресток по всему миру. И если вам придет в голову идея, которая окажется столь же достойной и разумной, вы сможете повторить рекорд всемирно известного борца с жаждой.

МИЛЛИОН ЗА НЕДЕЛЮ

Следующая история подтверждает справедливость старого присловья: «У кого воля, у того и доля».

Карьера просветителя и проповедника, отца Фрэнка У. Гонсалэса началась рано. Еще во время учебы в колледже он обратил внимание на множество дефектов в образовательной системе. И он решил организовать для реализации своих идей учебное заведение с неортодоксальными методами обучения. Но для этого требовался миллион долларов. Где его взять? Эта мысль долго не оставляла молодого честолюбивого священника. Ложился ли он спать, молился ли по утрам, занимался ли дневными заботами, мысль о деньгах, ставшая манией, была фоном всех его действий и помышлений.

Понимая необходимость и определенной цели, и страстного желания для ее достижения, доктор Гонсалэс тем не менее никак не мог найти способ получить миллион. Любой другой на его месте сказал бы себе примерно так: «Ладно, дружище. Идея-то твоя хороша, но ты никогда не наскребешь этот проклятый миллион».

Но доктор Гонсалэс думал и поступал иначе. Впрочем, пускай он расскажет об этом сам:

«Однажды в субботу я сидел дома и думал о том же, о чем думал уже беспрерывно два года: как? Как добыть денег? В тот день я сказал себе: хватит только думать! Через неделю я буду иметь миллион. Я не знал в точности, как я его достану, но я сделал главное: принял решение о сроке, в течение которого достигну цели. Должен сказать, что в тот самый момент, когда решение было принято, чувство уверенности в себе наполнило мою душу. Что-то внутри говорило мне: «Почему же ты раньше этого не сделал? Деньги ждали тебя все это время!».

События развивались в головокружительном темпе. Я созвал журналистов и сообщил им, что на следующее утро собираюсь читать проповедь на тему: «Что я буду делать, если у меня будет миллион долларов». Я немедленно приступил к ее составлению и, откровенно говоря, это было не сложно: ведь проповедь созревала во мне два года. В этот вечер я лег спать с чувством уверенности: я видел, что миллион у меня уже в кармане. На следующее утро я встал пораньше, перечитал текст и преклонил колени для молитвы. Я молил Бога, чтобы тот, кто может дать мне деньги, услышал мою проповедь. И опять меня посетило чувство уверенности в том, что деньги придут, что они уже идут ко мне.

Я был так взволнован, что вышел из дома, не захватив текста проповеди, заметил это лишь когда взошел на кафедру.

Конечно, было слишком поздно возвращаться за записями. И славу Богу! Потому что подсознание представило мне все необходимое. Когда я поднялся на кафедру, закрыл глаза и начал говорить,— это говорили мое сердце и душа, говорили мои мечты. Я обращался не только к прихожанам, но и к самому Господу. Я рассказывал, что сделаю с миллионом долларов, если эта сумма окажется в моем распоряжении. Я описал план организации прекрасного учебного заведения, в котором молодые люди смогут постигать все нужное на практике и одновременно развивать свой ум.

Когда я закончил и сел, из третьего ряда медленно встал человек и направился к кафедре. Я не представлял, что он собирается делать. Человек поднялся на кафедру, поднял руку и сказал: «Досточтимый, мне понравилась ваша проповедь. Я верю, что вы сможете сделать все, о чем рассказали. Я хочу доказать, что верю в вас и в вашу проповедь и поэтому дам вам миллион. Приходите завтра в мой офис. Мое имя — Филипп Д. Армур».

И мистер Армур дал доктору Гонсалэсу обещанные деньги. На них был основан технологический институт Армура, ныне известный как Иллинойский технологический институт (США).

Именно идея принесла необходимый миллион. Идея, взросшая на страсти, которую молодой священник пестовал в течение двух лет. Обратите внимание на чрезвычайно важную вещь: доктор Гонсалэс получил деньги в течение 36 часов после того, как принял определенное решение и составил план его выполнения!

Нет ничего нового и уникального в том, что священник мечтал о миллионе, слабо надеясь на то, что когда-нибудь его мечта осуществится. Кто не мечтает? Но есть нечто необъяснимое в решении, принятом в ту памятную субботу, когда рассеянная мечтательность сменилась решительностью: «Я буду иметь эти деньги в течение недели!»

Законы, благодаря которым доктор Гонсалэс добился своего, работают сегодня так же, как в тот день, когда молодой проповедник применил их столь удачно. Они доступны и вам!

ЯСНЫЕ НАМЕРЕНИЯ — ЯСНЫЙ ПЛАН

Обратите внимание на то, что было общего у Эзы Кэндлера. Обе истории объединяет понимание той поразительной истины, что идеи могут быть превращены в звонкую монету силой конкретного намерения, соединенного с конкретным планом.

Если вы из тех, кто верит, что достичь богатства можно лишь честным и упорным трудом,— оставьте надежду! Богатство, если говорить о действительном богатстве, никогда не приходит к человеку только как результат тяжелого труда. Богатство — отклик на настойчивое желание. Оно не приходит случайно.

Идея — это вспышка мысли, побуждающая вас к действию через обращение к вашему воображению. Все крупные торговцы знают, что идеи помогают продавать товары. Мелкие торговцы этого не понимают. Впрочем, не потому ли они мелкие?

Издатель книг сделал открытие, значимое для всего издательского дела. Он понял, что многие люди покупают название, а не содержание. Изменив заголовок книги, которая не шла, он распродал более миллиона экземпляров. А ведь в книге не было изменено ни строчки — просто наклеили новую обложку с более кассовым названием.

У идей нет цены. Цену назначает автор, и если он настойчив, то всегда добьется своего!

Глава 2.
Шаг второй: планирование

Вы уже поняли, что любые человеческие достижения начинаются с желания. Из абстрактного желание становится конкретным в «мастерских воображения», где и составляются планы по претворению желаний в действительность.

Вы уже получили информацию о том, как желание денег превращается в собственно деньги. К этой цели ведут ясные практические шаги.

1. Возьмите в союзники столько людей, сколько вам нужно для создания и осуществления вашего плана (или планов),— используйте принцип «мозгового центра». Весьма важно ваше внутреннее согласие с этой рекомендацией. Не пренебрегайте ею.
2. Прежде чем вы образуете альянс интеллектуалов, определите, какие выгоды получит каждый член группы от участия в этом союзе, что вы ему можете предложить. Никто не будет работать с вами бесконечно без компенсации за свой труд. Ни один разумный человек не пригласит другого для работы и сам не будет ожидать такого приглашения без надежды на адекватное вознаграждение, хотя оно не всегда может быть измерено деньгами.
3. Договоритесь встречаться с членами «мозгового центра» не реже двух раз в неделю (и даже чаще, если это возможно) до тех пор, пока сообща вы не составите план, который устраивал бы вас.
4. Сохраняйте гармонию в своих отношениях с членами интеллектуальной группы. Если вы не можете выполнить эту рекомендацию, будьте готовы к неудаче в любой момент. «Мозговой центр» не может существовать без совместимости всех его участников.

Держите в уме следующие вещи:

1. Вы занимаетесь делом огромной для вас важности. Чтобы быть уверенным в успехе, вы должны иметь безошибочный план действий.
2. Вы должны привлечь на свою сторону опыт, образование, природные способности и воображение других людей. Любой человек, достигший впечатляющих успехов в бизнесе, следовал методу, описанному выше.

Достаточно опыта, образования, способностей, знаний, необходимых для того, чтобы преуспеть, нет ни у кого! Какой бы план вы ни выбрали, все равно он будет плодом коллективного разума. Вы можете быть создателем плана в целом или его части, но проследите за тем, чтобы он прошел экспертизу «мозгового центра».

НА ОШИБКАХ УЧАТСЯ

Если первый план провалится — не беда: замените его другим. Если и он не оправдает ваших надежд, опять же не спешите отчаиваться, а садитесь за разработку следующего проекта и ищите нетривиальные решения — пока план не заработает. Именно на этом этапе многие отступают из-за отсутствия настойчивости. Помните: вместо того чтобы понапрасну расстраиваться, надо заменить план другим.

Большинство неглупых людей не может обойтись без плана, какой бы предпринимательской деятельностью они ни занимались. Главное то, чтобы этот план был реальным и жизнеспособным. И не бойтесь начинать все сначала. Временная неудача означает только одно — в вашем проекте что-то не так. Миллионы людей всю жизнь не могут выбраться из бедности и даже нищеты по одной причине: из-за отсутствия хорошо продуманного плана. Ваши достижения целиком и полностью зависят от глубины его разработки.

Человека нельзя принудить к отступлению, если он не сдается сам,— и прежде всего в своем собственном сознании.

Джеймс Дж. Хилл терпел неудачу за неудачей, пытаясь умножить капитал, необходимый для строительства железнодорожной магистрали Восток — Запад.

Но временные поражения нужно уметь обратить в победу с помощью новых проектов.

Генри Форд тоже столкнулся, казалось бы, с непреодолимыми трудностями, притом не в самом начале своей «автомобильной» карьеры, а на вершине ее. Однако он продумал все заново от начала до конца, составил другой план и пришел к новой финансовой победе.

Когда мы говорим о людях, разбогатевших, как нам кажется, в одночасье, мы абсолютно не замечаем тех временных неудач, которые им пришлось преодолеть задолго до того, как улыбнулась удача. Никто не должен тешить себя надеждой разбогатеть, не пройдя через полосу временных неудач. Когда такая полоса наступает — это сигнал, что ваш план недостаточно глубок. Надо все взвесить и спокойно вновь устремиться навстречу желанной цели. Если вы бросаете дело, не достигнув ее, то, скорее всего, вы просто лентяй. Лентяй никогда не победит, а победитель не может быть ленивым! Напишите это крупными буквами на листке бумаги и повесьте так, чтобы вы могли видеть его перед отходом ко сну и каждое утро, настраиваясь на работу.

Подбирая интеллектуальную группу, останавливайте выбор на тех, кто не делает трагедии из временных неудач.

Некоторые люди совершенно уверены в том, что только деньги делают деньги. Это далеко не так! Лучше всего способствует успеху заряд желания, который нетрудно преобразовать в его денежный эквивалент, основываясь на изложенных здесь принципах. Деньги сами по себе — всего лишь косная материя. Деньги не думают, не двигаются и все время молчат, но у них прекрасный слух: стоит их позвать, как они не замедлят явиться.

ПРОДАТЬ МОЖНО ВСЕ

Залогом успеха в любом деле является разумное планирование. Ниже следуют подробные инструкции для начинающих карьеру с предложения своих услуг. Продаются как услуги, так и нетривиальные идеи. Когда нет другой собственности, что может быть лучше идей и способностей? Продайте-ка их получше! Все огромные состояния начинались именно с этого.

С ЧЕГО НАЧИНАЕТСЯ РУКОВОДСТВО

Вообще говоря, человечество делится на два типа людей. Первый тип — лидеры, второй — исполнители. С самого начала вы должны решить, в чем ваше призвание — управлять или исполнять. Разница в доходах бывает колоссальной. Исполнители не имеют достаточно оснований претендовать на такое же вознаграждение, хотя часто считают, что с ними поступают несправедливо.

Быть исполнителем совсем не зазорно. Большинство из тех, кто нынче руководит, начинали с должности исполнителей. Они стали хорошими руководителями именно потому, что были умными исполнителями. За малым исключением, те, кто не может с должной сообразительностью исполнять решения, не станут и квалифицированными руководителями. Зато изобретательные исполнители обычно в очень короткие сроки проявляют себя и учатся принимать самостоятельные решения. Умный исполнитель имеет ряд преимуществ. И, кроме того, всегда можно набраться ума-разума у лидеров.

1. **Смелость и решительность.** Они базируются на знании самого себя и того дела, которому вы посвятили жизнь. Ни один исполнитель не хотел бы работать под руководством не очень смелого и не уверенного в себе лидера. Ни один умный исполнитель не будет долго терпеть такого руководителя.
2. **Самоконтроль.** Человек, не контролирующий себя, не сможет контролировать и других. Самоконтроль — прекрасный пример для исполнителей, которые в меру своего разумения стремятся подражать руководителю.
3. **Острое чувство справедливости.** Не обладая им, руководитель лишается уважения со стороны подчиненных и утрачивает моральное право командовать.
4. **Четкость решений.** Человек, колеблющийся в своих решениях, демонстрирует неуверенность в себе, а значит, не может руководить достаточно успешно.
5. **Ясность планов.** Преуспевающий руководитель планирует свою работу. Руководитель, действующий на-авось, без ясных, практически осуществимых планов, плывет по течению, как корабль без штурвала. Рано или поздно он напорется на скалы.
6. **Привычка работать сверхурочно.** Одна из обязанностей, принимаемых на себя руководителем добровольно,— готовность работать больше, чем он требует от подчиненных.
7. **Привлекательность личности.** Небрежность и неряшливость никогда не приведут вас к успеху. Лидерство требует уважения к себе. Исполнители

перестают уважать руководителя, не следящего за собой и своей репутацией.

8. **Сочувствие и понимание.** Хороший руководитель должен уметь понимать проблемы своих подчиненных, он всегда может прийти к согласию с ними.
9. **Совершенное владение предметом и ситуацией.** Руководитель знает дело как свои пять пальцев.
10. **Готовность взять всю ответственность на себя.** Преуспевающий руководитель всегда должен быть готов взять на себя ответственность за ошибки и упущения подчиненных. Тот, кто пытается переложить ответственность на других, как правило, не долго остается на высокой должности.
11. **Сотрудничество.** Руководитель должен понимать и применять принцип совместных усилий и воспитывать у подчиненных способность к сотрудничеству. Для управления нужна энергия, а ее дает сотрудничество.

Управление бывает двух видов. Первый и наиболее эффективный предполагает общее согласие и поддержку со стороны подчиненных. Второй — управление с помощью принуждения, без необходимого взаимопонимания и сочувствия исполнителей. Насилие и принуждение непродуктивны и недолговечны. Падение диктаторов и исчезновение монархий в этом смысле весьма знаменательны. Это показывает, что люди не могут подчиняться силе до бесконечности.

Примерами такого рода являются Наполеон, Гитлер и Муссолини. Все они кончили плохо.

Управление на основе всеобщего согласия — единственно верный путь, на который еще может надеяться человечество. Люди могут подчиняться силе на какое-то время, но никогда добровольно.

Новейшие принципы управления включают описанные выше особенности, но этим, конечно, не ограничиваются. Кто возьмет их за основу в своей управленческой деятельности, тот откроет для себя обширные возможности руководить людьми.

ДЕСЯТЬ ОШИБОК РУКОВОДИТЕЛЯ

1. **Неспособность учесть все детали.** Компетентный руководитель должен предусмотреть все до мелочей. Он не оставит без внимания неожиданно возникший вопрос под предлогом занятости. Если человек, руководитель он или простой исполнитель, заявляет, что он «слишком занят» и не может изменить свои планы из-за каких-то непредвиденных обстоятельств, то он попросту расписывается в своем бессилии. Руководитель, стремящийся к успеху, должен вникать во все детали, связанные с работой. Разумеется, это предполагает возможность пользоваться услугами заместителей.
2. **Неготовность к взаимозаменяемости.** Истинно талантливый руководитель всегда готов, если этого требуют обстоятельства, выполнить такую работу, какую он может спросить с других. «Кому многое дано, с того много и спросится» — истина, известная всем одаренным руководителям.
3. **Ожидание вознаграждения за свои знания** вместо того, чтобы использовать эти знания для дела. Во всем мире людям платят не за знание, а за умение что-то сделать или убедить других сделать это.
4. **Боязнь конкуренции** со стороны исполнителей. Руководитель, боящийся, что исполнитель

займет его место, может быть уверен: рано или поздно это обязательно произойдет. Талантливый руководитель посвящает во все тонкости дела человека, которому он может, осознанно и добровольно, передать свои полномочия. Только так он совершенствуется сам. Непреложная истина состоит в том, что, давая другим возможность заработать, люди получают больше выгод. Квалифицированный руководитель, зная в совершенстве свою работу и осознавая притягательность собственной личности, может сильно повлиять на эффективность работы других людей и способствовать тому, чтобы их служба на пользу фирмы стала с его помощью ценнее и полезнее.

5. **Отсутствие воображения.** Если у руководителя нет воображения, то он будет беззащитен перед непредвиденными обстоятельствами и не способен формировать четкие планы, отчего эффективность его управления резко упадет.
6. **Эгоизм.** Руководитель, присваивающий себе все заслуги, должен знать, что его подчиненные могут и возмутиться. Толковый руководитель всегда поделится славой. Он обязательно проследит, чтобы похвалы или награды за проделанную работу удостоились действительно заслужившие ее. Ибо он знает, что большинство людей лучше работают, когда делают это не только ради денег.
7. **Невоздержанность.** Подчиненные не могут испытывать уважение к руководителю, не умеющему обуздать свои страсти и слабости. Более того, невоздержанность подрывает силы и выносливость людей, не способных противостоять ей.
8. **Вероломство.** Возможно, с этого надо было начать перечисление ошибок в управлении. Руководители, не верные своим обязательствам

и сотрудникам, не в состоянии долго удерживать лидерство. С вероломным человеком перестают считаться, начинают относиться к нему с презрением, которого он, без всякого сомнения, заслуживает. Неверность слову и делу — одна из самых распространенных причин неудач в любой сфере человеческой деятельности.

9. **Авторитарность в управлении.** Квалифицированный руководитель должен сам быть достаточно бесстрашен, но не напускать страх на подчиненных. У реального лидера нет нужды акцентировать свое превосходство. Он достигает авторитета другими способами — демонстрируя свое понимание, сочувствие, честность и справедливость, а также абсолютное знание.
10. **Чопорность и хвастливость.** Компетентный руководитель, для того чтобы его уважали подчиненные, не нуждается в званиях. Кичащийся своими званиями обычно не в силах предъявить что-либо еще.

РУКОВОДИТЕЛИ НУЖНЫ ВСЮДУ

Вот лишь несколько сфер деятельности, которые нуждаются сегодня в новом типе руководителей и где перед такими руководителями открываются самые широкие возможности:

1. Острая необходимость в руководителях нового типа в России ощущается прежде всего в политической деятельности, что указывает на некоторый кризис в этой сфере.
2. Реформе подвергается нынче банковский бизнес.
3. Новых лидеров ждет возрождаемая российская промышленность. Для того чтобы выжить,

руководитель должен вести себя как общественный деятель, оправдывая доверие людей и стремясь смягчить их бедствия и лишения.

4. Священнослужитель в новой России должен уделять больше внимания сегодняшним нуждам прихожан, решению их материальных и личных проблем и меньше обращать свой взор к отдаленному будущему.
5. Новый тип руководителей нужен также в областях права, медицины и образования. Особенно это касается сферы образования: нужно учить людей лучше использовать знания, полученные в школе. Чем меньше теорий, тем лучше. Здесь нужна голая практика.
6. Руководители нового типа должны прийти и в журналистику.

Не правда ли, в перечисленных выше сферах деятельности для толкового руководителя — море возможностей?

Мир вступил в эпоху быстрых перемен. Это означает, что средства, с помощью которых должны быть изменены психология и поведение людей, необходимо, в свою очередь, приспособить к быстро меняющимся обстоятельствам.

ПЯТЬ СПОСОБОВ НАЙТИ ХОРОШУЮ РАБОТУ

1. **Бюро найма.** Вы должны выбирать только заслуживающие доверия бюро. Таких сравнительно немного.
2. **Объявления и реклама.** Просматривайте газеты, листайте журналы и еженедельники. Объявлениям можно доверять только в том случае, если кто-то уже воспользовался ими и получил

место, устраивающее хотя бы на первых порах. Стоит помещать объявления в разделах газеты, которые адресованы предполагаемым работодателям. Объявление лучше всего составит специалист, знающий, как грамотно «подать» ваши качества и заинтересовать работодателя.

3. **Заявления и запросы.** Их следует направлять в адрес фирм или бизнесменов, нуждающихся в тех услугах, которые вы можете предложить. Письма должны быть в любом случае грамотно написаны и аккуратно отпечатаны.
4. **Предложения личных услуг через знакомых.** По возможности не пренебрегайте знакомствами — лучше вести переговоры с перспективными работодателями. Этот способ наиболее предпочтителен, если вы ищете конкретную должность и не хотите размениваться на мелочи.
5. **Личное обращение.** В некоторых случаях целесообразней напрямую обратиться к предполагаемому работодателю; тем не менее стоит составить запрос с вашими продолжениями и в письменном виде, поскольку наниматели часто советуются со своими заместителями, рассматривая ту или иную кандидатуру.

КАК ПОДГОТОВИТЬ ЗАПРОС ИЛИ ЗАЯВЛЕНИЕ

Запрос или заявление нужно готовить так же тщательно, как юрист готовит бумаги для судебного разбирательства. Если у вас нет достаточного опыта в их составлении, то проконсультируйтесь со специалистом и прибегните к его услугам. Уважающие себя бизнесмены берут на работу людей, умеющих «подать» себя, а также более или менее искушенных в психологии работодателей. То же самое надо иметь в виду и тем, кто хочет продать свои услуги. В запрос должна входить следующая информация.

1. **Образование.** Опишите кратко, но четко, в каких учебных заведениях и какими предметами вы занимались, не забывая упомянуть о ваших успехах в том или ином виде знаний.
2. **Стаж работы по специальности.** Если у вас есть опыт работы по специальности, по которой вы ищете работу, опишите все достаточно подробно. Не забудьте адреса и фамилии ваших прежних руководителей. Будьте уверены, если вы ясно и определенно расскажете об опыте, который приобрели раньше, о ваших уникальных способностях, это сильно поможет в устройстве на интересующую вас работу.
3. **Справки.** Практически любая фирма хочет знать как можно больше о прошлой деятельности человека, которого намеревается взять на работу. Приложите к своему запросу сведения о:
   а) предыдущих нанимателях;
   б) преподавателях, у которых вы учились;
   в) рекомендации известных людей, пользующихся всеобщим доверием.
4. **Фотография.** Не забудьте приложить к письму собственную фотографию.
5. **Избегайте упоминания конкретной должности**, которую вы хотели бы получить. Никогда не говорите «именно такая работа». Это свидетельствует о каких-то пробелах в вашей квалификации.
6. **Обоснование наличия квалификации**, необходимой для перспективной должности. Подробно изложите причины вашей уверенности в том, что квалификация, которой вы обладаете, достаточна для занятия интересующей вас должности.

Это наиболее важная часть запроса. Она в большей степени, чем все остальное, может определить ваше будущее.

7. **Предложение поработать с испытательным сроком.** Опыт показывает, что, если вы уверены в своей квалификации, испытательный срок вам не повредит. Такое предложение с вашей стороны само по себе указывает на то, что вы уверены в собственных силах и справитесь с должностью, на которую рассчитываете.
8. **Ваши познания в той области, где работает предполагаемый наниматель.** Прежде чем претендовать на место или должность, тщательно ознакомьтесь с деятельностью предприятия и не скрывайте собственные познания в данной сфере. Это может произвести впечатление, свидетельствуя о вашей заинтересованности в должности и о наличии творческой жилки.

Не делайте запрос очень длинным. Работодатели настолько же заинтересованы в привлечении высококвалифицированных специалистов, насколько вы — в получении интересной работы. Другими словами, удача предпринимателей зависит во многом от их способности подобрать себе квалифицированных заместителей. Поэтому им нужна только полезная и необходимая информация.

Помните о других, казалось бы, второстепенных вещах: старательность и аккуратность, с какими вы подготовите запрос, будут свидетельствовать в вашу пользу.

ИЩИТЕ РАБОТУ ПО ДУШЕ

Всякий человек с гораздо большим удовольствием делает ту работу, которая ему по вкусу.

1. Определите для себя, какой именно род занятий вас привлекает. Если такой профессии не существует, то кто вам мешает создать ее?
2. Выберите компанию или бизнесмена, на которого вы хотели бы работать.
3. Выясните все о своем предполагаемом предпринимателе: о его изворотливости, личных качествах и шансах на успех.
4. Проанализируйте свои способности и возможности, оценивая, что вы можете предложить. В том, что вы собираетесь предложить, вы должны быть уверены сами.
5. Забудьте о том, что вам нужно место. Забудьте о сомнениях, сможете ли вы найти работу. Сосредоточьтесь на том, что вы лично можете предложить.
6. Когда вам в голову придет мысль и появится какой-то план, немедленно запишите его, а потом разработайте его во всех деталях.
7. Представьте его соответствующему авторитетному лицу, и он сделает все остальное. Любая компания заинтересована в людях, способных дать ей что-нибудь стоящее. У любой компании найдется место для человека, имеющего определенный план действий, если он принесет явную выгоду этой компании.

Разумеется, все это может занять много дней или недель, но разница в доходах, в скорости продвижения по карьерной лестнице сэкономит вам годы тяжелой работы за более чем скромную плату. Очень часто удается выиграть от одного года до пяти лет на пути к желанной цели. Кто начинал с «середины дороги» на лестнице успеха, делал это с помощью всесторонне продуманного и тщательно разработанного плана.

ТРИ СПОСОБА САМООЦЕНКИ

Каждый человек должен уметь продавать свои услуги. Количество и качество оказанных услуг определяют в конечном счете продолжительность найма и зарплату. Для того чтобы с наибольшим эффектом продать свои услуги (что означает устраивающую вас цену и наилучшие условия), вы должны следовать формуле «ККС»: качество, количество. Необходима также сила духа в сотрудничестве. Это гарантирует вам непреходящий успех. Запомните формулу «ККС». Сделайте ее вашим лозунгом, вашей страстью, вашей привычкой! Давайте проанализируем ее, дабы убедиться, что все понятно:

1. Качество услуг — это совершенство в деталях и мелочах, достигаемое лишь тогда, когда все ваши мысли направлены только на улучшение обслуживания.
2. Количество услуг — это привычка оказывать услуги в наиболее полном объеме в любое время с целью увеличить их ассортимент.
3. Сила духа, воодушевление, даже вдохновение от сотрудничества — это полное и доброе взаимодействие с коллегами, побуждение их собственным примером к достойному поведению и работе.

Поведение или настроение, с которым вы предоставляете услуги, к конечном счете и есть определяющий фактор, от которого зависит все — и получаемое вознаграждение, и продолжительность найма. Человек приятный в общении, всегда в отличном настроении — одним словом, человек умеющий расположить к себе,— обладает средствами, способными возместить недостаток как качества, так и количества услуг, которые он оказывает.

ЭГОИСТ ИЛИ ЧЕЛОВЕКОЛЮБЕЦ

Услуги — такой же товар, как и предметы потребления. На эту сферу распространяются правила поведения, общепринятые в торговом бизнесе. Однако об этом все время приходится напоминать, ибо большинство из тех, кто продает свои личные услуги, совершают одну и ту же ошибку: чувствуют себя свободными от ответственности, лежащей на предпринимателях в области торгового бизнеса. Время «эгоистов» ушло безвозвратно. Их вытеснили «человеколюбцы».

Истинная ценность ваших умственных способностей определяется доходами, которые вы можете получить от продажи ваших личных услуг. Если определить стоимость ваших умственных способностей, умножив годовой доход на 16,666,— это будет недалеко от истины. Сравните это с доходом, который вам приносят деньги, вложенные в банк — в среднем, это что-то около 6% годовых. Убедитесь сами, что деньги не могут стоить больше умственных способностей. Очень часто, в сравнении с талантом и умом, они кажутся только бумажками.

Компетентный ум, если его продавать по всем правилам,— более желательный вид капитала, чем тот, который требуется для предпринимательства в области производства товаров. Почему? Да потому, что он никогда не обесценится — ни в годы депрессии, ни в результате инфляции. Его нельзя украсть или промотать, проиграть в карты или спустить в рулетку. Более того, деньги, играющие существенную роль в ведении бизнеса, если они не «оплодотворены», уходят сквозь пальцы.

ТРИДЦАТЬ ТРИ НЕСЧАСТЬЯ

Величайшая трагедия жизни состоит в том, что люди, самым серьезным образом пытающиеся что-то изменить в своей судьбе, все-таки терпят крах. Причем в подавляющем большинстве случаев неудачников гораздо больше, чем преуспевающих людей. Существует множество причин, из-за которых люди терпят поражение. Внимательно прочитайте этот список пункт за пунктом, и, может быть, вы поймете, что именно стоит между вами и успехом.

1. **Плохая наследственность.** Это совсем небольшой недостаток, если вообще его можно принимать во внимание. Если вы от рождения обделены высоким интеллектом, то прибегните, с помощью команды мыслящих людей, к тому, что мы называем «мозговой центр». Имейте в виду, что из всех «несчастий» — это самое легкоустранимое.
2. **Отсутствие ясных целей в жизни.** Если у человека нет определенной цели в жизни или хотя бы стремления к чему-то, то у него не может быть никаких надежд на успех. Из каждых ста опрошенных социологическими службами людей у девяноста восьми не было таких целей. Возможно, эта причина — основная. Люди ничего не хотят — и потому ничего не получают. Задумайтесь над этим, и вы многое для себя поймете.
3. **Отсутствие честолюбия, желания возвыситься над собственной посредственностью.** Мы предлагаем не возлагать никаких особенных надежд на людей, безразличных к своей судьбе до такой степени, что у них нет желания сделать свою жизнь более достойной, а также на тех, кто равнодушен к вознаграждению.

4. **Пробелы в образовании.** Это препятствие преодолевается сравнительно легко. Опыт показывает, что хорошо образованные люди — это как раз те, кто вынужден был заниматься самообразованием и самовоспитанием. Никакое учебное заведение не сделает из вас образованного человека. Образование подразумевает не столько знания, сколько умение их к чему-нибудь приложить.
5. **Отсутствие силы воли.** Самодисциплина осуществляется через самоконтроль. Это означает, что человек должен контролировать все свои отрицательные качества. Самовоспитание — тяжелейшая из работ. Не победите себя — будете побеждены собой. В одно и то же время, стоя перед зеркалом, вы можете увидеть в себе как лучшего друга, так и заклятого врага.
6. **Болезни и недуги.** Без хорошего здоровья нечего и надеяться на выдающиеся успехи. Однако многие из причин, порождающих болезни, можно и нужно контролировать. В основном это:
   а) плохое питание;
   б) неумение управлять сознанием, привычка думать все время о плохом, подверженность отрицательным эмоциям;
   в) чрезмерное увлечение сексом или, наоборот, недостаток сексуальных развлечений;
   г) недостаток движения, плохая физическая подготовка;
   д) недостаток свежего воздуха;
7. **Влияние среды**, особенно в детском возрасте. Большинство из людей, склонных к преступной деятельности, приучились к этому с детства. Дурные знакомства тоже, как правило, заводятся в детстве.
8. **Откладывание дел в «долгий ящик».** Одна из наиболее распространенных причин неуспеха.

Многие из нас часто оставались ни с чем только из-за того, что ждали: вот-вот наступит время, когда можно будет начать делать что-нибудь стоящее. Никогда не ждите; подходящий момент может и не представиться. Начинайте действовать немедленно, используйте все средства. Лучшие средства и возможности только тогда и откроются вам, когда вы уже хоть чуть-чуть преуспеете.

9. **Отсутствие настойчивости в достижении цели.** Многие из нас хорошо начинают, но зачастую не доводят до конца своих замыслов. Более того, люди склонны придавать чересчур большое значение первым признакам неудачи. Настойчивость ничем не заменишь.
10. **Отрицательные качества характера.** У человека, отталкивающего людей отрицательными чертами и плохими манерами, нет никаких надежд на успех. Он приходит только к энергичным людям, умеющим сотрудничать с другими. Кто же будет иметь дело с неприятным человеком?
11. **Отсутствие контроля над сексуальными влечениями.** Сексуальная энергия — одна из движущих сил человека. Поскольку она во многом преобладает над эмоциями, необходимо тщательно контролировать ее, сублимируя в духовную и душевную энергию и открывая каналы для ее безболезненного выхода.
12. **Бесконтрольная страсть к азарту.** Стремление к риску и авантюре приводит к поражению миллионы людей. Множество тех, кто пытается сделать деньги на рискованных операциях с акциями, ждет полное банкротство.
13. **Неуверенность в принятии решений.** Тот, кто принимает верное решение, но быстро отказывается от него, попросту слабак. А кто не может

определиться с решением — еще больший слабак. Нерешительность и промедление — близнецы-братья. Там, где есть место одному из них, непременно найдется место и для другого.

14. **Страх.** Вы не сможете действовать плодотворно в выбранном направлении, если не сумеете полностью и безоговорочно преодолеть страх.
15. **Неудачный брак.** Это довольно распространенная причина неуспеха. Отношения в браке, как самые близкие, самые тесные между людьми, непременно должны быть гармоничными. Иначе неудача не заставит себя ждать. Более того, сам выбор супруги (супруга) может быть формой неуспеха, приносящего только бедность и несчастье и уничтожающего последние следы честолюбия.
16. **Сверхосторожность.** Те, кто не использует свой шанс, довольствуются затем объедками с царского стола. Сверхосторожность плоха в той же степени, как и неразборчивость. Следует беречься от обеих крайностей. Жизнь обычно сама предоставляет шанс.
17. **Неудачный выбор партнеров по бизнесу.** Это также распространенная причина неуспеха. Если же вы продаете свои личные услуги, то будущего работодателя необходимо выбирать не вслепую. Он должен быть, во-первых, умным, а во-вторых, преуспевающим, только тогда его пример будет вдохновлять вас. Ведь мы стремимся подражать тому, с кем теснее всего связаны общим делом. Нанимайтесь на работу к тому, кто стоит этого.
18. **Предрассудки и предубеждения.** Предрассудок — одна из форм неуспеха. На человеке с предрассудками всегда лежит печать невежественности.

Преуспевающий человек свободен в мыслях и ничего не боится.

19. **Неудачный выбор профессии.** В деле, не доставляющем вам никакого удовольствия, преуспеть невозможно.
20. **Недостаточная концентрация усилий.** Пострел, который всюду поспел, протянет недолго. Нельзя успевать сразу и везде. Сконцентрируйте усилия на основной и четко определенной цели.
21. **Привычка к неоправданному мотовству.** Расточительство никого никогда не приводило к успеху. Приучайте себя к бережливости: откладывайте какую-то часть ваших доходов. Деньги в банке — вот основание для прочной уверенности в себе. Если у человека нет денег, то он часто бывает вынужден соглашаться на то, что ему дают.
22. **Отсутствие энтузиазма.** Попробуйте чего-нибудь добиться без энтузиазма, а мы посмотрим на вас! Кроме того, нет ничего заразительнее энтузиазма, и человек, обладающий им, вхож в самые разные коллективы.
23. **Нетерпимость.** Человек «твердолобый», как иногда говорят, редко поднимается высоко. Наиболее разрушительные виды нетерпимости связаны с различием в политических, расовых и религиозных убеждениях.
24. **Неспособность к сотрудничеству.** Многие люди теряют свое положение или должность только потому, что не умеют работать с другими. Данная причина часто встречается в сочетаниях с другими ошибками. Хорошо информированный предприниматель и руководитель не выносит этого недостатка у своих подчиненных.

25. **Обладание состоянием, которое ты не заработал собственным трудом** (особенно это относится к богатым наследникам). Незаслуженное обладание богатством приносит мало пользы или становится фатальным: «успеха не было, и значит, успеха не будет». Неожиданное богатство опаснее, чем нищета.
26. **Умышленная бесчестность.** Берегите честь смолоду! Потерять ее ничего не стоит. Бывает, правда, что человек под давлением обстоятельств или из-за боязни катастрофических убытков начинает ловчить и выкручиваться. Это особый случай. Но тем, кто осознанно вступил на этот путь, надеяться не на что. Рано или поздно тайное все равно станет явным, и можно на всю жизнь потерять репутацию, не говоря уже о свободе.
27. **Самомнение и тщеславие.** Эти качества видны издалека и, как сигнальные огни, предупреждают всех остальных — держитесь подальше от этого «капитала».
28. **Гадание на кофейной гуще вместо обдумывания фактов.** Большинство людей слишком ленивы и нелюбопытны. Они предпочитают чье-нибудь «мнение», чаще всего основанное на поверхностном суждении.
29. **Отсутствие денег.** Эта довольно распространенная причина неуспеха среди тех, кто начинает без тылов и поддержки, а в случае ошибки не застрахован от крупных неприятностей. Постарайтесь сначала заручиться поддержкой или скопите деньги для того, чтобы успеть устранить ошибки.

30, 31, 32, 33. Эти пункты мы предлагаем вам заполнить самим, если у вас есть какая-то особенная причина, помешавшая вам стать миллионером.

САМ СЕБЕ РЕКЛАМА?

Пожалуй, одна из древнейших установок человека: «Познай себя!» Если вы успешно торгуете, то вы должны знать особенности торговли до последней мелочи. То же справедливо и по отношению к рынку личных услуг. Вы должны знать свои слабости, чтобы быть в состоянии преодолеть их или полностью уничтожить. Вы должны знать свою силу, поскольку, продавая услуги, нужно знать, как привлечь внимание к своим достоинствам.

Невежество по отношению к себе продемонстрировал один молодой человек, просивший места у очень известного бизнесмена. Поначалу он произвел весьма хорошее впечатление. Но оно полностью испарилось после того, как менеджер спросил у кандидата, какое бы жалованье его устроило. Тот ответил, что не думал о конкретной сумме. Менеджер на это сказал: «Мы будем платить вам столько, сколько вы стоите, и дадим вам неделю испытательного срока».

«Я не могу согласиться,— отвечал кандидат,— поскольку получаю больше, чем того стою, на прежнем месте».

Запомните: если вы обсуждаете зарплату на вашей нынешней службе или ищете другую работу, вы всегда должны быть уверены в том, что стоите больше, чем получаете в данный момент.

Одно дело — хотеть денег (и каждый ведь хочет их больше), и совершенно другое — стоить больше! Многие люди путают свои потребности со своим возможностями. Ваши финансовые запросы не имеют ничего общего с тем, чего вы стоите. Последнее полностью зависит от ваших способностей в предоставлении услуг и организаторских талантов, если вы можете и других побудить к тому же.

КАКОВЫ ВАШИ УСПЕХИ?

Если вы продаете свои услуги, то подведение итогов за год с тщательным самоанализом для вас так же существенно, как инвентаризация в конце года для торговца. Более того, ежегодный анализ позволит снизить количество ошибок и повысить самоотдачу, воспитывая нужные качества. Вы сразу же заметите: продвинулись ли вы, стоите ли на месте или опустились на несколько ступенек. Ежегодный анализ позволит увидеть все ваши успехи: если в чем-то есть прогресс, то каков он на деле. Если вы хотите преуспеть, то ежегодное движение вперед, даже очень медленное, жизненно необходимо.

Вы можете заняться подведением итогов в самом конце года, чтобы иметь возможность поздравить себя с достижениями, хотя бы и мысленно. Помочь вам в таком самоанализе призваны вопросы, которые вы найдете ниже. Просмотрите их, и пусть кто-нибудь, кто не позволит вам обманывать самого себя, проверит ответы.

ДВАДЦАТЬ ВОСЕМЬ ВОПРОСОВ ТЕТ-А-ТЕТ

1. Добился ли я тех целей, которые ставил перед собой в этом году (вы можете ежегодно ставить себе какую-нибудь задачу как часть вашей самой главной цели в жизни)?
2. Смог ли я выполнить свою работу с максимальным профессионализмом?
3. Смог ли я оказать такое количество услуг, на которое способен?
4. Было ли мое поведение безупречным во время сотрудничества с другими людьми?
5. Смог ли я изжить привычку медлить, в какой степени?

6. Удалось ли мне хоть чуть-чуть улучшить черты характера, каким образом?

7. Был ли я достаточно настойчив в осуществлении собственных планов, доводил ли дело до конца?

8. Сразу ли мне удавалось находить окончательное решение и во всех ли случаях?

9. Преодолел ли я свои страхи (нищеты, критики, болезни, любовного разочарования, старости и смерти)?

10. Был ли я чересчур осторожен или неразборчив в выборе средств, ведущих к цели?

11. Были ли мои отношения с партнерами по работе достаточно ровными? Если не были, то нет ли в этом, хотя бы частично, моей вины?

12. Не растратил ли я много энергии зря, не сумев сконцентрировать усилия на чем-то одном?

13. Был ли я терпим по отношению к другим людям, сумел ли я освободить свое сознание от предрассудков и предубеждений?

14. Каким образом я мог бы развить свои способности?

15. Был ли я невоздержан в некоторых своих слабостях?

16. Был ли я самонадеян, проявлял ли самовлюбленность, явно или тайно?

17. Было ли мое отношение к коллегам таким, какого они ждали от меня?

18. На чем были основаны мои решения: на домыслах и догадках или на точном анализе всех имеющихся фактов?

19. Вошло ли у меня в привычку подсчитывать мое время, расходы и доходы, был ли я достаточно экономен?

20. Сколько времени у меня ушло на движение в неверном направлении и на достижение второстепенных целей, вместо того чтобы использовать его более целенаправленно?

21. Как мне лучше рассчитывать свое время и изменить привычки, чтобы добиться больших успехов в наступающем году?

22. Был ли я в чем-то виноват, все ли ошибки я исправил по зрелом размышлении?

23. Каким образом я могу расширить ассортимент предоставляемых услуг и улучшить их качество?

24. Был ли я несправедлив к кому-либо; если был, почему?

25. Если бы я сам покупал свои услуги, то был бы я ими доволен или купил бы их у кого-то другого?

26. Правильно ли я выбрал профессию; если нет, то почему?

27. Были ли покупатели моих услуг довольны ими; если нет, то почему?

28. Каков мой нынешний рейтинг успеха, если основываться на принципах, ведущих к удаче?

Отвечайте честно и беспристрастно. В случае необходимости прибегните к чьей-нибудь помощи. Привлекайте к проверке полученных результатов людей, не боящихся сказать вам правду.

Если вы по прочтении этой главы сумели впитать всю необходимую вам информацию, то вы уже достаточно подготовлены для того, чтобы составить план по продаже своих услуг. Вспомним, что мы уже узнали из этой главы: и подробное изложение всех существеннейших принципов планирования продажи личных услуг, включая большинство атрибутов управления, и основные принципы неуспеха в управлении, и описание сфер деятельности, нуждающихся в новом типе управления, и основные причины жизненных неурядиц, и наиважнейшие вопросы, которые следует задавать самому себе при самоанализе.

Все это детализировалось по одной-единственной причине: если вы человек, который начинает карьеру с продажи личных услуг, то вы не можете обойти в своей деятельности ни один из поднятых вопросов. Ведь и уже потерявшим состояние, и только начинающим зарабатывать деньги ничего не остается, как только предлагать свои услуги. Поэтому весьма существенно знать, как поступить в том или ином случае, как добиться наибольших успехов.

Эта книга поможет вам не только на рынке личных услуг — она поможет вам также получить советы более способных и умных людей. Она бесценна для директоров и управляющих, для менеджеров, работодателей и других администраторов, поставленных перед необходимостью подбирать кадры и эффективно руководить. Сомневаетесь? Ответьте на двадцать восемь вопросов и убедитесь сами.

Глава 3.

Шаг третий: решение

Чем крупнее дело, тем опаснее нерешительность. С желанием отложить решение «на потом» приходилось бороться каждому из нас. По прочтении этой книги у вас будет возможность проверить, способны ли вы на быстрые и конкретные решения.

Истории крупных состояний имеют много общего: например, все их владельцы, как правило, принимают решения на лету, но крайне медленно и осторожно их меняют. Генри Форд имел привычку так быстро принимать и так редко и неохотно менять решения, что сложилась легенда о его твердолобом упрямстве. Полагают, что именно это качество побуждало его продолжать выпуск модели «Т», когда все советники и многие покупатели требовали ее сменить. Возможно, в данном случае Генри Форд слишком долго откладывал перемены, но, с другой стороны, не эта ли твердость принесла ему миллионы? И не предпочтительнее ли упрямство в отстаивании раз решенного, чем медлительность и метания из стороны в сторону?

ОНИ ГОВОРЯТ, А ЖИТЬ ВАМ

Люди, у которых мало денег, обычно легко сватаются, подвержены чужим мнениям. Они позволяют думать за себя газетам и соседям. Мнение — самый дешевый в мире товар. Спросите любого — он вам подарит целый букет. Но если при принятии решения вы будете основываться на чужом мнении, то не преуспеете ни в чем, и менее всего — в превращении желания в деньги.

А может быть, если вам не удается обходиться без суждения посторонних людей, у вас просто нет желаний?

Никого не посвящайте в свои дела, за исключением членов вашей «мозговой группы». При подборе их убедитесь, что они понимают и разделяют вашу цель. Близкие друзья и родственники, сами того не желая, своими мнениями могут испортить все дело. Тысячи людей страдают комплексом неполноценности из-за вполне дружеских, но от этого не менее невежественных суждений и насмешек.

В конце концов, у вас есть своя голова на плечах — позвольте ей принимать решения. А если для этого вам требуются факты или какая-нибудь информация от других людей, то узнавайте все, что вам надо, не открывая своей цели.

Очень типично для людей, знающих кое-что, представлять дело так, что они знают все и еще что-то сверх того. Если хотите научиться быстро принимать решения, лучше сосредоточенно молчите. Кто много говорит — мало делает. Если вы будете говорить больше, чем слушать, то, во-первых, меньше узнаете полезного, во-вторых, неизбежно раскроете свои планы людям, которые с истинным наслаждением воспользуются этим, чтобы посадить вас в лужу.

Но представьте, что вы много говорите в присутствии действительно умного человека, с которым хотите иметь дело. Он очень быстро определит истинный уровень ваших знаний или... отсутствие оных. Поэтому придерживайтесь старого правила: молчание и сдержанность.

Не забывайте и о том, что никто не откажется от перспективы стать богатым. Поэтому, если вы делитесь своими замыслами слишком щедро, то не удивляйтесь, что кто-то из слушателей опередит вас в осуществлении вашего (бывшего вашего!) плана. То есть ухо надо держать востро, а рот — на замке. Напишите крупными буквами и повесьте на видном месте хотя бы такое высказывание: «Человек ценится не по словам, а по делам».

КАК ДЕЛАЕТСЯ ИСТОРИЯ

Зачастую принятие значимых, а тем более судьбоносных решений требует немало мужества и связано с риском для жизни.

Решение президента Авраама Линкольна провозгласить равноправие и свободу цветного населения Америки принималось с полным пониманием того, что многие друзья и политические сторонники отвернутся от него.

Решение философа Сократа выпить кубок с ядом, но не идти на компромисс со своими убеждениями, было исполнено мужества. Минуло уже немало веков, но мы и сегодня ценим проявленную Сократом свободу мысли.

Таким же мужественным было и самое главное для американского народа решение, принятое 4 июля 1776 года в Филадельфии, когда пятьдесят шесть человек поставили свои подписи под документом, который должен был принести или свободу Америке, или — виселицу всем пятидесяти шести!

СИЛА ВОСПИТАННОГО УМА

Знакомясь с философией этой книги, вы уже сталкивались с утверждением, что мысль, подкрепленная страстным желанием, имеет тенденцию к перерождению в свой физический эквивалент. Что может лучше подтвердить справедливость наших слов, чем только что законченный рассказ или история создания корпорации «Юнайтед Стейтс Стил»?

Вы хотите понять методологию успеха? Прежде всего, не ищите чудес, потому что их ... нет. Есть только вечные законы природы, доступные каждому, у кого достанет веры и мужества их применить. Все равно — для достижения свободы или накопления капитала.

Лидеры в любой сфере принимают решения быстро и четко. Это существенная причина их лидерства. В жизни всегда добивается успеха человек, слова и дела которого показывают: он знает, куда идет.

Нерешительность заражает душу в юности. Она становится привычной, если юность проведена без определенной цели. Очень многие молодые люди ищут любую работу и хватаются за первое попавшееся место. И всегда это люди нерешительные. 98% всех получающих зарплату, не знают, как достигнуть желаемого положения, как вообще искать работодателя.

Настойчивость всегда требует мужества, иногда великого. Как мы уже говорили, пятьдесят шесть мужчин, поставивших подписи под Декларацией независимости, поставили, таким образом, на кон свою жизнь. Но ни финансовая независимость, ни богатство, ни вообще успешное занятие коммерцией и другим любимым делом не возможны без обдуманного, целенаправленного подхода. При этом каждый, желающий богатства так же сильно, как Сэмюэл Адамс желал свободы Америке,— непременно добьется своего.

Глава 4.

Шаг четвертый: настойчивость

Настойчивость — существенный фактор в процессе превращения желания в его денежный эквивалент. Фундаментом настойчивости можно смело назвать силу воли.

Воля и страсть в правильном сочетании дают неотразимый эффект. Почему-то распространено заблуждение в отношении людей, скопивших огромные состояния. Их нередко считают какими-то хладнокровными бандитами, жестокими и безжалостными. Их часто не понимают. Что у них действительно есть — так это сила воли, которая, объединясь с настойчивостью, гарантирует достижение поставленной цели.

Большинство людей при первом признаке неудачи готовы сразу же отказаться от своих целей и намерений. И только очень немногие сражаются до конца, презрев все трудности, пока не добьются своего.

В понятии «настойчивость» нет ничего собственно героического. Но люди, обладающие этим свойством,—

все равно, что руда, из которой можно выплавить сталь.

ШЕСТЬ ЭТАПОВ ПРЕВРАЩЕНИЯ ИДЕИ В ДЕНЬГИ:

Если вы следуете рекомендациям этой книги и стремитесь использовать полученные знания на практике, то проверкой вашей настойчивости станет осуществление следующих рекомендаций.

1. Определите точное количество денег, которое вы хотели бы иметь. Неправильным будет просто сказать: «Я хочу много денег». Будьте педантичны.
2. Честно скажите себе, чем вы готовы заплатить за богатство, которого желаете. Бесплатно ничего не бывает, не так ли?
3. Наметьте срок, к которому вы будете обладать этими деньгами.
4. Составьте конкретный план реализации желания и начинайте действовать немедленно, независимо от того, готовы вы реализовать его или нет.
5. Запишите все: количество денег, время, к которому вы хотите их иметь, способ приобретения денег.
6. Каждый день — перед отходом ко сну вечером и после пробуждения утром — читайте вслух свои записи. Читая, представьте, почувствуйте и поверьте в то, что деньги уже ваши.

Очень важно следовать всем шести советам, но особенно последнему. Не жалуйтесь на невозможность представить, что деньги уже в вашем кармане. Желание их иметь, если оно действительно очень сильно, станет хорошим помощником. Ваша цель — хотеть денег, хотеть так настойчиво, чтобы силой внушения желаемое стало действительным.

Пока вы еще не принадлежите к тем немногим людям, у которых есть ясная цель и такой же ясный и конкретный план ее достижения, читайте внимательно инструкции. В конце концов вы вырветесь из рутины повседневности.

Отсутствие настойчивости — самая распространенная причина поражения. Опыт тысяч людей показывает, что это самое уязвимое место у абсолютного большинства. Однако эта слабость может быть преодолена при некотором усилии с вашей стороны. Все будет зависеть лишь от силы вашего желания.

Начало любого достижения — мечта и желание. Помните об этом постоянно. Маленькая прихоть даст маленький результат — так же, как слабый огонь дает совсем немного тепла. Если вы чувствуете, что вам не хватает настойчивости, то легко сможете вылечиться от этого несчастья: разожгите в себе пламя желания, чтобы оно горело в полную силу.

Начните немедленно выполнять инструкции, относящиеся к шести этапам превращения идеи в деньги. Пыл и рвение, с которым вы будете действовать, покажут, насколько сильно или слабо вы желаете денег. Если вы почувствуете в себе равнодушие, будьте уверены: вам никогда не удастся мыслить категориями денег и вы никогда не станете миллионером.

Люди, чей разум настроен на богатство, притягивают миллионы столь же верно, сколь магнит притягивает металл.

Если вам не хватает именно настойчивости, сосредоточьте внимание на инструкциях, относящихся к силе воли.

ОБОБЩЕНИЕ ШЕСТИ ЭТАПОВ С МЕТОДИКОЙ САМОВНУШЕНИЯ

1. Уединитесь в спокойном месте (лучше всего в кровати перед сном), закройте глаза и повторяйте вслух написанное вами заявление о целях и намерениях. Если вы хотите накопить 50.000 долларов к 1 января через 5 лет и заняться после этого торговлей, то ваше письменное заявление должно звучать примерно так: «К 1 января 20... года я должен иметь в своем распоряжении 50.000 долларов, которые частями станут моей собственностью в течение указанного срока. Получив эти деньги, я максимально и эффективно, разнообразно и качественно буду осуществлять (опишите, чем вы собираетесь торговать или какие услуги оказывать). Я верю, что буду иметь эти деньги в своем распоряжении. Моя вера так сильна, что я вижу их сейчас воочию. Я держу их в руках. Они ждут меня. Они хотят, чтобы я возместил этот дар своей будущей работой. Мне нужен план получения моих денег, и я ему непременно последую, как только он составится.
2. Повторяйте эту программу вечером и утром, пока не увидите мысленным взором то количество денег, которое хотите накопить.
3. Поместите листок с вашим заявлением на видном месте — так, чтобы он бросался в глаза, когда будете выполнять упражнения. Помните: именно самовнушение помогает управлять своим подсознанием. Не забывайте, что подсознание подчиняется лишь приказам, отдаваемым с искренней верой. Вера — самое сильное и продуктивное из всех чувств.

На первый взгляд эти инструкции могут показаться абстрактными. Пусть вас это не беспокоит. Следуйте им — и наступит время, когда вам откроется новая Вселенная, Вселенная Энергии!

Скептицизм по отношению к новым идеям типичен для рода человеческого. Но попробуйте следовать рекомендациям этой книги, и ваш скептицизм непременно сменится доверием, а затем выкристаллизуется в абсолютную веру.

Многие философы утверждали, что человек — хозяин своей судьбы, но большинство из них не могли объяснить почему. Ответ заключается в следующем: человек может стать господином над собой и своей судьбой, потому что он обладает силой влияния на свое подсознание.

Процесс превращения желания денег в деньги как таковые невозможен без подключения самовнушения, помогающего влиять на подсознание.

Воспринимайте наши рекомендации как инструменты воздействия на подсознание. Вы должны совершенно ясно осознавать важную роль подсознания в ваших усилиях по накоплению денег.

Возвращайтесь к этим страницам вновь и вновь и читайте их целиком, вслух, каждый вечер, пока к вам не придет убеждение, что при помощи самовнушения вы совершите задуманное. Подчеркивайте при чтении каждое предложение. Следуйте инструкциям до тех пор, пока это не войдет в привычку и в подсознании не сложится ясный образ желаемого. С этого момента настойчивость станет вашим союзником. Спите вы или бодрствуете, подсознание будет делать свое дело.

ЕСЛИ МЫСЛИТЬ — ТО КАТЕГОРИЯМИ ДЕНЕГ

Чтобы добиться результата, надо педантично выполнять все правила — пока старания не станут для вас чем-то само собой разумеющимся, то есть вашей второй натурой. Только так можно развить в себе совершенно необходимую вам способность мыслить категориями денег.

Нищета прилипает к тем, чье сознание тяготеет именно к нищете. Тому же закону подчиняется и богатство. Если вы не будете мыслить категориями денег, то ничего не поделаешь — вам останется думать только о бедности. Она быстро найдет свое место в вашем подсознании, если это место не будет занято мыслями о богатстве. Нищета в вашем подсознании может развиться без всякого осознанного культивирования привычки мыслить именно так. Способность мыслить категориями денег, напротив, нуждается в культивировании, если только человек не родился с нею.

Уяснив смысл сказанного, можно понять значение настойчивости в деле накопления богатства. Без нее вы проиграете все, даже не начав игру. Настойчивость же одолеет любые трудности, она всегда побеждает. Ценность этого качества хорошо известна тем, кому довелось хоть раз в жизни испытать ночной кошмар, когда, с трудом проснувшись, вы вдруг осознаете, что не можете пошевелить ни одним мускулом. Кажется, что вас душат. Настойчивыми усилиями воли вы заставляете пальцы шевелиться сначала на одной руке, потом — на другой. Продолжая разминать пальцы, вы приводите в движение мышцы руки до тех пор, пока не сумеете поднять ее. Затем вы обретаете контроль над мышцами ног и так далее. В конце концов, в результате последнего вашего усилия, вам удается обрести полный контроль над телом и прогнать кошмар к чертовой бабушке. Но это получается только путем последовательных усилий, шаг за шагом.

ВАШ ТАЙНЫЙ ДРУГ

Теперь вам будет легче понять, что избавиться от инерции мышления можно так же, как и от ночного кошмара, то есть вначале медленно, а затем все увереннее восстанавливая контроль над волей. Будьте настойчивы. Настойчивость обязательно принесет вам успех.

Если вы тщательно подбирали людей для вашего «мозгового центра», в его составе наверняка найдется хотя бы один человек, который будет помогать вам развивать настойчивость. Это качество — лучшая страховка от неприятностей. Сколько бы вас ни преследовали неудачи, вы все равно окажетесь на вершине общественной лестницы.

Может создаться впечатление, будто существует некий таинственный невидимка, экзаменующий людей на выносливость, ставящий перед ними трудноразрешимые проблемы. Такое ощущение характерно особенно для тех, кто после неудачи не пасовал, а продолжал добиваться успеха. Но невидимый друг никому не позволял добиться большого успеха, не проверив человека на настойчивость. Тем, кто не справляется с этим тестом, он просто не ставил оценок. Те же, кто его прошел, получали не просто достижение цели. Им выпадало неизмеримо больше, чем простая материальная компенсация. Они приобретали знание того, что каждая неудача несет в себе зерно благоприятного — в будущем — хода вещей. Поистине нет худа без добра.

Есть люди, которые по собственному опыту знают, что настойчивость — это крепость. В ней они обороняются от поражений с таким упорством, что поражения рано или поздно оборачиваются победой. Лишь немногие умеют воспринять поражение как толчок к новому усилию, большинство не хотят приспосабливаться к неумным шуткам, которые порой выкидывает жизнь. Но есть молчаливая и неотразимая сила, приходящая к людям, продолжающим бороться даже при всеобщем унынии. У кого нет настойчивости, тот может и не помышлять об успехе.

НАСТОЙЧИВЫМ МОЖЕТ СТАТЬ КАЖДЫЙ

Настойчивость — это состояние вашего сознания, поэтому его можно культивировать. Подобно любому состоянию сознания, настойчивость основывается на определенных принципах, среди которых:

1. **Ясность намерений.** Знание того, что ты хочешь,— первый и важнейший этап в развитии настойчивости. Жизненно важные обстоятельства побуждают преодолевать значительные трудности.
2. **Желание.** Значительно проще быть настойчивым и долго не терять этого качества, если вас обуревает страсть.
3. **Уверенность в себе.** Вера в то, что вы сумеете довести задуманное до конца, поможет вам следовать плану с необходимой настойчивостью.
4. **Определенность планов.** Выработанный план, пусть даже он почти невыполним, все равно поддерживает в вас чувство настойчивости.
5. **Тщательный анализ.** Знание того, что ваш план надежен, основанное на опыте или наблюдении, укрепит настойчивость. Напротив, гадание вместо анализа не оставит от настойчивости и следа.
6. **Сотрудничество.** Симпатия, понимание и гармоничное сотрудничество всегда способствуют настойчивости.

7. **Сила воли.** Настойчивость прививается также привычкой концентрировать все мысли на достижении ясных целей.
8. **Привычка.** Настойчивость как выработанная привычка преображается в черту характера. Сознание всегда впитывает некоторую часть ежедневного опыта. Наиболее сильным лекарством от страха является вынужденное и многократное проявление смелости. Кто был на фронте, на передовой, прекрасно знает об этом.

«ИЗОЩРЕННАЯ НАСТОЙЧИВОСТЬ» — В 16 ПЕРЕМЕНАХ

Определите, чем вы отличаетесь от других людей и чего вам не хватает для приобретения настойчивости. Обдумайте свои действия пункт за пунктом, и вы увидите все затруднения как на ладони. Такой анализ, кроме всего прочего, поможет лучше познать себя. Ниже перечислены ваши истинные враги, стоящие между вами и успехом. Вы обнаружите в этом списке не только симптомы, указывающие на недостаток настойчивости, но и слабости, которые нужно преодолеть желающим преуспеть в жизни:

1. Непонимание своих желаний.
2. Промедление (не важно, оправданное или нет,— всегда находятся тысячи уважительных причин для промедления).
3. Отсутствие интереса к приобретению специальных знаний.
4. Колебания и нерешительность по любому поводу, привычка перекладывать поиск решения на других вместо того, чтобы самому выходить из трудного положения.

5. Привычка ссылаться на обстоятельства вместо того, чтобы разрабатывать четкий план решения проблемы.
6. Самовлюбленность. От этого недуга лекарств почти нет, как и надежды у тех, кто им страдает.
7. Равнодушие и безразличие (чаще всего выражаются в готовности к компромиссам по любому вопросу, без сопротивления и борьбы).
8. Привычка винить в собственных ошибках других и воспринимать неблагоприятные обстоятельства как неизбежные.
9. Отсутствие страсти, приводящей все в действие.
10. Готовность поставить в делах точку при малейшем признаке неуспеха.
11. Отсутствие четкого плана действия, зафиксированного на бумаге, в случаях, когда необходим тщательный анализ.
12. Неумение изменять идею или первоначальный план, схватить случай за хвост, если такая возможность представится.
13. Хотение вместо веления.
14. Привычка к нищете вместо стремления к богатству, абсолютное отсутствие честолюбия.
15. Привычка размениваться по мелочам, сотрудничать со спекулянтами и прочей «мелкой сошкой», попытки получить все сразу, ничего не отдавая взамен или отдавая неравную долю. Неоправданный риск при заключении сделок, больше похожих на аферу, чем на предпринимательство.
16. Страх перед критикой, перед мнением других. Часто одна только мысль о том, что скажет, подумает или сделает кто-то, лишает человека всякой способности мыслить и действовать. Этот враг должен стоять во главе списка, поскольку всегда так или иначе существует в подсознании.

Многие просто не отдают себе отчета в его существовании.

КРИТИКОВАТЬ — ДЕЛО НЕХИТРОЕ

Большинство людей живет под сильным влиянием родственников, друзей и общества — настолько сильным, что не могут жить собственной жизнью и быть самими собой из-за боязни критики.

Многие, например, делают ошибку в выборе супруга (супруги) и остаются на всю жизнь несчастными и неудовлетворенными, так как боятся, что их осудят, если они постараются исправить ошибку. Кто знаком с этой формой страха, знает, какой непоправимый ущерб он наносит, расстраивая честолюбивые стремления и всякое желание чего-либо достичь в жизни.

Миллионы людей пренебрегают возможностью продолжать учиться и после окончания учебного заведения, боясь все того же осуждения: «всю жизнь учись — дураком помрешь».

Бесчисленное множество людей позволяют разрушить свою жизнь родственникам, третирующим их рассуждениями о чувстве долга, которые на деле не стоят ломаного гроша. Чувство долга вовсе не значит, что можно позволять другим разрушать наши честолюбивые стремления и планы, а также лишать вас права оставаться самим собой.

Некоторые не используют свой шанс в бизнесе, поскольку боятся осуждения в случае неудачи. С ними все ясно: боязнь критики перевесила желание успеха. Слишком многие не ставят перед собой высоких целей, даже пренебрегают выбором карьеры из-за боязни услышать: «Не высовывайся!»

НЕ УПУСКАЙТЕ СВОЙ ШАНС

Многие люди полагают, что материальный успех — результат везения, счастливо выпавшей карты. Здесь, конечно, есть доля истины, но те, кто целиком и полностью полагаются на игру случая, почти всегда бывают разочарованы. Главная их ошибка в том, что они не видят других важных факторов успеха, которые нельзя упускать из виду, если вы действительно хотите преуспеть. Один из таких факторов — знание, как превратить «шанс» в закономерность.

Единственный шанс, на который вы можете полностью положиться,— тот, что обязан своему появлению вам самим, найденный вами лично с необходимой для этого настойчивостью. Только начинать надо, имея ясную, определенную цель...

Выйдите на улицы Москвы и спросите у первых ста встречных, чего они хотят в этой жизни и девяносто восемь из них не смогут вам точно ответить. Если вы будете настаивать, одни скажут «покоя»; другие назовут деньги; некоторые скажут «счастья»; другие — «славы и могущества»; оставшиеся — «общественного положения»; «комфорта в жизни»; «возможности петь, танцевать, писать». Но никто из них не раскроет ни одного из этих понятий, а тем более не расскажет, как ему добиться этого. Ни у кого нет ни малейшего намека на четкий план, посредством которого можно достичь всех этих очень смутно высказанных желаний. Из желаний богатств не получается. Они получаются из ясного плана действий, основанных на таких же ясных устремлениях и осуществляемого с необходимой настойчивостью.

Каждый, кто желает воспитать в себе необходимую настойчивость, должен знать четыре простейших шага. Для этого не надо никакого особенного ума, никакого особенного образования, больших усилий и чрезвычайной траты времени. Вот эти шаги.

ЧЕТЫРЕ ШАГА В ВОСПИТАНИИ НАСТОЙЧИВОСТИ

1. Ясная цель или стремление при наличии страстного желания добиться результата.
2. Четкий план, описывающий последовательность действий.
3. Независимое сознание, прочно защищенное от разрушительных влияний, включая внушения родственников, друзей, знакомых.
4. Дружественный союз, сотрудничество с одним или несколькими людьми, которые могут поддержать ваше стремление идти к цели, используя план действий.

КОМУ ПОМОГАЕТ ВЫСШИЙ РАЗУМ?

Что же это за мистическая сила, которая посылает настойчивым и целеустремленным прекрасные возможности для преодоления трудностей? Или настойчивость — такое качество человеческого характера, что оно само по себе рождает некоторые формы духовной энергии, обеспечивающие доступ к сверхприродным силам? Кто знает, может Высший Разум всегда становится на сторону тех, кто не перестает сражаться. Даже после проигрыша, когда кажется: все против вас.

Всякий, кто занимался историей жизни пророков, философов, людей, творящих чудеса, великих деятелей прошлого, приходил к неминуемому выводу, что основными причинами их достижений были настойчивость, концентрация усилий и определенность целей.

ЕЩЕ О НАСТОЙЧИВОСТИ

Генерал Грант однажды сказал: «Я думал, что приближаюсь к поражению, но все-таки продолжал держаться». Именно это стремление крепко держаться и выигрывает битву — как на поле сражения, так и в жизни.

Победу обеспечивает последнее усилие. «Если я, созидая гору,— говорил Конфуций,— прекращу работу, не подняв последнюю корзину земли на вершину, то я все равно не достиг своей цели».

Обладая настойчивостью, даже человек с маленькими способностями может достичь успеха там, где гений без настойчивости окажется несостоятельным.

«Все произведения человеческой деятельности, на которые мы смотрим с похвалой и удивлением,— пишет Джонсон,— представляют собою примеры могущества настойчивости. Благодаря ей содержимое каменоломни сделалось пирамидой, а отдаленные страны связаны каналами. Если бы человек сравнил действие отдельного удара киркой или лопатой с конечным результатом, то он был бы поражен громадностью разницы; однако именно эти маленькие действия, непрерывно повторяясь, с течением времени преодолевали величайшие препятствия, сравнивали горы и связывали океаны».

«Человек, который допускает изменение своих решений по первому совету друга,— сказал Уильям Уарт,— и переходит от плана к плану, кружась во все стороны подобно флюгеру, никогда не сможет совершить чего-нибудь великого или полезного. Вместо того чтобы двигаться вперед, он в лучшем случае будет топтаться на одном месте, а всего вероятнее — будет идти вспять».

Не найдется ни одного такого занятия, которое не предполагало бы трудностей. Человек, который при встрече с затруднениями бросает свое дело и хватается за другое, никогда не достигнет успеха. Причина неуспешности таких людей в том, что они никогда не идут достаточно далеко, чтобы выйти за пределы черновой, подготовительной работы и достигнуть того пункта, с которого занятие делается приятным и доставляет вознаграждение за труд. В действительности такие люди всю свою жизнь затрачивают на изучение начальных ступеней различных занятий.

Уверьтесь, что ваше занятие — это ваше призвание в жизни, хорошее, честное дело, и затем будьте непоколебимо верны ему. Вложите весь ваш ум, силы, сердце и душу в свою деятельность, и вы добьетесь успеха.

Хорошим примером настойчивости может служить история прокладки кабеля для трансатлантического телеграфного сообщения. Только вера в свои силы и упорство Кира В. Фильда обеспечили успех дела.

ИСТОРИЯ УСТРОЙСТВА ТРАНСАТЛАНТИЧЕСКОГО ТЕЛЕГРАФНОГО СООБЩЕНИЯ

Кир В. Фильд, удалившись от дел, с большим состоянием жил на покое, когда им овладела мысль, что при помощи кабеля, проложенного по дну Атлантического океана, может быть установлено телеграфное сообщение между Европой и Америкой. Он отдался этому предприятию со всей энергией и душой и добился для своего дела помощи британского правительства и правительства Соединенных Штатов. Когда на британское судно «Агамемнон» и на «Ниагару» — судно Соединенных Штатов было уложено пять миль кабеля, он застрял в машине и разорвался. При второй попытке было благополучно уложено более двухсот миль кабеля.

Ночью, когда судно двигалось со скоростью четырех миль в час, а кабель разматывался со скоростью шесть миль в час, тормоз был применен слишком быстро, и как раз в этот момент судно сильно качнулось. В результате кабель опять перервался.

Фильд не сдался. При третьей попытке было заказано еще семьсот миль кабеля и более хорошая машина для его спуска. На середине океана две половины кабеля были скреплены и пароходы, спуская кабель, начали удаляться друг от друга,— один, направляясь к Ирландии, другой к Ньюфаундленду. Прежде чем суда отошли друг от друга на три мили, кабель разъединился. При четвертой попытке его снова скрепили. Но когда суда разошлись на восемьдесят миль, ток прервался. В пятый раз кабель был скреплен и его было проложено около двухсот миль, когда он разорвался на расстоянии двадцати футов от «Агамемнона», после чего судно вернулось в Ирландию.

Директора компании упали духом, общество и капиталисты стали относиться к этому делу недоверчиво, и если бы не непреклонная энергия Фильда, то это предприятие было бы оставлено. Но благодаря его настойчивости была сделана шестая попытка, и с таким успехом, что весь четвертый кабель был уложен без повреждений и несколько сообщений прошло почти через семьсот миль океана, когда ток внезапно прервался.

Вера в возможность выполнения этого предприятия исчезла теперь, по-видимому, у всех, за исключением Фильда и одного или двух его друзей. Но они хлопотали с такой настойчивостью, что убедили людей снабдить их средствами для седьмой попытки, хотя у тех почти совсем уже не было надежды на успех.

Новый и лучшего качества пятый кабель был погружен на громадный пароход «Грет-Истерн», который медленно направлялся в океан, спуская кабель по мере своего движения. Вначале все шло прекрасно, но на расстоянии шестисот миль от Ньюфаундленда кабель перервался и погрузился на дно. После нескольких тщетных попыток поднять его, предприятие было остановлено на год.

Фильд снова с жаром принялся за работу, организовал новую компанию, сделал шестой кабель, значительно превосходивший все прежние, и 13 июля 1866 года начал новую попытку. Она закончилась следующей телеграммой из Ирландии в Нью-Йорк:

«Мы прибыли сюда сегодня в девять часов утра. Все хорошо. Слава Богу! Кабель проложен и находится в полной исправности. Кир В. Фильд».

Пятый кабель был поднят, скреплен, проложен. И оба эти кабеля в полной исправности работают до сих пор.

«Когда вы попадаете в тиски и все идет против вас — так, что, по-видимому, вы не можете держаться ни минуты долее,— никогда не сдавайтесь в таких случаях, потому что как раз тут-то и начинается поворот к лучшему»,— утверждала писательница Гарриет Бичер-Стоу.

Глава 5.

Шаг пятый: «мозговой центр»

Сила ума — ключевая в достижении успеха. Планы сами по себе бессмысленны, если какая-нибудь сила не начнет их осуществлять, не сдвинет дело с места. В этой главе дается описание методики, помогающей интеллекту включаться в работу, а вам эффективно его использовать.

Говоря «сила ума», я имею в виду организуемое и интеллектуально направленное знание. Вы также встретите термин «организованное усилие», подразумевающий совместные усилия двух или нескольких людей, объединенных общей целью и единым планом работы.

Давайте вместе подумаем, как лучше выработать в себе силу ума. Поскольку она представляет собой организуемое знание, исследуем источники знания:

1. **Высший Разум.** С этим источником вы можете вступить в контакт по методике, описанной в главе о творческом воображении.
2. **Накопленный опыт.** Опыт, накопленный человечеством (во всяком случае, его зафиксированную часть), можно почерпнуть из книг. Важная часть этого опыта в классифицированном и систематизированном виде приобретается в процессе обучения в школах и институтах.
3. **Эксперимент и исследование.** В науке, да и в повседневной жизни, люди собирают, классифицируют и обобщают все новые факты. Это источник, которым отнюдь не следует пренебрегать, особенно если вы не можете воспользоваться «накопленным опытом». Но и в таких случаях не забывайте, разумеется, о творческом воображении.

Знания, полученные из любых источников, могут стать силой, если они будут организованы при разработке плана действий и в конечном итоге сами станут действием.

Прочтите еще раз описание трех основных источников получения знаний. Подумайте, легко ли вам будет действовать в одиночку — при сборе данных, организации и тем более практической реализации ваших идей? А если планы обширны и предполагают многостороннюю деятельность, вам не обойтись без сотрудничества, прежде чем вспыхнет первая искра силы ума.

ЧТО ТАКОЕ «МОЗГОВОЙ ЦЕНТР»?

Что же такое «мозговой центр» и для чего он нужен? Это координация знаний и усилий — в духе гармонии — двух или более людей, объединенных стремлением к определенной цели. Выше содержались рекомендации по заранее продуманному преобразованию вашего желания денег в собственно деньги. Если вы будете их настойчиво исполнять и при этом жестко подойдете к отбору людей в ваш «мозговой центр», то вы уже на полпути к успеху. Чтобы лучше понять скрытые потенциальные преимущества использования «мозгового центра», рассмотрим экономическую и психологическую сторону проблемы. Если вы окружаете себя людьми, всем сердцем желающими помочь вам советом, содействием, сотрудничеством,— экономические выгоды такого рода общения очевидны. И неудивительно, что подобный гармоничный альянс лежит в основе многих больших состояний. Осознание этой простой истины может стать определяющим фактором в изменении вашего финансового положения.

Труднее понять психологическую сторону управления при помощи «мозговой группы». Может быть, вам что-то подскажет следующая мысль: «Два интеллекта сошедшихся вместе, неизбежно создают некоторое поле, которое может быть уподоблено новому, третьему интеллекту». Человеческий ум представляет собой форму духовной энергии. Когда работа двух интеллектов гармонично координируется, их энергии вступают в фазу взаимодействия — в этом, собственно, и заключается психологический аспект принципа работы «мозгового центра».

Похожая картина предстает при анализе биографии очень богатых людей, умевших ставить себе на службу силу «мозговых центров». Впрочем, могло ли быть иначе?

НЕ ПРЕНЕБРЕГАЙТЕ ХОРОШИМИ СОВЕТАМИ

Человеческий мозг можно уподобить электрической батарее. Общеизвестно, что цепь батарей производит больше энергии, чем отдельная батарея. Мозг функционирует примерно так же, то есть: это, между прочим, объясняет, почему мозг у одних людей работает более эффективно, чем у других и, главное, позволяет прийти к важному выводу, что «цепь» интеллектов, соединенных духом гармонии, производит больше «мыслительной энергии», чем один интеллект. Подобно тому — повторюсь — как цепь из электрических батарей дает электричества больше, чем одна батарея.

Эта метафора сразу же раскрывает секрет действия «мозгового центра». Вначале гармоничное воздействие цепи интеллектов создает новый интеллектуальный уровень. Но главное — этот новой уровень становится доступным для каждого интеллекта, входящего в цепь.

Известно, что Генри Форд начинал свою карьеру бедным, неграмотным и невежественным. Что за немыслимо короткий срок (десять лет) он преодолел эти препятствия, а за двадцать пять лет стал богатейшим человеком Америки! Соотнесите этот факт с другим: первые заметные успехи появились после того, как мистер Форд подружился с Томасом Эдисоном, а наибольших результатов он достиг после знакомства с Х. Файрсоуном, Дж. Бэрроусом и Л. Бербэнком! Вот что может выйти из содружества умов!

Человек способен воспринимать характер, навыки и силу мысли тех, с кем он сотрудничает. Постоянный контакт Г. Форда с Т. Эдисоном, Л. Бербэнком, Д. Бэрроусом и Х. Файрстоуном увеличил его собственный интеллект на сумму интеллектов, опыта, знаний и духовных сил этой четверки. Не говоря, конечно, о безусловном следовании принципу «мозгового центра» с помощью методов и способов, описываемых в нашей книге. Но вот он, этот принцип, используйте.

Махатма Ганди достиг беспримерного влияния на умы двухсот миллионов людей, объединив их в стремлении к общей цели. Конечно, это было чудом. Если вы так не считаете, то попробуйте убедить хотя бы двух человек действовать совместно и согласно в течение хоть какого-нибудь отрезка времени. Любой человек, занимающийся бизнесом, знает, что это чертовски сложная штука — заставить своих служащих работать согласованно.

Как вы помните, основным и первым источником силы ума мы назвали Высший Разум. Когда несколько человек согласно взаимодействуют, движимые общей определенной целью, Высший Разум и есть тот универсальный источник, из которого они черпают, ибо он — величайший из всех источников силы мысли, к которому сознательно или бессознательно обращаются гении и вожди.

Два других источника, к сожалению, не более надежны, чем пять человеческих чувств. Понимая это, мы в дальнейших главах подскажем, как можно выйти на Высший Разум. Но эта книга — не религиозная проповедь. Некорректно было бы интерпретировать ее основные принципы как намеренное вмешательство, напрямую или косвенно, в религиозную жизнь человека. Читайте, думайте и медитируйте во время чтения. Поверьте, очень скоро вы поймете и увидите свою перспективу. Каждая глава — деталь. Но эта деталь — только для вас.

НИЩЕТА НЕ СТРОИТ ПЛАНОВ

...Ах! Как же застенчивы деньги! Как их приходится уговаривать и голубить — ну совсем как девушку. И это не просто совпадение, ибо силы, которые здесь задействованы, не столько уж различны по природе. Имеете ли вы дело с девушкой или с деньгами — вы должны верить в успех, с девушкой или с деньгами не забывать о настойчивости, с девушкой или с деньгами вначале составить план, как ими овладеть. И наконец, в обоих случаях надо непременно достичь цели.

Когда деньги становятся большими, они обрушиваются на вас как водопад. Деньги — к деньгам! Жизнь можно сравнить с двумя текущими навстречу друг другу потоками. Один поток — вперед и вверх, к богатству. Противоположный — вниз, к бедности и нищете. Здесь плывут несчастливцы, попавшие в него, и не способные выбраться.

Не сомневаюсь, что люди, достигшие богатства, осознают существование этих жизненных потоков. В принципе они тождественны направлению и содержанию мыслительного процесса каждого человека. Позитивное направление мышления — к нищете. Из этого логично вытекает мысль, значение которой трудно переоценить для человека, читающего эту книгу, чтобы разбогатеть.

Даже если вы оказались в потоке, несущем вас к нищете, высказанная здесь мысль может оказаться веслом, ухватившись за которое вы сумеете переместиться в противоположный поток.

Итак, внимание! Нищета и богатство частенько меняются местами. Когда богатство приходит к нищему, это всегда бывает результатом хорошо продуманных и тщательно осуществленных планов. Нищете что планировать? Нищета самоуверенна и жестока. Богатство застенчиво и нежно. Ему надо понравиться!

Глава 6.

Шаг шестой: тайна секса

Из-за полного невежества в области секса большинство людей путают его с влечением плоти. Однако физическая сторона секса оказывает существенное влияние на сознание.

В сексуальных чувствах запрограммировано:

1. Продолжение рода человеческого.
2. Сохранение здоровья (в качестве терапевтического средства, которому нет равных).
3. Преобразование посредственности в одаренность через сублимацию (механизм сублимации — превращение сексуальной энергии в какую-нибудь другую).

Из всех человеческих чувств сексуальное наиболее могущественно. Движимый страстью, человек может развить в себе остроту воображения, смелость, силу воли, настойчивость и творческие способности, доселе ему не известные. Чувственное желание настолько сильно захватывает человека и подчиняет его себе, что он способен рисковать самой жизнью, лишь бы обладать желанной целью. Если обуздать это чувство и направить в нужное русло, то все атрибуты его божественной силы: воображение, смелость и прочие — сохраняют свою остроту и необычность. Организованные таким образом творческие способности можно использовать и в литературе, и в изобразительном искусстве, и в любой иной деятельности, не исключая работу по накапливанию состояния. Ведь бизнес — это тоже творчество.

Конечно, преобразование сексуальной энергии в творческую требует некоторого напряжения воли, определенного опыта, но игра стоит свеч. Половое влечение дано нам от рождения, и нет ничего естественнее его. Поэтому его нельзя ни подавить в себе, ни уничтожить. Но сексуальная энергия постоянно ищет выхода, пробуждая в нас чувства, обогащающие и тело, и душу человека.

ДВИЖУЩАЯ СИЛА ПОЛА

Поистине удачливы во всем бывают те одаренные натуры, которые находят выход сексуальной энергии в творчестве, созидании. Научными исследованиями установлены весьма знаменательные факты:

1. Самых значительных результатов добиваются люди с высоко развитым сексуальным чувством, особенно если они овладели способностью сублимации.
2. Люди, ставшие миллионерами или получившие широкую известность в области искусства или бизнеса (поскольку любое дело, как я уже говорил, это прежде всего творчество), так или иначе достигли высот под влиянием любви.

Выводы эти сделаны на основе тщательного изучения биографий многих и многих людей на протяжении более чем двухтысячелетней истории. И о какой бы яркой личности ни шла речь, будь это мужчина или женщина, их успехи почти всегда свидетельствуют о высоко развитом сексуальном чувстве.

Сексуальное чувство — такая непреодолимая сила, что ей просто невозможно сопротивляться. Используя силу этого чувства, его движущую энергию, вы сможете получить дар сверхвозможностей, ощутить себя суперменом и сделать много замечательного в жизни. Сумейте постичь эту нехитрую истину — и убедитесь в правильности утверждения, что тайна активного творчества, предпринимательства лежит в сфере сублимации. Убейте в себе сексуальное чувство — и вы убьете основной источник ваших жизненных сил.

СТИМУЛЫ СОЗНАНИЯ — НЕ ПО ЗАРАТУСТРЕ

Человеческое сознание откликается на стимулы, которые возбуждают его, доводят до состояния высокого напряжения мысли, знакомого нам как «энтузиазм», «творческое вдохновение», «страстное желание». Охотнее всего сознание откликается на следующие стимулы:

1. Сексуальное желание, страсть;
2. Любовь;
3. Страстное желание славы, могущества, денег;
4. Музыка;
5. Дружба;
6. Союз интеллектов, основанный на тесной дружбе людей, объединяющихся в какой-либо области светского или религиозного знания;
7. Общность перенесенных испытаний, коллективизм страдания;
8. Самовнушение;
9. Страх;
10. Алкоголь и наркотики.

Этот список по праву открывает сексуальное влечение, способное эффективнее всего подстегнуть сознание, возбудить умственные способности и заставить действовать. Восемь из десяти стимулов — естественны и консервативны. Два — разрушительны. Список поможет вам сравнить основные источники, стимулирующие сознание. Как это ни покажется странным, сравнивая стимулы теоретически и на практике, вы убедитесь, что секс всегда стоит на первом месте. Это наиболее могущественная и оплодотворяющая ваш мозг сила. Это же и лучший стимул к действию.

Какой-то мудрец сказал, что гений — это человек, «носящий длинные волосы, питающийся чем попало и служащий мишенью для насмешек». Точнее всего понятие «гений» можно определить следующим образом: человек, который понял, как лучше всего повлиять на интенсивность мысли, чтобы достичь такой высоты умственных способностей, откуда можно свободно общаться со всеми источниками знания, недоступными ординарному заурядному мышлению.

Думающий человек наверняка захочет поподробнее узнать о феномене гения. И первый вопрос, который он задаст, будет следующим: «Каким образом гений может общаться с недоступными для рядового ума источниками знаний?» Второй вопрос будет таким: «Известны ли источники знаний, доступные только гениям, имеются ли они вообще, и если да — то как можно узнать о них?»

Мы дадим исходные данные, с помощью которых вы сможете получить доказательства на практике, и таким образом ответим на оба вопроса.

ВООБРАЖЕНИЕ — ШЕСТОЕ ЧУВСТВО

Реальность существования шестого чувства уже давно и неопровержимо установлена. Шестое чувство — это воображение. Однако большинство людей на протяжении всей своей жизни ни разу его не используют. А если и прибегают к нему, то делают это случайно. И лишь сравнительно немногие люди обращаются к своему воображению осознанно и преднамеренно. Тех, кто не только творчески использует этот ниспосланный им дар, но и понимает, как он работает и чем хорош, мы называем гениями.

Дар творческого воображения — это прямая связь между смертным человеком и бессмертным Высшим Разумом. Все откровения восходят к области религии, а все открытия основ и принципов устройства мира — к творческому воображению.

«ЧЕТВЕРТОЕ ИЗМЕРЕНИЕ МЫСЛИ»

Когда мысли и понятия возникают посредством тех мгновенных импульсов, которые принято называть предчувствиями, их источниками, вернее всего, могут быть:

1. Высший разум;
2. Подсознание, в которое проникают все ощущения и импульсы, приносимые в мозг пятью чувствами;
3. Умственные способности других людей;
4. Кладовые подсознания других людей.

Иные источники, инспирирующие движение мысли, возникновение ее в сознании отдельного человека, неизвестны.

Если мозговая деятельность подпитывается одним из десяти указанных выше стимулов, результатом будет воспарение личности над горизонтом ординарной мысли, заурядного, повседневного мышления. Это даст возвысившемуся таким образом человеку простор для мысли и самым положительным образом повлияет на качество его мышления, невозможное до сих пор. То же самое происходит, когда человек занят решением проблем предпринимательской деятельности или иной сферы, в которой он работает по призванию.

Поднимаясь на такую высоту мысли с помощью одной из форм, стимулирующих сознание, человек может сравнить свое состояние с полетом на самолете, когда линия горизонта отодвигается, увеличивая зону видимости. С этой высоты человек уже перестает быть связанным тем стимулом, который первоначально повлиял на развитие в его сознании высокопродуктивной деятельности и совершенно не зависит от проблем повседневной жизни. Ведь он находится в мире мыслей, где насущные проблемы можно сравнить всего лишь с проплывающими внизу холмами и долинами, настолько высоко над ними он парит.

Во время этого парения мысли свободу действий обеспечивает творческое воображение — оно расчищает дорогу мыслям. Оно становится восприимчивым к идеям, которые никак бы не пришли в голову человеку при других обстоятельствах. Шестое чувство — это такой дар, наличие или отсутствие которого проводит границу между гением и обыкновенным человеком.

ВНУТРЕННИЙ ГОЛОС

Чем больше этот творческий дар используется, чем больше человек полагается на него, чем больше воображения ему требуется для импульса мысли, тем он становится более восприимчивым к движущим силам, зарождающимся вне его подсознания. Этот дар удается развивать и совершенствовать только одним путем: обращаться к нему как можно чаще. То, что мы называем совестью, действует целиком и полностью с помощью шестого чувства.

Великие художники, писатели, музыканты и поэты достигли вершин творчества именно по той причине, что умели или научились полагаться на звучащий в них «тихий застенчивый голос», используя дар воображения. Известно, что у многих из них сложилось глубокое впечатление, что лучшие мысли пришли к ним в результате, так сказать, «предчувствия».

Один оратор обнаружил, что, закрывая глаза, он стимулирует воображение. Когда его спросили, зачем он это делает в самый кульминационный момент своего выступления, он ответил: «Я делаю так потому, что прислушиваюсь к своему внутреннему голосу».

Один из наиболее преуспевающих и хорошо известных финансистов у нас в России тоже имел такую привычку. Он закрывал глаза на две-три минуты всегда, когда ему надо было принять какое-нибудь решение. Когда его спрашивали, зачем он это делает, он отвечал: «Только с закрытыми глазами я могу приблизиться к источнику Высшего Разума».

ИДЕЯ ЗРЕЕТ

Доктор Элмер Р. Гэйтс из США совершил более двухсот открытий, имеющих практическое значение для совершенствования и использования своего творческого дара. Его метод интересен и необходим тому, кто мечтает стать выдающимся деятелем в какой-нибудь области. Сам доктор Гэйтс, несомненно, принадлежал к разряду таких людей. Это действительно гений, но он почти не известен обществу, даже научному миру.

В своей лаборатории он устроил «комнату личной коммуникации». Ее стены были непроницаемыми для звука и в нее не попадал ни один луч света. В комнате стоял только стол с писчей бумагой и стул, а на стене напротив был выключатель. Когда доктор Гэйтс нуждался в помощи тех сил, доступ к которым ему обеспечивало его творческое воображение, он заходил в эту комнату, закрывал дверь и концентрировал все свое внимание на известных изобретениях, в частности тех, автором которых был он сам. Он пребывал в таком состоянии до того момента, пока в его голове не начинали мелькать идеи и соображения, чаще всего приводившие его к новым открытиям и изобретениям.

Однажды мысли его полились сплошным потоком и он писал без перерыва три часа подряд. Когда вдохновение истощилось и он проверил свои записи, то обнаружил, что среди них оказалось описание новых, не имевших аналогов принципов. Принципов, о которых ничего не было известно в современном ему научном мире и описание которых при этом заняло не больше минуты.

Таким «высиживанием» идеи доктор Гэйтс зарабатывал себе на жизнь, выполняя заказы корпораций и частных лиц. Одна из крупнейших фирм Америки платила ему довольно прилично за каждый час такого «высиживания».

Нередко наши умственные способности не дают желаемого эффекта по той причине, что они в значительной степени опираются на жизненный опыт. Тут необходимо подчеркнуть, что знания, полученные в результате опыта, эмпирическим путем, не всегда бывают точными и истинными. Идеи, возникшие благодаря творческому дару, более достоверны, потому что они базируются на источниках куда более надежных, чем те, на которые может рассчитывать замкнутое, ограниченное человеческое сознание.

ОТКРОЙТЕ В СЕБЕ ГЕНИЯ

Главное различие между гениальным изобретателем и заурядным чудаком в том, что первый пользуется даром творческого воображения, тогда как второй понятия о нем не имеет. Ученый-изобретатель использует оба дара: аналитические способности и творческое воображение.

Как приходит к открытию ученый-изобретатель? Он начинает с организации и комбинирования уже известных идей и принципов, полученных в результате опыта, и делает это с помощью своих аналитических способностей. Если становится ясно, что их одних недостаточно для решения стоящих перед ним проблем, он обращается к тем источникам знания, которые предоставляют ему его творческие способности. Методы у всех, разумеется, индивидуальны, но суть состоит в следующем.

1. С помощью стимулов (десять из которых мы перечислили выше, хотя у каждого они очень личностны) ученый-изобретатель преодолевает обычный средний уровень мышления.
2. Затем он концентрирует все свое внимание на известных моментах, имеющих отнощение к проблеме (завершенная часть работы) и создает в своем воображении целостную картину, идеальный образ известных моментов (незавершенная часть). Ученый-изобретатель держит этот образ в голове до тех пор, пока он не проникнет в подсознание, затем расслабляется, очищая свои мысли от всего постороннего, и ждет, когда в его уме «промелькнет» ответ на заданный подсознанию вопрос.

Иногда результаты бывают непосредственными и определенными. Иногда отрицательными. Все зависит от того, насколько развито шестое чувство, то есть творческий дар.

Мистер Эдисон перебрал более десяти тысяч комбинаций идей, используя исключительные свои аналитические способности, прежде чем «включил» творческое воображение и получил ответ, позволивший ему усовершенствовать лампу накаливания.

Подобным же образом он действовал и тогда, когда изобрел фонограф.

Множество достоверных данных говорит о том, что творческое воображение существует на самом деле. Их можно подтвердить, тщательно проанализировав жизнь и деятельность людей, лидирующих в тех областях, в которых они работали, не получив сколь-нибудь широкого образования. Замечательным примером человека, который стал великим, обнаружив в себе творческие способности, является Авраам Линкольн. После встречи с Энн Ратлидж он открыл их и стал использовать, ведь стимулом была любовь. Любовь — всегда самый сильный источник, особенно когда речь идет об источнике гениальности.

СУБЛИМАЦИЯ

История изобилует примерами неотразимого влияния женщин на великих людей. Один из таких исторических деятелей — Наполеон Бонапарт. Воодушевленный Жозефиной, он был непобедим. Когда же его рассудок внушил ему мысль отказаться от Жозефины, слава его стала клониться к закату.

Вот рассказ о бедной женщине, которая родилась в рыбацкой деревне в Вест-Индии и жила в голых, обшарпанных комнатах вблизи местного сахарного завода. О женщине, которая вышла замуж за одного из самых знаменитых людей в мире.

ПЕРВАЯ И ПОСЛЕДНЯЯ ЛЮБОВЬ НАПОЛЕОНА

Ее имя было Мария Жозефина Роза Ташер ла Пагери. Однако звали ее обычно Жозефина.

Жозефина была на шесть лет старше Наполеона. Когда они познакомились, ей было 33, а ему только 27. У нее были плохие зубы, и она вовсе не слыла красавицей. Фактически ей удавалось держаться всего в каких-либо двух прыжках впереди шерифа, способного в любое время привлечь ее к суду за неуплату долгов. Так что она начинала свой путь в будущее в труднейших обстоятельствах. Но у нее было одно ценное качество: она знала, как обращаться с мужчинами. Будучи вдовой, она располагала в этом смысле немалым опытом — воспитывая двух подрастающих детей, она постоянно испытывала нужду.

Когда французские революционеры обезглавили ее первого мужа, Жозефина оказалась без средств и без какой-либо поддержки со стороны. Понятно, что она обратилась к тому, к чему стремится большинство здравомыслящих женщин: она стала высматривать себе мужа.

Один из ее друзей рассказал ей о Наполеоне. В ту пору он еще не был знаменит и не имел ничего, кроме разве что чесотки. Только что вернувшись с войны, он обрился наголо для того, чтобы избавиться от этой болезни.

Однако друзья Жозефины утверждали, что Наполеон готовится сделать себе имя. Из чисто женских побуждений Жозефина вознамерилась познакомиться с ним.

Но как, спрашивается, она могла это сделать? Поразмыслив, Жозефина нашла довольно искусный ход к тому, чтобы осуществить задуманное. Она послала своего младшего двенадцатилетнего сына к Наполеону с тем, чтобы спросить у него, не согласится ли он принять в дар шпагу покойного отца мальчика. Понятно, что Наполеон не мог ничего возразить против этого. Так что на следующий день Жозефина попудрила себе нос и со слезами на глазах отправилась поблагодарить Наполеона за проявленное им добросердечие.

Наполеон оказался под сильным впечатлением и от личности Жозефины, и от ее удивительного обаяния. Принимая своего гостя, тогда еще ничем не знаменитого, она заверила его, что ему суждено стать одним из самых великих генералов в истории... Через три месяца было объявлено об их предстоящем обручении.

У Наполеона была истинная страсть к тому, чтобы все делать в свое время. «Время — это все!» — заявлял он. В другой раз он заметил: «Я могу проиграть битву, но не могу потерять минуту». Тем более странным оказалось то, что он на два часа опоздал к назначенному времени своего бракосочетания. Мировой судья, который должен был зарегистрировать брак, так устал от ожидания, что начал зевать и заснул до прибытия Наполеона.

Ровно через сорок восемь часов после свадьбы Наполеон вступил в войну против Италии. Его армии страдали от голода, от плохого снабжения. Тем не менее он выиграл кампанию, которая эхом отозвалась по всему континенту. Европа не знавала таких блестящих побед и за тысячу лет.

Удивительным было то, что даже на полях сражений Наполеон находил время для того, чтобы каждый день писать письма Жозефине. И какие письма! Пылкие, страстные, темпераментные. В 1933 году восемь писем, отправленных Наполеоном Жозефине, были проданы в Лондоне на публичном аукционе за четыре тысячи долларов. Вот одно из них:

«Моя дорогая Жозефина!

Любовь к тебе лишает меня рассудка, я не могу думать даже о еде. Я не могу заснуть. Я не забочусь о своих друзьях. Я не думаю о славе и ценю победу лишь в той мере, в какой она устраивает тебя. Иначе я оставил бы армию и поторопился назад в Париж, чтобы упасть к твоим ногам.

Ты вдохновила меня своей безмерной любовью, ты наполнила меня своей вдохновенной страстью. Не проходит часа, чтобы я не взглянул на твой портрет, как не проходит часа, чтобы я не покрыл его своими поцелуями».

И это не банальность по сравнению с тем, что он писал в других случаях. Большинство женщин, не раздумывая, отдадут свою правую руку за такие письма. Но Жозефина, похоже, не придавала им особого значения. Не утруждая себя заботой о том, чтобы отвечать на его послания, она доводила Наполеона чуть ли не до отчаяния. И в то же время флиртовала с другими.

Наконец он устал от ее безразличия. Во время войны в Египте он как-то пригласил на чай одну блондинку. Далеко в Париже Жозефина узнала об этом.

Когда Наполеон вернулся во Францию, в отношениях супругов, как это бывает в подобных случаях, возникла напряженность. Она сказала ему все, что о нем думает, он ответил ей тем же, закрыв перед Жозефиной дверь своей комнаты.

Дали себя знать и другие семейные осложнения. Жозефина принадлежала к более высокому кругу, чем сестры Наполеона, что вызывало их зависть и злобу. Считая, что она относится к ним с пренебрежением (а как она относилась на самом деле — мы никогда не узнаем), они были вне себя. Они поклялись, что низведут ее до своего уровня, взявшись высмеивать ее, обзывать «старухой», заявляя Наполеону, что он должен бросить свою «старую, жирную жену» и взять себе молодую женщину.

Однако, несмотря ни на что, они не могли убить любовь Наполеона к Жозефине. Ничто не могло помочь им в этом. Ничто.

И все же он решил развестись с ней, причем по существенной причине: ему нужна была жена, которая могла бы родить ему сына. Он плакал, подписывая сопровождающие развод бумаги. Три дня после развода он просидел в своем дворце, предаваясь размышлениям и не желая кого-либо видеть или что-либо делать. Вскоре Наполеон женился на Марии Луизе.

Курьезной стороной нового союза было то, что Мария Луиза, как и все австрийцы, была воспитана в чувстве враждебности к Наполеону. Она молилась Всевышнему, чтобы ей не пришлось связывать с ним свою жизнь. Отец ее настоял на браке, утверждая, что она должна пойти на это из политических соображений. И она вышла за него замуж по доверенности, не видя его до этого и в глаза. Она была безразлична к мужу, когда он стал проигрывать сражения, оставила его и даже привила чувство ненависти к отцу его собственному сыну.

Первой, последней и единственной любовью Наполеона была Жозефина. После ее смерти он побывал на могиле и, плача, сказал: «Дорогая Жозефина, по крайней мере, ты никогда бы не оставила меня». Последним словом, которое Наполеон произнес в своей жизни, было «Жозефина».

СУБЛИМИРОВАННАЯ СИЛА СЕКСА

Многие и многие выдающиеся люди вскарабкались наверх благодаря влиянию своих жен. Но стоило им оступиться, теряя деньги и состояния, как они сразу же отказывались от своих постаревших подруг в пользу новых, более молодых, и дела шли на поправку. Со всей очевидностью можно утверждать, что Наполеон был не единственным, кто открыл, насколько влияние любви могущественнее всех других источников гениальности.

Сознание человека обязательно нуждается в стимуле.

Самым мощным среди всех заслуживающих внимания стимулов является, конечно, секс. Эта движущая сила, если ее преобразовать и направить в нужное русло, способна поднять человека на такую высоту мысли, откуда он с легкостью справится с «мелочами жизни», которые так донимали его «внизу».

Факты, известные нам из биографий великих людей, добившихся блестящих результатов в жизни, свидетельствуют: по природе своей это были очень сексуальные личности. Гений, окрылявший их,— несомненно, сублимированная сексуальная энергия. Здесь могут быть названы Гай Юлий Цезарь, Наполеон Бонапарт, Уильям Шекспир, Джордж Вашингтон, Авраам Линкольн, Ральф Уолдо Эмерсон, Роберт Бернс, Энрико Карузо, Томас Джефферсон, Элберт Губберт, Элберт Х. Гэри, Вудро Вильсон, Джон Х. Патерсон, Эндрю Джексон и более современные успешные люди: Стивен Джобс («Эппл Компьютер»), Акио Морита («Сони»), Ричард Сирз («Сирз энд Роубэк»), Рэй Крок («Макдоналдс»), Филипп Морис («Мальборо»), Эдвин Лэнд («Поляроид»), Билл Гейтс («Майкрософт»), Билл Клинтон (экс-президент США), Тэд Тернер («Си-си-эн») и другие.

Вы можете дополнить этот очень краткий список сами, если достаточно начитаны и знаете биографии знаменитых людей. Вряд ли вам удастся найти много людей, добившихся достижений в любой области, которые не были бы движимы при этом чувством любви, не обладали бы прекрасно развитыми сексуальными способностями. Такие люди обычно обладают утонченным вкусом в одежде, в еде, разборчивой склонностью к разнообразию половых партнеров... Внешний вид — обычно выше среднего роста, крепкого телосложения (исключения: Чарльз Дарвин, И. В. Гете, Александр Суворов, Иммануил Кант, Чарли Чаплин).

Если же вы не доверяете истории на том основании, что ничего нельзя проверить, то составьте список преуспевающих людей, которых вы прекрасно знаете, и попробуйте найти среди них хотя бы одного импотента. Уверяю — вы его не найдете!

Сексуальная энергия — это творческая сила всех без исключения гениальных личностей. Никогда не было, нет и не будет великого художника, архитектора, писателя, музыканта или предпринимателя — импотента. Но это не значит, что все повышенно сексуальные люди — обязательно люди выдающиеся. Гениями становятся только те из них, кто стимулирует свое сознание, понуждает его обращаться к силам, доступным человеку только благодаря творческому воображению. Главным из всех стимулов, которые могут быть выработаны для такого «подъема», была и остается сексуальная энергия. Простого обладания этой энергией недостаточно, чтобы воспитать в себе гения. Энергия любви должна быть преобразована в какую-нибудь иную энергию, иной вид желания или поступков.

Однако большинство людей не понимают этой великой силы или, злоупотребляя ею, опускаются до состояния животного. И что уж тут говорить о гениальности!

ПУСТАЯ ТРАТА ЭНЕРГИИ

Анализируя деятельность выдающихся личностей, я убедился, что мало кто из них добивался больших успехов в возрасте до сорока лет. Чаще всего им было под пятьдесят, когда они набирали необходимую скорость. Этот факт так сильно удивил меня, что захотелось разобраться, в чем же дело.

Я выяснил: основная причина заключается в том, что большинство людей, не достигших возраста сорока — пятидесяти лет, расточают свою энергию, злоупотребляя физическим выражением сексуального чувства. Многие из них никогда в жизни не поймут, что сексуальную энергию можно и нужно использовать по-другому. И эти возможности столь привлекательны, что перед ними меркнет простое физическое удовольствие. Большинство людей осознает это слишком поздно, потратив много лет, и как раз таких, когда сексуальная энергия находится в своей высшей точке. Но все-таки и они добиваются значительных успехов.

Впрочем, многие, даже преодолев рубеж сорока лет, продолжают растрачивать бездарно свою сексуальную энергию, которую можно было бы использовать в лучших целях. Таким образом, тончайшая и наиболее могущественная энергия выбрасывается на ветер. Не зря же говорят: «Что посеешь, то и пожнешь».

Из всех человеческих чувств и эмоций сексуальная энергия — самая сильная и возбуждающая человека, и именно поэтому чувственное влечение, желание, страсть, преобразованные и направленные в нужное русло, могут помочь в достижении наибольших результатов.

ПРИРОДА — ВТОРАЯ НАТУРА

Существует и немало примеров, когда гениальность проявлялась в результате искусственных стимуляторов, влияющих на сознание. Это алкоголь и наркотики.

Эдгар Аллан По создал своего «ворона» под влиянием немалого количества выпитого им ликера, «видя сны, которые до него не видел никто из смертных».

Дж. У. Рали написал свои лучшие произведения, также вкусив алкоголя. Может быть, поэтому он видел «нереальную реальность: и виденье, и обман, мельницу, воды теченье и клубящийся туман». Самые замечательные творения Роберта Бернса тоже были результатом подобного состояния. Многие из этих людей кончали очень плохо. К счастью, у природы оказались и другие средства, с помощью которых одаренные личности могут стимулировать творческое сознание.

Миром и цивилизацией правят человеческие чувства, что бы там ни говорили. В своих поступках люди больше опираются на них, чем на разум. А сексуальное чувство — наиболее могущественное. По какой причине Гай Юлий Цезарь разбил армию Египта? По причине любви к Клеопатре. Остальное додумайте сами.

Стимул сознания — это временное или постоянное влияние на него, повышающее интенсивность мысли. Десять описанных нами стимулов — наиболее употребимы. Прибегая к этим источникам, можно дойти и до Высшего разума или, если будет желание и воля, войти в кладовые подсознания, как собственного, так и чужого,— так, впрочем, и действуют все гениально одаренные люди.

СЕКС И ТОРГОВЛЯ

Интересный опыт: руководитель, направляющий усилия более чем 30 000 продавцов, сделал потрясающее заключение —

наиболее успешными торговцами и предпринимателями оказываются люди с повышенной сексуальностью.

Объяснить это совсем не трудно. Фактор, называемый «привлекательностью», «притягательностью или «харизмой»,— не что иное, как сексуальная энергия. Высокосексуальные чувственные люди обычно очень привлекательны, они выделяются из всех остальных. Тот, кто понимает эту чудодейственную силу и может развить и усовершенствовать ее, будет обладать огромным преимуществом. Эта энергия сообщается тем, с кем вы имеете дело, с помощью следующих средств:

1. **Рукопожатие.** Прикосновение руки мгновенно показывает наличие «притягательности» или ее отсутствие.
2. **Голос.** Притягательность, или сексуальная энергия, «окрашивает» голос особенным образом, делая его мелодичным и приятным на слух.
3. **Осанка и походка.** Высокосексуальные люди двигаются легко, изящно и просто.
4. **«Вибрация мысли».** Сексуально одаренные люди примешивают в свои мысли сексуальные чувства, сознательно и бессознательно влияя на всех окружающих.
5. **Стиль.** Высокосексуальные люди, как правило, следят за своей внешностью чрезвычайно внимательно. Они тщательно выбирают одежду, чтобы подчеркнуть свои природные данные.

Принимая на работу продавцов, торговые менеджеры первым делом оценивают их привлекательность, видя в этом важнейшее условие успеха дела. У людей зажатых, не обладающих сексуальной энергией, никогда и ни в чем не бывает воодушевления, поэтому они и не могут воодушевить других. А энергичность, энтузиазм — одно из самых необходимых для продавца качеств, чем бы он ни торговал.

Общественные проповедники, ораторы, юристы (равно как и продавцы) при отсутствии сексуальной энергии — просто «шляпы», и тем больше они «шляпы», чем больше влияния на окружающих пытаются оказать. Прибавьте к этому тот факт, что большинство людей могут оказать хоть какое-нибудь воздействие на других лишь тогда, когда обращаются непосредственно к их чувствам, и вы осознаете всю важность сексуальной энергии в области торговли. Вы поймете, почему она должна быть от природы заложена во всех продавцах. Лучшие продавцы, наделенные ею от рождения, становятся мастерами своего дела, если свою сексуальную энергию сублимируют, преобразуют в воодушевление,— делают они это сознательно или бессознательно. Из данного утверждения можно извлечь весьма полезные практические выводы.

Продавец, который переносит свои чувства из области секса и направляет их на покупателя с таким же воодушевлением, как если бы он занимался любовью, как если бы его обуревали тончайшие и глубокие чувства, владеет искусством сублимации независимо от того, знает он об этом или нет. В большинстве случаев именно так и происходит; многие продавцы просто не задумываются над тем, что они преобразуют сексуальную энергию, а тем более как они это делают.

Преобразование сексуальной энергии требует гораздо большей силы воли, чем способна приложить посредственность, потому она и терпит частенько поражение. Но для тех, кто понимает всю трудность и сложность волевых усилий при сублимации, есть выход: постепенно, шаг за шагом воспитывать в себе такую способность. Несмотря на огромные усилия, вознаграждение с лихвой возместит все ваши потери, в том числе и моральные.

СЕКС И ПРЕДРАССУДКИ

Чудовищная невежественность царит у нас во всем, что касается сексуальных отношений. В этой области больше всего вульгарного понимания, клеветы и бесстыдства со стороны низкопробной литературы.

Мужчины и женщины, которые счастливо одарены — да, именно счастливо — высоким сексуальным чувством, обычно причисляются к типу людей, желающих привлекать всеобщее внимание. И немудрено, что они вызывают всеобщую зависть.

Миллионы людей даже в наш просвещенный век развили в себе комплекс неполноценности по одной простой причине: они никак не могут избавиться от предрассудков в области секса. Однако это утверждение ни в коей мере не должно служить оправданием разврату и распутству. Сексуальные чувства невинны только тогда, когда действуют заодно с разумом и разборчивостью. Вместо того чтобы обогащать их, ими нередко злоупотребляют, довольно часто это сопряжено с унижением человеческого достоинства, с теми извращениями, которые портят и душу и тело.

Кажется весьма знаменательным, что практически каждый лидирующий в своей области человек был вдохновлен женщиной. В большинстве случаев в качестве «роковой женщины» выступала скромная, но самоотверженная жена, о которой общество не слышало ничего или почти ничего. Реже предметом страсти и источником вдохновения была «другая» женщина.

Каждое разумное существо знает, что стимуляция сознания посредством неумеренных возлияний или приема наркотиков — это деструктивная форма невоздержанности. Но при этом далеко не каждому известно, что злоупотребление сексом может стать привычкой столь же пагубной для творческих усилий. Человек бывает также пьян от любви, как одурманенный наркоман! Тот и другой теряют контроль и над рассудком, и над силой воли. Очевидно, что невежество в области секса способно нанести удар как по здоровью человека, так и по всем его радужным планам и перспективам.

Невежество в человеческих отношениях широко распространено только потому, что эта тема долгое время была покрыта завесой тайны и стыдливо обходилась вниманием. Будучи тайными, эти вещи действуют на неокрепшее сознание, как запретный плод. А запретный плод сладок! Результатом является возрастающее любопытство и желание получить знания по запрещенному предмету. Но, к стыду законодателей и врачей, делающих все возможное, чтобы просветить нас в этой области, информация остается труднодоступной.

УРОКИ ПЛОДОТВОРНЫХ ЛЕТ

Как уже было сказано выше, человек, не достигший сорока лет, редко подходит к пику своих творческих возможностей (пик сексуальных возможностей — шестнадцать лет, и я рекомендую вступать в эту сферу с шестнадцати лет, как рекомендуют в десятках стран). Обычно люди создают все лучшее в их жизни в возрасте примерно от сорока до шестидесяти лет, когда дос-тигают периода расцвета своих способностей. Речь не идет о чрезвычайно одаренных людях, гениях и пророках. Эти утверждения основаны на тщательном исследовании деятельности тысяч людей. Пусть воспрянут духом те, кому еще нет сорока и кто еще не добился больших успехов. И пусть воодушевятся те, кто бо-ится приближения «старости» за рубежом сорока лет. Наиболее плодотворны, как правило, годы от сорока до пятидесяти (бывают и исключения!). Пусть вас не пугает приближение этого возраста. Ждите его не со страхом и трепетом, а в деятельной надежде.

А теперь давайте из России перенесемся опять в Америку. Если вам еще нужны доказательства того, что лучшее время для человека начинается после сорока, то прочитайте биографии наиболее преуспевающих людей США. Вы найдете там все доказательства.

Генри Форд самого большего добился в возрасте далеко за сорок. Эндрю Каргенги был еще старше, когда он стал пожинать плоды своих усилий. Джеймс Дж. Хилл все еще сидел за телеграфным ключом, когда ему было под сорок. Его потрясающее восхождение началось позже. Одним словом, биографии наиболее выдающихся людей просто переполнены доказательствами, что лучшее, наипродуктивнейшее время — от сорока до шестидесяти.

Между тридцатью и сорока годами люди только начинают постигать (если все-таки начинают) искусство сублимации. Это открытие тем не менее происходит как бы на втором плане, незаметно для самого открывателя. Он, конечно, не может не заметить, как увеличивается его энергия, направленная на достижение успеха, но в большинстве случаев не понимает причин этой благотворной внутренней перемены, которые коренятся в гармонизации сексуальных чувств и любовных переживаний. Он осознает только одно: эта внутренняя перемена дает ему дополнительные силы, которые он может использовать в качестве необходимых стимулов к действию.

ПОВЕРЬТЕ В СВОЮ ГЕНИАЛЬНОСТЬ

Секс сам по себе — великая побудительная сила, но эта сила стихийна и трудно поддается контролю.

Когда же сексуальное влечение смешано с чувством любви, стремления становятся более уравновешенными, суждения более спокойными, переживания гармонируют с внутренним миром. Кто из тех, кому уже исполнилось сорок лет, настолько неудачлив, что не способен проанализировать это утверждение и подтвердить его собственным опытом?

Когда мужчина, движимый страстью, основанной только на сексуальном чувстве, хочет понравиться женщине, он может добиться всего. Однако его действия импульсивны, а иногда и разрушительны. Тот, кто находится под влиянием всепоглощающего влечения, в истоках которого лежит секс, и только, способен украсть, смошенничать и даже совершить убийство. Но если сексуальные чувства возникают в результате любви, если любовь и секс сливаются воедино, тот же самый человек ведет себя разумно, взвешенно и достойно.

Любовь, секс и влечение способны подвигнуть сильных людей к сверхдостижениям. Любовь пробуждает в человеке такие качества, которые служат ему предохранительным клапаном, гарантируют выдержку и конструктивность усилий. В сочетании они могут поднять до уровня гения кого угодно. Природа обеспечила человека «химической лабораторией» сознания, которая действует подобно хорошо организованному производству. Химик, смешивая определенные компоненты, сами по себе безвредные, может создать сильнодействующий яд. Человеческие чувства, смешиваясь в определенной пропорции, могут стать таким же ядом. Страсть и ревность вполне способны превратить человека в бешеное животное.

Путь к гениальности лежит через сексуальное развитие, использование секса, любви и увлечений и контроль над ними. Коротко процесс этот можно описать следующим образом.

Поддержите в себе конструктивные чувства и мысли, постарайтесь сделать их преобладающими в вашем сознании. И наоборот, подавляйте в себе разрушительные эмоции. Сознание существует благодаря мыслям, питающим его. С помощью силы воли можно заставить себя культивировать одни мысли и уничтожать, как сорняки, другие. Если у вас есть хоть немного силы воли, то вы в состоянии контролировать сознание. Проще простого. Контроль за ним начинается с настойчивости, переходящей в привычку. Секрет же контроля как раз и раскрывается в области сублимации — в области преобразования сексуальной энергии. Если вас одолевают сексуальные эмоции или разрушающие душу чувства, то их можно преобразовать в положительные и конструктивные простым способом: направить вашу мысль на что-либо дельное, созидательное.

Другого пути к гениальности, кроме сознательной работы над самим собой,— нет! Конечно, обуреваемый только сексуальной энергией человек может добиться и, как правило, добивается высот в финансовой и предпринимательской деятельности. Но опыт показывает, что это так сильно влияет на характер, что лишает человека способности наслаждаться огромным состоянием и даже удержать его. Последнее заслуживает внимания и анализа, поскольку здесь заложена какая-то непреходящая истина, знание которой поможет не только мужчинам, но и женщинам. Игнорирование ее приводит к тому, что тысячи людей лишаются счастья, даже обладая миллионами.

МОГУЧИЙ ОПЫТ ЛЮБВИ

Воспоминания любви не проходят бесследно и не исчезают окончательно. Они живут и оказывают влияние на поведение человека даже тогда, когда источник ее утрачен. В этом нет ничего нового. Всякий, кто испытал истинную любовь, знает, какие глубокие следы оставляет она в сердце. Человек, которого не побуждают к успехам и достижениям чувства, так или иначе связанные с любовью, не может надеяться ни на что. Он мертв, хотя и кажется живым.

Вернитесь мысленно в прожитые годы и вспомните прекрасные переживания прошедшей любви. Такие воспоминания способны смягчить все ваши нынешние трудности и заботы. Они будут для вас источником спасения от безжалостной действительности, и — кто знает,— может быть, путешествуя в этом иллюзорном мире, ваши мысли натолкнутся на какую-нибудь блестящую идею или план, который полностью изменит ваше финансовое состояние или хотя бы состояние души.

Если вы думаете, что все потеряли из-за несчастной любви, то прогоните эту мысль немедленно. Тот, кто любил по-настоящему, не может потерять все, потому что не может потерять все никогда. Любовь непостоянна и прихотлива. Она приходит, когда хочет, а уходит без предупреждения. Радуйтесь ей, пока она с вами, и не тратьте много времени на то, чтобы оплакивать ее уход. Сожаления, сетования и оплакивания все равно не вернут ее.

Неправда, что любовь приходит только однажды. У нее нет порядковых номеров, но нет и двух одинаковых любовных переживаний. Обычно какое-то из переживаний оставляет наиболее сильный отпечаток в душе, но благотворны они все.

Любовь никогда не вызывала бы разочарований, если бы люди понимали всю разницу, всю пропасть, лежащую между любовью и сексом. Любовь — это тайна и мистика, секс — простая физиология. Переживание, касающееся человека своими мистическими, таинственными струнами, никогда не бывает пагубным и тлетворным. Исключение составляют ревность и невежество.

Любовь, без всякого преувеличения, величайший жизненный опыт. Она приводит людей к общению с Высшим Разумом. Вместе с сексом она дает всем творческим усилиям крылья, как бы подставляет им лестницу. Чувство любви, сексуальные переживания и романтические увлечения воспитывают в человеке гения.

Любовь — это чувство со всевозможными оттенками, она вообще трудно определима. Но наиболее интенсивные переживания приносит любовь, сочетающаяся с сексуальными ощущениями. Браки, в которых любовное влечение не реализуется в здоровой сексуальной жизни, не могут быть счастливы и распадаются. Любовь сама по себе не приносит счастья в супружестве. То же самое можно сказать и о сексуальном влечении. Но когда эти два прекрасных чувства пере-плетены, брак может принести состояние сознания, очень близкое к мистическим тайнам природы, мало кому открывающимся в нашей земной жизни.

А если к этим двум чувствам добавляется переживание, овеянное приключением или необычностью происходящего, то в этом случае сметаются уже все преграды между человеческим сознанием и Высшим Разумом. Тут-то и рождается гений!

МЕЛОЧИ БРАКА

Как много требуется понимания для того, чтобы из хаоса чувств, присутствующих в семейной жизни, вывести гармонию, умиротворение! Неудовлетворенность браком очень часто выражается в том, что, не понимая природы своих сексуальных или иных затруднений, супруги не перестают ворчать, брюзжать и всячески проявлять недовольство. Дисгармонии в браке не бывает только в том случае, если супругов не покидают любовь, увлеченность и правильное осознание сексуальных механизмов.

Счастлив муж, чья жена правильно понимает все связи между этими тремя китами супружества. Никакая обязанность не будет обременительной, если ее мотивация исходит из этого триумвирата, поскольку будет естественно вытекать из обязанностей любви.

Давным-давно известно, что «жена или спасет мужа, или его погубит», но никто не дал еще вразумительного ответа, почему это так. «Спасет» или «погубит» — целиком и полностью зависит от того, понимает или не понимает жена, как связаны между собой любовь, увлеченность и секс.

Если жена позволяет своему мужу потерять к ней интерес в пользу других женщин, то обычно это происходит только по ее вине и именно из-за невежественного равнодушия к тем вещам, о которых мы говорили. Разумеется, это утверждение предполагает, что между мужем и женой существовало любовное чувство и оно было подлинным. То же самое верно и по отношению к мужу, который хочет, чтобы жена никогда не теряла интерес к нему.

В супружестве люди очень часто ссорятся из-за мелочей и пустяков. Если эти мелочи обобщить и тщательно проанализировать, то выяснится, что большая их часть проистекает из равнодушия к тому, что мы называем половыми отношениями.

ВЛАСТЬ ЖЕНСТВЕННОСТИ

Самая великая побудительная сила мужчины — это желание понравиться женщине! Первобытный охотник, выделявшийся среди других, становился вождем, как мы скажем сейчас,— лидером, потому что хотел выглядеть лучше в глазах женщины. В этом отношении природа мужчин ни в США, ни у нас, в России, не изменилась нисколько. Нынешний «охотник» не приносит домой шкуры убитых им хищников, но обозначает свое желание выбором красивой одежды, комфортабельного автомобиля, просторной квартиры. Желание нравиться осталось таким же, как и на заре цивилизации. Единственное, что изменилось,— способы и методы обнаружения этого желания. Люди, обладающие деньгами, могущественные и знаменитые, по большей части без особого труда осуществляют свои планы и здесь. Уберите из их жизни женщину — и богатство станет для них бессмысленно и бесполезно. Нравиться женщинам — врожденная потребность мужчин, она дает женщинам власть, с помощью которой они могут как погубить, так и спасти.

Женщине, понимающей природу мужчины и умеющей тактично помогать ему в удовлетворении его потребностей, нечего опасаться конкуренции со стороны других женщин. Мужчины могут быть просто «гигантами» в смысле силы воли, мужественности и прочих выдающихся мужских черт, но делают их такими — женщины.

Большинство мужчин никогда не согласятся с тем, что они находятся под влиянием женщин, которых они якобы сами же и выбирают. Это в природе мужчин — думать, что их выделяют из всех остальных за некие замечательные качества. Умная женщина, зная такую мужскую слабость, никогда не делает из этого предмета обсуждения, а тем более — спора.

Некоторые мужчины, разумеется, догадываются, что находятся под женским влиянием — жены или возлюбленной, матери или сестры, но никогда не выступают против такого влияния, поскольку они достаточно разумны и понимают, что не могут быть счастливы, если рядом не окажется заботливых и добрых женщин. Мужчины, не способные понять всей важности и значительности этой истины, лишают себя самой могущественной силы, которая могла бы еще больше способствовать их успехам.

Глава 7.

Шаг седьмой: глубины подсознания

Подсознание действует через сознание. Импульс мысли, достигающий сознания, классифицируется и записывается. Мысли могут быть извлечены из сознания или удалены из него так же, как письма из почтового ящика.

Впечатления и мысли копятся и воспринимаются независимо от их природы. Вы можете по своей воле вживить в подсознание любой план, любую мысль, любое намерение, которые хотели бы перевести в материальный или денежный эквивалент. Но учтите — подсознание реагирует прежде всего на доминирующие желания, эмоционально подкрепленные верой.

Подсознание трудится день и ночь. Методами, неизвестными человеку, оно черпает из Высшего Разума силу, способную превращать желания в реальность. При этом подсознание использует те средства, которые делают ваши цели достижимыми.

Человек не в состоянии полновластно управлять подсознанием, но он участвует в выборе рабочего материала для него. У вашего подсознания есть только ваши планы, желания и намерения. Есть множество подтверждений тому, что подсознание — связующее звено между человеческим и Мировым Разумом, оно — посредник, с помощью которого мы черпаем из источника Бесконечного Разума. Оно одно способно преобразовать наши интеллектуальные усилия в духовные. Подсознание — медиум, посредством которого молитвы возносятся к Тому, кто может их исполнить.

В НАЧАЛЕ БЫЛО СЛОВО

Возможности созидательного усилия, связанного с подсознанием, беспредельны. Они не поддаются реальному учету и вызывают трепет. Честно говоря, всегда, когда в беседе затрагивается тема подсознания, я испытываю чувство незначительности собственных возможностей, вероятно из-за того, что знания человека об этом предмете, к сожалению, весьма ограничены.

Лишь восприняв как реальность существование подсознания и его возможности как медиума, материализующего желания, вы сумеете оценить всю важность предлагаемых рекомендаций. Поймите также, почему я неустанно твержу: желания должны быть четкими. Четче, еще четче — вот видите: уже можно и записать. И будьте настойчивыми в следовании инструкциям.

Теперь о стимулах, возбуждающих в вас способность достигать подсознания и влиять на него. Не падайте духом, если не все получается с первой попытки. Поймите: вы сможете управлять подсознанием, только если это станет привычкой. Вы еще не умеете управлять верой. Будьте терпеливы и настойчивы.

Здесь я повторяю самое важное и самое главное. Это необходимо для вашего подсознания — ведь оно функционирует независимо от того, пытаетесь вы на него воздействовать или нет. И неизбежно приводит к следующему умозаключению.

Чувство страха, мысли о нищете и вообще все негативные мысли владеют вашим подсознанием, пока пищей вашего ума не станет нечто более благородное.

Подсознание не умеет бездействовать! Если вы не даете ему работы, оно будет функционировать на том, что попадет в него без вашего участия. Мы ведь уже объясняли, что импульсы мысли беспрерывно проникают в подсознание.

На данный момент вам надо запомнить, что ваше существование происходит в окружении всякого рода мыслительных импульсов, которые вступают в контакт с вашим подсознанием, не утруждая себя уведомлениями. Некоторые импульсы негативны, другие позитивны. Ваша задача — отсечь поток негативных импульсов и помочь позитивным в их благотворном влиянии на подсознание. Если вы этому научились, то считайте — ключ от подсознания в ваших руках. Теперь вы полностью в состоянии обезопасить подсознание от воздействия неблагоприятных мыслей.

Все созданное человеком берет начало во вспышке мысли. Процессу созидания предшествует процесс воображения. Контролируемое воображение лежит в основе планов, ведущих к успеху в избранном деле. Импульс мысли должен пройти сквозь воображение и соединиться с верой. Совершенно так же план, соединенный с верой, попадает в подсознание именно через воображение.

Как видите, для сознательного использования подсознания необходимо согласованное следование всем предлагаемым нами рекомендациям.

Подсознание более склонно поддаваться прочувствованным мыслям, чем мыслям-«резонеркам». Не зря же говорят, что чувства управляют людьми. Во всяком случае, мы не ошибемся, утверждая, что подсознание с гораздо большей охотой реагирует на импульс мысли, сдобренной эмоциями. Поэтому надо бы хорошенько... разобраться в наших чувствах. Человечеству известно семь основных положительных чувств и столько же отрицательных. Отрицательные нам знакомы лучше, не так ли? Они проникают в импульсы мысли сами по себе, что обеспечивает им свободный проход в подсознание. Положительные же пассивны, они с помощью методики самовнушения должны быть включены в те импульсы мысли, которые вы хотите ввести в подсознание.

Иногда мне кажется, что чувства — как дрожжи в тесте — способствуют переходу мысли из пассивного состояния в активное. А вы сами не с большей ли охотой откликаетесь на мысль, зовущую вас голосом чувства, чем на повеление «холодного рассудка»?

Итак, вы готовитесь управлять подсознанием, чтобы внушить ему желание иметь деньги и побудить материализовать это желание. Но подсознание — не та «аудитория», к которой просто найти подход. Вы должны говорить на ее языке — иначе вас не услышат. А язык подсознания — это язык чувств. Так что чувства нам никак не обойти. Давайте же назовем семь основных положительных и семь основных отрицательных чувств, чтобы вы не ошиблись в выборе, когда будете с их помощью отдавать команды подсознанию.

Семь основных положительных чувств:

☛ Желание;

☛ Вера;

- ☛ Любовь;
- ☛ Сексуальное влечение;
- ☛ Энтузиазм;
- ☛ Сентиментальность;
- ☛ Надежда.

Есть, разумеется, и другие, положительные эмоции, но эти семь наиболее сильны и часто употребимы в созидательных усилиях человека. Управляйте ими, и остальные положительные эмоции окажутся в нашем распоряжении по первому требованию. Помните в этой связи — вы изучаете книгу, которая должна помочь вам развить «мышление категориями денег», путем заполнения сознания положительными эмоциями.

Семь основных отрицательных чувств:

- ☛ Страх;
- ☛ Зависть;
- ☛ Ненависть;
- ☛ Месть;
- ☛ Жадность;
- ☛ Суеверие;
- ☛ Гнев.

Сознание не может быть заполнено одновременно положительными и отрицательными эмоциями. Что-то доминирует. Только вы ответственны за то, чтобы положительные эмоции оказывали определяющее воздействие на ваше сознание. В этом вам поможет привычка. Так сформируйте же привычку восприятия и использования только положительных эмоций! Постепенно они станут хозяйничать в сознании так полновластно, что у отрицательных эмоций не будет никакого шанса проникнуть в него.

И наконец, никогда не забывайте, что, только следуя предлагаемым здесь инструкциям системы И. Добротворского буквально и постоянно, вы сможете научиться контролировать подсознание. Иногда даже одной отрицательной мысли в сознании довольно, чтобы разрушить все положительные изменения в вашем подсознании.

ПОДСОЗНАНИЕ И МОЛИТВА

Вы наверняка заметили, что большинство людей обращается к молитве только после того, как все остальные способы оказались безрезультатными. А раз так, то именно в этот момент их сознание наполнено страхами и сомнениями — чувствами, без которых не может действовать подсознание, связываясь с Мировым Разумом. Иначе говоря, сознание наполнено чувствами, которые не воспринимаются Мировым Разумом и не побуждают его к действию! Не побуждают.

Если вы молитесь о чем-то, боясь, что Высший Разум не захочет действовать согласно вашему желанию,— значит, вы молитесь впустую. Если вы когда-либо получали то, о чем просили в молитве, вспомните состояние вашей души тогда — и вы поймете, что теория, излагаемая здесь, больше чем теория. Ведь тогда вы не боялись, а верили!

Способ связи с Мировым Разумом подобен тому, как колебания звука передаются радио. Если вы знакомы с принципом работы радио, то, конечно, знаете, что звук может быть передан, лишь когда его колебания преобразованы до уровня, не воспринимаемого человеческим ухом. Радиопередающее устройство модифицирует человеческий голос, увеличивая его колебания в миллион раз. Только таким образом энергию звука можно передавать через пространство. Преобразованная таким образом энергия поступает в радиоприемники и реконвертируется до первоначального уровня колебания.

Подсознание, выступающее как посредник, переводит молитву на язык, понятный Мировому Разуму,— доносит послание, содержащееся в молитве, и принимает ответ. Ответ бывает в форме плана или идеи по достижению цели.

Осознайте это, и вы поймете, почему одни только слова, содержащиеся в молитвеннике, не могут и никогда не смогут связать ваш разум с Высшим Разумом.

Только одно лишь механическое повторение слов не поможет. Сделайте все, чтобы для семи отрицательных чувств не было места в вашем подсознании. Удалите из сознания страх, зависть, жадность... Впрягите в дело семь положительных чувств: веру, надежду, любовь...

Нужно не просто одно только механическое повторение слов молитвы, а их соединение с абсолютной верой в исполнение и воплощение желаемого, с надеждой, энтузиазмом, а главное — с любовью к окружающим вас людям.

Глава 8.

Шаг восьмой: развивая интеллект

Итак, каждый человеческий мозг представляет собой устройство для одновременного приема и передачи колебаний мысли. Подобно радио, человеческий мозг способен воспринять колебания мысли, посланной другим мозгом. Вспомните описание работы творческого воображения и сравните с вышесказанным.

Не правда ли, творческое воображение — это своего рода «приемное устройство» сознания, куда поступают импульсы мысли, посланные другими людьми? Одновременно оно связывает аналитический ум с четырьмя источниками, стимулирующими интеллект.

Стимулируемый или ускоряемый до высокого уровня колебаний интеллект становится более восприимчивым к мыслям, поступающим из внешних источников. Этот процесс происходит через посредство положительных либо отрицательных эмоций — ведь эмоции увеличивают колебания мысли.

По интенсивности и силе побудительного воздействия сексуальное чувство возглавляет список человеческих чувств. Интеллект, стимулируемый сексуальным чувством, действует гораздо эффективнее, чем если бы это чувство оставалось в покое либо вообще отсутствовало. В результате преобразования сексуального чувства резко усиливается мыслительный процесс, что делает творческое воображение более восприимчивым. С другой стороны, хорошо работающий мозг не только притягивает посторонние идеи, но приводит себя в состояние, необходимое для восприятия этих идей подсознанием.

Итак, подсознание — это «передающее устройство» мозга, творческое воображение — его «принимающее устройство». В контексте нового понимания функционирования подсознания и творческого воображения подумайте о роли самовнушения — этого оператора, приводящего в действие вашу «радиостанцию».

Вы уже ознакомились со способами превращения желаний в денежный эквивалент. Так и управление вашей «радиостанцией» — не самая сложная процедура. Оно держится на трех китах — подсознании, творческом воображении и самовнушении. Как заставить их работать — пояснено в соответствующих главах. Но помните, все начинается с желания!

ВО ВЛАСТИ НЕВИДИМЫХ СИЛ

В течение многих веков человек слишком зависел от своих физических ощущений, ограничивая свои знания миром реального, где все можно увидеть, потрогать, взвесить и измерить.

Сейчас мы вступаем в поразительнейший из веков, открывающий возможности познания невидимых сил окружающего мира. Особенно это касается нас — жителей Москвы 2003 года. Не придется ли нам признать, переживая этот век, что «другое Я» гораздо более могущественно, чем то физическое «Я», которое мы видим в зеркале? Нередко, касаясь невидимого, не вос-принимаемого с помощью пяти чувств, люди бывают слишком легковесными. Но все мы подконтрольны неосязаемым силам.

Все человечество бессильно взаимодействовать с неосязаемой силой, воплощенной в океанских волнах. Человек не в состоянии понять силу всемирного тяготения, держащую маленькую Землю «подвешенной» в пространстве и не позволяющую людям упасть с нее. Тем более человек неспособен взять эту силу под контроль. Человек полностью подвластен силе, вызывающей землетрясения, равно как беспомощен перед силой электричества.

Слишком рано говорить о преодолении нашего невежества перед лицом природы. Ведь мы даже не понимаем силы воплощенной в почве Земли — силы, дающей человеку хлеб, питье, одежду и благосостояние.

Все мы, культурные и образованные, не понимаем ничего (или понимаем слишком мало) в величайшей из невидимых сил — силе мысли. У нас ничтожно мало знаний о мозге, о работе его тончайших механизмов, через которые мысль обретает материальные очертания. Впрочем, есть надежда, что живем мы в век, который просветит нас на этот счет. Ученые разных стран приступили наконец к действительному изучению мозга, и у нас, в России, и в США и других странах. И хотя можно сказать, что наука о мозге переживает еще дошкольный период, но уже известно, например, что число мозговых извилин, соединяющих клетки (центральное звено в понимании принципов работы человеческого мозга), равно цифре, за которой следует пятнадцать миллионов нолей.

«Цифра настолько изумляюще огромна... — говорит доктор К. Джадсон Хэррик из Университета Чикаго,— что в сравнении с ней кажутся незначительными цифры в сотни миллионов световых лет... Было установлено, что в коре головного мозга человек от десяти до четырнадцати миллиардов нервных клеток, распределенных на определенные группы. И распределение это отнюдь не хаотично. Разработанные новейшие методы электрофизиологии позволили зафиксировать движение токов между клетками с помощью микроэлектродов и определить разность потенциалов с точностью до одной миллионной вольта».

Трудно поверить, что такая сложная и хрупкая система должна существовать с единственной целью поддержания физических функций, свойственных росту и жизни организма. Разве не кажется удивительным, что та же система, которая дает миллиардам мозговых клеток связываться друг с другом, одновременно выводит их на иные неосязаемые силы?

Газета «Нью-Йорк таймс» опубликовала редакционную статью, посвященную исследованиям феноменов сознания, выводы из которой аналогичны тем, что вы можете прочесть в этой и следующей главах. Предлагаем вам статью, содержащую краткий анализ работы доктора Райта и его коллег из Дьюкского университета (США).

ЧТО ТАКОЕ ТЕЛЕПАТИЯ?

Месяц назад мы представили на страницах нашей газеты некоторые из замечательных результатов, полученных профессором Райтом и его коллегами в ходе проведения более чем ста тысяч тестов, имеющих целью выяснить — действительно ли существует телепатия и ясновидение. Общие итоги исследований были подведены в двух статьях, напечатанных в журнале «Харпер Мэгэзин».

По результатам экспериментов доктора Райта существование телепатии и ясновидения многим ученым представляется весьма вероятным. Перед испытуемыми была поставлена задача — угадать как можно больше карточек из специального набора без участия пяти чувств. Была выявлена группа людей, которые столь часто и правильно угадывали, «что не могло быть и речи о везении или случайности».

Но как они это делали? Силы, которыми они пользовались (если допустить существование оных), не похожи на чувства. Во всяком случае, нам не известен орган этих «чувств». Эксперименты удавались одинаково хорошо как на расстоянии нескольких сотен миль, так и в пределах одной комнаты. По мнению доктора Райта, эти факты опровергают объяснение телепатии и ясновидения с помощью любой физической теории. Ни одна известная форма лучистой энергии не задействована при передаче мыслей на расстоянии — с этим согласны все. Силы же телепатии и ясновидения — могут. При этом они, как и другие интеллектуальные возможности человека, напрямую зависят от его физического состояния. В противовес широко распространенному мнению, телепатическая и ясновидческая способности увеличиваются не тогда, когда человек спит или полуспит, а когда он бодр и возбужден. Профессор Райт обнаружил, что наркотики неизменно снижают, а стимуляторы всегда повышают результативность экспериментов. Интересно, что даже самые надежные участники опытов не достигают своего максимума, пока не приложат к этому все свои силы.

Один вывод доктор Райт делает с особой уверенностью: телепатия и ясновидение — суть одно и то же явление. Та же сила, которая «видит» поверхность карточек,— «читает» мысль, рожденную в сознании другого человека. Тому есть несколько доказательств. Оба дара обнаруживаются в каждом человеке, который обладает одним из них, и проявляются они практически с одинаковой интенсивностью. Экраны, стены, расстояния не служат препятствием для телепатии и ясновидения.

Мы не предлагаем вам верить в какой-либо из выводов доктора Райта, пока вы сами не сочтете это возможным. Но в любом случае согласитесь — свидетельства, собранные им, впечатляющи.

Глава 9.

Шаг девятый: открывая шестое чувство

Вы уже заметили, что в каждой главе формулируется новый принцип философии успеха. Девятый принцип — принцип шестого чувства. Именно с его помощью Мировой Разум может связаться и, собственно говоря, связывается с сознанием индивидуума без каких-либо усилий последнего.

Этот принцип — высшая точка нашей философии. Но он может быть понят и принят к действию лишь после усвоения предыдущих восьми принципов.

Когда мы говорим об области подсознания, именуемой «созидательное воображение»,— это как раз и есть шестое чувство. Мы обращались к шестому чувству, описывая «принимающее устройство», при участии которого идеи, планы и мысли вспыхивают в сознании. Эти вспышки иногда называют вдохновением. Шестое чувство не поддается описанию. Как в самом деле рассказать о нем человеку, не владеющему иными принципами нашей философии? Понимание шестого чувства приходит лишь через медитацию, через развитие сознания изнутри.

После знакомства с принципами, изложенными в этой книге, вы должны быть готовы принять как истину утверждение, которое иначе показалось бы вам бессмысленным. С помощью шестого чувства вы будете предупреждены о надвигающихся опасностях, равно как и извещены о шансах, которые нельзя упускать. С развитием шестого чувства на помощь к вам приходит ангел-хранитель, который в любое время откроет дверь в храм мудрости.

ВЕЛИКИЙ ПЕРВОТОЛЧОК

Автор не верит в чудеса и, соответственно, никого не собирается убеждать в их существовании. Моих знаний о природе достаточно, чтобы понимать — природа никогда не отступает от своих законов. Но некоторые ее законы столь сложны и труднообъяснимы, что наводят на мысль о чудесах. Ближе всего к чуду — шестое чувство. И я знаю наверняка, что есть в мире некая Сила, или Первотолчок, или Разум, пронизывающие каждый атом материи и делающие сгустки энергии воспринимаемыми для человека. Что этот Мировой Разум превращает желуди в дубы, заставляет воду падать с утесов (делая за это ответственным закон всемирного тяготения), сменяет ночь днем и зиму летом, устанавливает каждому его место и определяет его отношение к остальному миру. Этот Разум в сочетании с принципами нашей философии может помочь и вам — в превращении ваших желаний в конкретные материальные формы.

Постепенно продвигаясь по предыдущим главам, вы подошли наконец к постижению последнего принципа. Только овладение предшествующими принципами может подготовить вас к нескептическому восприятию удивительных утверждений, которые будут представлены в этой главе.

КАК ПРОБУДИТЬ ШЕСТОЕ ЧУВСТВО

Где-то в мозговых структурах затаился орган, который отвечает за то, что мы называем воображением. Науке неведомо, где он расположен, но это и не столь важно. Остается фактом, что человеческие существа способны получать информацию через источники иные, нежели их физические чувства. Такая информация чаще всего воспринимается сознанием, возбужденным более, чем обычно. Все, что заставляет сердце биться быстрее, приводит в околоаварийные ситуации, а их у нас в Москве предостаточно. Каждый, кто побывал в них, знает, что в таких случаях в доли секунды приходит на помощь шестое чувство и помогает избежать несчастья.

Шестое чувство нельзя, что называется, вытащить из кармана и включить. Умение пользоваться этой великой силой приходит медленно, через следование другим принципам системы И. Добротворского.

Кем бы вы ни были, с какой бы целью ни читали эту книгу, вы не сумеете извлечь выгоду, если не поймете принцип, описываемый в этой главе. Это особенно справедливо, если ваша цель — накопление богатства.

Я включил в книгу эту главу, потому что хотел целиком представить свою философию, следуя которой всякий без особых усилий сможет достичь в жизни того, чего у нее просит.

Отправная точка любого достижения — *страстное желание добиться чего-либо.*

Конечная же точка — *такое состояние сознания, которое ведет к пониманию; к пониманию себя, других, законов природы; состояние, которое ведет к разгадыванию и пониманию счастья.*

Но такое понимание, во всей своей полноте, приходит лишь через овладение шестым чувством.

Читая эту главу, вы не могли не обратить внимание на то, что находитесь в состоянии эмоционального возбуждения. Великолепно! Перечитайте ее через месяц — и вы увидите, что интеллект воспарит еще выше. Повторите опыт еще несколько раз — и не важно, много или мало вы будете к этому времени знать, но вы неизбежно почувствуете прилив сил. Вы будете наполняться силой, которая поможет перебороть упадок духа, победить страх, преодолеть нерешительность и в результате свободно черпать из бесконечного источника воображения. Вы почувствуете, как вас коснется крылом не имеющее имени «нечто», двигающее любым действительно великим мыслителем, руководителем, художником, ученым, музыкантом, писателем, общественным деятелем. И тогда в ваших силах будет преобразование и воплощение любой мечты. Вы соприкоснетесь с не имеющим имени «нечто» — путеводной звездой великих людей всех времен. Оно до сих пор творит чудеса в искусстве, науке и бизнесе. И Вдохновение уже не минует вас силой творческого Воображения, мощью Шестого чувства.

Часть V.

СИСТЕМА ПСИХОДИНАМИКИ «ДИНА — ПСИК»

Глава 1.

Самопроверка

Что такое «Дина — Псик»? Этим словом я обозначил собрание правил и истин, представляющих собой прекрасный рецепт успеха. «Дина» означает динамику, движение вперед с большой энергией для достижения целей. Это источник неиспользованной энергии. А «Псик» означает опору на огромные достижения в психологии конца XX века.

«Дина — Псик» — запрограммированная наука и практика достижения успеха путем планово используемых важных натуральных законов.

Сможете ли вы научиться пользоваться правилами «Дина — Псик»? Ответ короток и звучит так: «Да».

В следующих главах вы узнаете о себе такие вещи, о которых и не подозревали. Узнаете, почему ваша жизнь не сплошная полоса успехов, что привело к совершению непростительных поступков. Вы научитесь действовать, опираясь на помощь людей и обходя их противодействие.

Никогда, встречаясь со счастливым человеком, вы не скажете: «Ах, какой он счастливчик!» Не скажете, так как знаете, что счастье и неудача не имеют ничего общего с успехом или поражением. То, что мы привыкли называть счастьем,— это, по сути, только более или менее правильное использование объективных законов — интуитивное или сознательное.

Нужно помнить: способность добиваться того, чтобы все шло так, как вам хочется, не требует подключения неких новых источников силы. Тех, которые у вас есть,— достаточно.

Силы, используемые «Дина — Псик»,— как электричество. Их не нужно искать, они существуют. Прежде чем человек научился использовать уже существующие законы природы, он не мог превратить ночь в день. А сейчас каждый может щелкнуть выключателем. Прочитав всю книгу, вы научитесь использовать еще один закон природы.

Немногим из нас посчастливилось воспитываться в условиях, полезных с точки зрения процесса формирования самооценки. А самооценка, как вы уже знаете, очень важна.

Попробуйте проверить себя и охарактеризовать свою самооценку.

Пусть 0% означает вашу полную неприспособленность, а 100% будет не только вершиной ваших возможностей, но и ваших представлений. Попробуйте проверить себя в перечисленных ниже областях. Но не спешите — пусть ваша самооценка будет тщательно продумана. Вам помогут в этом пометки при каждом тесте.

ЗОНА 1
Способность делать деньги

Ваш результат, %	100	Зарабатываете столько денег, сколько можете истратить или пожелать
	90	
	80	
	70	
	60	
	50	Зарабатываете среднюю зарплату
	40	
	30	
	20	
	10	
	0	Не в состоянии вообще зарабатывать деньги

ЗОНА 2
Как вы ладите с другими людьми (кроме семьи)

Ваш результат, %	100	Вас все любят, уважают, вами все восхищаются
	90	
	80	
	70	
	60	
	50	Вас, в общем-то, любят; у вас обычное количество друзей и знакомых
	40	
	30	
	20	
	10	
	0	Вас никто не любит; вы не можете общаться ни с кем, даже короткое время

ЗОНА 3
Способность повести за собой

Ваш результат, %	100	Какое бы дело вы ни затеяли, люди всегда следуют за вами. При любых выборах — выбирают именно вас
	90	
	80	
	70	
	60	
	50	Люди охотно с вами соглашаются, когда вы предлагаете пойти в кино, на обед и т. п.
	40	
	30	
	20	
	10	
	0	Вы не можете вспомнить ни одного случая, чтобы кто-то сделал то, что вы предложили

ЗОНА 4
Спортивные способности

Ваш результат, %	100	В случае спортивных состязаний вы показываете высокий профессиональный уровень
	90	
	80	
	70	
	60	
	50	Вы достигли среднего уровня. Большинство людей могут делать то же самое
	40	
	30	
	20	
	10	
	0	У вас нет никакого любимого спортивного занятия

ЗОНА 5
Отношения в семье

Ваш результат, %	100	Ваши семейные отношения настолько прекрасны, что у вас нет конфликтов и разногласий
	90	
	80	
	70	
	60	
	50	Ваши отношения в семье лучше, чем у большинства ваших знакомых
	40	
	30	
	20	
	10	
	0	Вы вообще не в состоянии общаться со своей семьей

ЗОНА 6
Ваш профессиональный уровень

Ваш результат, %	100	Вы лучший в своей профессии из всех, кого знаете, и даже из тех, о ком слышали
	90	
	80	
	70	
	60	
	50	Вы средний в своей профессии
	40	
	30	
	20	
	10	
	0	Вы настолько плохи профессионально, что вообще не имеете права получать зарплату

ЗОНА 7
Способность убеждать

Ваш результат, %	100	Вы смогли бы продать холодильник эскимосу. Вы без труда убедите скупого отдать вам сбережения всей его жизни. Вы могли бы убедить политического фанатика голосовать за его противника
	90	
	80	
	70	
	60	
	50	Вы не особенно убедительны, но не хуже других
	40	
	30	
	20	
	10	
	0	Вы не можете припомнить, чтобы вам удалось убедить кого-то сделать то, чего он поначалу не хотел делать

ЗОНА 8
Личное счастье

Ваш результат, %	100	Вы всегда выигрываете. Лотереи, пари, рулетка созданы для вас. Счастье не покидало вас никогда
	90	
	80	
	70	Иногда вы можете проиграть в чем-то незначительном, но в серьезных делах вы имеете успех

Ваш результат, %	60	
	50	Вам везет в той же степени, что и всем
	40	
	30	
	20	
	10	Если есть какая-то вероятность, что ваши дела пойдут плохо, то так оно и случается
	0	Вы родились под несчастливой звездой

ЗОНА 9
Сообразительность

Ваш результат, %	100	Здесь речь не об образовании и не о том, как вы делаете свое дело. А о том, как быстро вы умеете оценить ситуацию, как быстро схватываете то, что вам говорят. Еще не родился человек, который мог бы вас обмануть
	90	
	80	
	70	
	60	
	50	Вы не сообразительнее, но и не глупее других
	40	
	30	
	20	
	10	
	0	Нет, это не можете быть вы! Иначе вы не вникли бы в возможности, которые вам дает эта книга!

ЗОНА 10
Какими вас видят другие люди

Ваш результат, %	100	Каждый, кто с вами встречается, должен признать ваше превосходство. И люди ничего не могут поделать — они должны с этим примириться
	90	
	80	
	70	
	60	
	50	Нередко люди считают, что вы успешнее, чем они
	40	
	30	
	20	
	10	
	0	Вы убеждены, что каждый смотрит на вас свысока и думает, что вы хуже во всех отношениях

Сейчас подсчитайте все очки по зонам, а полученную сумму разделите на 10.

Зона 1...
Зона 2...
....
Зона10...
Общий результат: ...
Это — коэффициент вашей самооценки.

Теперь возьмите результаты трех зон — 1, 2, 7. Сложите их и разделите на 3. Потом результат предыдущего теста запишите справа.

(Зона 1 + Зона 2 + Зона 7) : 3 = ...

Правая сторона — результат предыдущего теста.

Итак, результат слева говорит о том, как идут дела,— это оценка вашего актуального ощущения успеха.

Как этот результат относится к вашей общей самооценке, говорит результат с правой стороны. Если сумма слева ниже правой, значит, вы не добиваетесь успехов, которых заслуживаете. Однако моя задача — убедить вас, что сумма справа занижена, то есть вы заслуживаете большего успеха, чем вам кажется.

Резюме:

1. Большинство людей имеют заниженную самооценку. За исключением людей успешных.
2. К успеху ведет коррекция самооценки.
3. Ваше нынешнее ощущение успеха определенно ниже, чем это следовало бы, из-за заниженной самооценки.
4. «Дина — Псик» может исправить как вашу самооценку, так и чувство успеха. С этого момента принимаемся за дело. Спрячьте результаты, а через 90 дней (3 месяца) повторите тест еще раз — и вы увидите потрясающую разницу.

Глава 2.

Шаг за шагом

Чего вы хотите? Работа начинается с того, что вы должны ответить на этот вопрос откровенно и исчерпывающе. Сейчас вам нужно начать составление полного списка ваших желаний. Сначала условимся, что точность требует простоты.

Упростить составление списка ваших желаний можно следующим образом. Поделим возможные желания на несколько категорий. Прочитайте медленно и внимательно данный ниже список, составляя одновременно свой.

То, что необходимо немедленно

Предложение *Ваши потребности*

Новый костюм
Новый холодильник
Новая стиральная машина
Ремонт автомобиля
...
Новая мебель
Визит к стоматологу
что-либо еще
из текущих потребностей.

Внимание! Не ограничивайте себя. Включите в список ВСЕ свои желания!

Список готов? Переходим к следующему. Это список не ваших нужд, а только желаний. Пусть только небо вас ограничивает. Все, что желаете сейчас или в будущем.

То, что хотелось бы иметь

Предложение *Вы хотите*

Дача
Автомобиль
Отпуск за границей
...

Если вы задумаетесь, то окажется, что среди ваших желаний есть многое, чего нельзя купить за деньги, но без чего настоящее счастье невозможно.

Кроме вещей, люди обычно желают иметь разные черты характера. Есть много иных ценностей, неощутимых — но желанных.

Это уважение, дружба, доверие, любовь — то, чего бы мы хотели от окружающих. Чтобы образ нашего успеха был полон, нужно составить еще один список.

Желаемые личные черты

Предложение	*Вы хотите*
Способность к концентрации	
Вера в свои силы	
Сила воли	
Более творческий ум	
Способность к руководству	
Хорошее здоровье	
Большой энтузиазм	
Настойчивость	
Большее дружелюбие	
Более гибкая реакция	
…	

Итак, вы имеете первый этап реализации планов на будущее, что является основным условием использования «Дина — Псик». Вы составили список важных для вас пожеланий.

Следующим этапом будет трансформация списков в такую форму, чтобы можно было постоянно ими пользоваться. Иначе говоря, мы должны трансформировать свободные по форме списки в конкретные цели. Сделаем так, чтобы это не противоречило вашему образу жизни.

Ниже предлагается примерный ход трансформации списка желаний в собрание целей. Возьмите по очереди каждое из желаний и проведите их через предложенную ниже схему. Возможно, для этого вам придется некоторые желания слегка модифицировать. Почему бы и нет? Когда каждое из желаний пройдет этот экзамен, перепишите их заново. Это и будет список ваших целей.

Это один из важнейших этапов вашей работы. Все должно быть записано, иначе не удастся использовать списки в следующий раз. Если вы их не проведете через данную ниже процедуру, вам не удастся их правильно использовать, а потому они будут менее эффективны.

1. Правда ли, что вы хотите этого?

А может быть, это просто красиво звучит? Цель не должна быть маленькой — так, для начала. Это должна быть настоящая цель, иначе вы не будете достаточно сильно к ней стремиться.

2. Не противоречит ли эта цель другой из списка?

Например, вы хотите дом за 250 тысяч долларов при годовом доходе в 20 тысяч. Выход: нужно увеличить желаемые доходы.

3. Есть ли проблемы с координацией целей?

Возможно, семья воспротивится достижению этих целей? Поговорите с семьей и, возможно, скорректируйте цели.

4. Цель эта позитивна или скорее негативна?

Как уже было сказано — это должно быть нечто, что вы хотите приобрести, а не нечто, от чего хотели бы избавиться.

5. Четко ли сформулированы ваши цели?

«Нет» — если вы хотите большой автомобиль, большой автомобиль за 30 тысяч долларов, большой «мерседес». «Да» — если вы хотите новый черный «мерседес» модель «600 SEL», оснащенный... — прошу перечислить все подробности.

6. Реалистичны ли ваши цели?

Имею в виду только то, способен ли человек в принципе реализовать эту цель. И дело здесь не в том, реалистично ли это сейчас. Нереально: хотел бы летать в воздухе без помощи самолета, без всяких приспособлений. Реально: хотел бы пилотировать собственный самолет. Если цель реалистична для кого-либо другого, то она реалистична и для вас.

7. Достаточно ли честолюбивы ваши цели?

Этот пункт очень важен, но часто неправильно понимается. Разрешите на нем задержаться, прежде чем идти дальше. Это последний шанс вас уговорить, чтобы вы не ограничивали себя.

Если вы пожелали повышения в должности, зарплаты на 50% либо повышения на одну ступень — цель недостаточно честолюбива! Вы считаете потолком то, что представляет собой пол.

Поднимайте планку своих целей высоко! На уровень того, что могли бы иметь, а не того, что можете. Убедитесь, что ваши цели — честолюбивы. Нет таких целей, которые были бы нереалистичны для вас, если другие их достигают.

И не нужно ломать голову, думая над способами реализации. Это не ваша проблема — это моя проблема. Я вам обещал «все, что вы действительно хотите». Все, что мне требуется от вас сейчас,— это составление полного и подробного списка, а не оценки, в состоянии ли вы этого добиться. Как это сделать — я покажу вам, когда вы определитесь в своих желаниях.

8. Учли ли вы в списке желаний свои личные качества?

Если, к примеру, вы хотите изменить свое окружение на такое, в котором будут необходимы упорство и уверенность в себе, то придется внести эти качества в список. И не беспокойтесь, что это желание там оказалось,— пригодится.

9. Форма записи целей.

Вы должны писать о своих целях так, будто вы их уже достигли.

Не пишите: хотел бы... хочу... ни даже: требую... Пишите: имею... являюсь... обладаю... Например: имею новый «мерседес», черный, модель «600 SEL», оснащенный... Я эффективно действующая личность, всегда заканчиваю то, что начинаю.

Внимание! Форма эта необходима в связи с будущим психологическим воздействием, на которое будем опираться.

Есть еще некоторые требования, которые я просил бы вас учесть при составлении списка. Я бы назвал их визитной карточкой списка, так как они являются основой, на которую опираются все остальные цели.

Начните список следующим образом:

1. Каждый день, когда я выполняю эту процедуру, разработанную для моего совершенствования, я становлюсь более эффективным, более способным к деятельности без ограничений.

2. Достижение моих целей не должно вредно воздействовать на других людей. Я являюсь дружественной, теплой, любимой всеми личностью. Успех мой и так гарантирован, поэтому мне не требуется никого огорчать. Скорее я должен помогать всем, ничего не говоря о своих добрых поступках.

3. Начинаю думать о себе как о человеке успеха уже сейчас. Порываю с моим образом, который создал себе еще в детстве. Я ничем не ограничен.

А теперь допишите свои цели — те, которые соответствуют вашим требованиям и желаниям, а также те, которые говорят о приобретении полезных черт личности. Напишите их своими словами, заботясь о том, чтобы это были цели положительные, поданные в подробностях и в такой форме, будто бы они реализованы.

Можете воспользоваться предложенными формулами или подготовьте собственные.

Концентрация. Я в состоянии сконцентрироваться на любой теме, в любом месте и в любое время. Когда я сосредоточусь на чем-либо, ничто уже не в состоянии отвлечь меня. Концентрируюсь только на существенных вещах — и тогда весь мир не в состоянии мне помешать.

Эффективность. Я необычно эффективен во всем, что делаю. Я использую каждую минуту. Работаю эффективно даже в плохие периоды. Всегда достигаю намеченного результата в самые короткие сроки и растратив минимум энергии.

Смелость. Смело берусь за любые проблемы и поэтому преодолеваю трудности.

Уверенность в себе. Я абсолютно уверен в себе во всех ситуациях и по отношению ко всем людям.

Самоуважение. Считаю, что я, а также мои цели заслуживают уважения. Я не уступаю лучшим в этом мире и действительно заслуживаю похвалы.

Упорство. Легко довожу до конца все, что бы ни начинал.

Успех. Достигаю успеха во всем, за что ни возьмусь. Моя жизнь богата предметами и ценностями, необходимыми для того, чтобы чувствовать себя счастливым.

Искренность. Я честен перед собой, а потому честен и по отношению к другим людям.

Хорошая организованность. Я сумел разумно организовать все области моей жизни.

Творчество. Так как все проблемы, с которыми мне приходится сталкиваться, я считаю поводом для творчества, моя жизнь становится более богатой. Я — творческая личность в любой области. Каждую работу начинаю с обдумывания: можно ли ее сделать лучше. У меня необычная способность к творческому решению проблем. Осознание моих способностей воздействует на насыщение творческих возможностей новыми идеями.

Энергия. Я обладаю неисчерпаемыми запасами энергии. Я знаю, что чем больше энергии я затрачу на реализацию задания, тем больше энергии я буду в состоянии вложить и в следующие проекты. Начинаю работать с энтузиазмом, и мой энтузиазм растет, активизируя мою энергию. Ее источники увеличиваются путем постоянного тренинга. Я знаю, что мой энтузиазм увеличивает энергию, а энергия увеличивает мой энтузиазм. У меня неисчерпаемая энергия, и я трачу ее без ограничений.

Уверен, что за все, что получаю, я должен заплатить энергией, я охотно отдаю ее, зная, что чем больше ее отдам, тем больше я смогу ее иметь в будущем.

Самосовершенствование. Я стараюсь быть все лучше в различных областях моей жизни.

Память. У меня прекрасная память, но только в делах актуальных. Я держу в памяти всякий опыт, приобретенный мной. Моя память улучшается с каждым днем.

Красноречие. Я прекрасный оратор, хорошо подготовленный и опытный. Я знаю суть вещей и знаю, что каждый меня охотно слушает.

Чтение. Я читаю быстро, легко понимаю смысл и запоминаю.

Эмоции. Легко выражаю свои эмоции. Когда я не в духе, не скрываю этого. Когда я счастлив, то тоже не стесняюсь этого. Когда мне грустно, могу всплакнуть. Способность не стесняться эмоций — свидетельство зрелости.

Релаксация. Я могу расслабиться в любых условиях и так глубоко, как захочу. Это позволяет мне сэкономить энергию.

Принятие решений. Могу быстро принять решение, если только уверен, что имею все нужные данные. Знаю: чем быстрее принято решение, тем оно лучше. Всегда знаю, что делать потом. Благодаря быстрому принятию решений, я необычайно эффективен. Моя способность принимать решения всегда наготове. Чем сложнее проблема, тем с большим энтузиазмом я берусь за нее, а это еще больше стимулирует мою эффективность.

Отношение к себе. Очень люблю себя. Это ощущение сопутствует мне постоянно, я доволен своим поведением.

Цели. Цели ставлю перед собой высокие, и, несмотря на это, все получается быстро и легко. Я быстро совершенствуюсь, так как мои цели скоординированы.

Способность предвидеть. Я умею предвидеть события. Мои планы опираются на идеалы, которые в состоянии поддерживать мой энтузиазм до конца.

Хладнокровие. Я всегда способен сохранять присутствие духа. Я принимаю вызов спокойно и с легкой душой. Я знаю, что всегда, когда группа людей участвует в разрешении проблемы, взаимное неприятие между людьми неизбежно. Я сохраняю хладнокровие в любых ситуациях.

Интерес к людям. Я охотно встречаюсь с людьми. Моя искренность приводит к тому, что они хорошо себя чувствуют в компании со мной и доверяют мне. Я искренне интересуюсь другими людьми. Я нравлюсь людям. Люди любят меня.

Планирование. Я всегда планирую свою работу: на сегодня, на завтра и на будущее. Я работаю, помня о своих целях, чтобы быть в состоянии двигаться вперед.

Гордость. Я горжусь хорошо сделанной работой. Гордость для меня — одна из наград.

Качество работы. Я терпелив и даже монотонную работу выполняю превосходно. Я развиваю свои умения и повышаю качество своей работы.

Хороший старт. Я всегда энергично начинаю каждый день, что позволяет мне добиваться цели.

Саморазвитие. Я систематически читаю книги и журналы, что увеличивает мои потенциальные возможности.

Побуждение других. Я учу других пользоваться моими трудами. Я одариваю доверием всех, кто хочет мне помочь. Доброжелательность других мне необходима для успеха.

Самодисциплина. Я знаю, что могу делать все, что должен. А должен я делать то, что сам решил.

Целеустремленность. Каждый день я устремляюсь к цели. Часто я отказываюсь от минутных утех, стремясь к определенным идеалам.

Трудолюбие. Я очень люблю работать. Мой девиз: желать — значит мочь.

Миролюбие и сердечность. Я очень спокойный и сердечный человек. Всем этим я щедро делюсь с другими людьми.

Разрешите задать вам пару вопросов. Исходя из ответов, можно будет сказать, каких черт вам не хватает больше всего.

Отвечайте «да» или «нет», не анализируя.

1. Должны ли бездетные люди платить налоги на школу?

2. Должны ли вы узнать мнение других людей, прежде чем принять решение?

3. Предпочтете ли вы, чтобы люди скорее перестали любить вас, чем чтобы они смотрели на вас свысока?

4. Считаете ли вы себя хорошим оратором?

Ответы на эти вопросы характеризуют ваши способности руководителя. Если ваши ответы соответствуют приведенным ниже, то вам не нужно развивать эту черту. Если же не соответствуют — придется развивать пропорционально несоответствию.

1. «Да».
2. «Нет».
3. «Да».
4. «Да».

5. Читаете ли вы по меньшей мере 10 книг в течение года?

6. Если вы столкнулись с проблемой, то можете ли решить ее под влиянием минутного импульса?

7. Любите ли вы заниматься научными исследованиями?

8. Считаете ли вы, что учителя часто чересчур много требуют от учеников?

Интеллигентность. Если ответы соответствуют — то у вас есть эта черта и вы ее используете.

Если нет, то вам придется поработать над ее развитием.

5. «Да».
6. «Нет».
7. «Да».
8. «Нет».

9. Всегда ли вы стараетесь делать работу лучше, чем это от вас требуется?

10. Нравилось ли вам, когда в школе перед одноклассниками читали ваши сочинения?

11. Верите ли вы, что иногда лучше быть бедным, чем богатым?

12. Считаете ли вы, что планирование деятельности может отнять часть наслаждения?

Амбициозность. Вам придется включить эту черту в список необходимых, если ваши ответы не соответствуют приведенным ниже.

9. «Да».
10. «Да».
11. «Нет».
12. «Нет».

13. Если цены высоки, то вините ли вы кого-либо, что он умеет делать деньги?

14. Считаете ли вы, что каждый должен убирать улицу перед домом или свою лестничную площадку?

15. Считаете ли вы, что каждый должен заботиться о себе сам, не рассчитывать на чью-либо помощь (например, государства)?

16. Чувствуете ли вы свою вину, если не принимали участие в выборах?

Ответственность. Уровень несоответствия ваших ответов с приведенными ниже говорит о необходимости приобретения этой черты.

13. «Нет».
14. «Да».
15. «Нет»
16. «Да».

17. Считаете ли вы, что сейчас такие же возможности для честолюбивой личности, как были раньше?

18. Думаете ли вы над тем, как поступить, чтобы получить похвалу за работу?

19. Нервничаете ли вы, если вам приходится с кем-либо соревноваться?

Вера в успех. Ответы, отличающиеся от данных ниже, свидетельствуют о том, что придется поработать над этой чертой.

17. «Да»
18. «Нет».
19. «Нет».

Надеюсь, что этот анализ помог отыскать несколько скрытых от вас проблем. Проверьте список своих целей и снова перенесите их на бумагу в исправленной форме.

Предупреждение. Никому не говорите о своей программе. Исключение может быть сделано лишь для тех, кто занимается тем же, что и вы. Но заниматься по программе смогут только имеющие эту книгу, да и то не все, а те, кто принял решение. Временная скрытность важна: вы в начале пути, и ваш замысел в какой-то критический момент может оказаться разрушен сомнениями.

Дайте себе шанс. Не позволяйте никому удерживать вас на только что начатом пути к успеху. Подождите какое-то время, пока вас не начнут расспрашивать о ваших достижениях.

* * *

Следующий этап — Ежедневная Декларация.

Если вы выполнили мои рекомендации, то перед вами лежит список целей. Они позитивны, полны и составлены в соответствующей форме. Процесс проникновения в них начинается с Ежедневных Деклараций. Вот как их нужно выполнять.

1. Проснувшись, прочитайте список целей в их позитивной, полной форме. Если это возможно, лучше это делать вслух. Если нет, хотя бы беззвучно двигайте губами. Это придает ежедневному чтению некую физическую форму.

2. После прочтения каждого пункта задержитесь на одну минуту и представьте их как можно яснее и отчетливее. Мысленно представьте машину, квартиру, офис с вашей фамилией на двери. Прикоснитесь к рулю машины, пройдитесь по квартире, почувствуйте деньги в кошельке (сумке, портфеле), пересчитайте их.

Каждый вечер:

Перед сном, несмотря на усталость, повторите все, что сделали утром.

Так как вам придется проводить Ежедневные Декларации возможно более эффективно, разрешите привести два примера правильно сформулированных целей вместе со способом их Декларации. Один касается физической вещи, а второй — черты характера; первый — необходимости оплаты счетов за квартиру, электроэнергию, телефон и детский сад; второй — также с необходимости большей уверенности в себе.

Итак, правильно сформулированные Ежедневные Декларации:

1. Счет за квартиру — 50.
Счет за телефон — 75.
Счет за детский сад — 130.

2. Каждый день убеждаюсь: то, что я делаю и думаю,— правильно. Я уверен, что в состоянии отлично делать все.

Первая Декларация зачитывается вслух. Далее вы представляете себе, что видите каждую квитанцию по отдельности, с проштампованной печатью.

Потом читаете вторую Декларацию — медленно, вслух, стараясь понять смысл каждого слова. Потом представляете себе ситуацию, где бы эта черта проявилась. Будучи уверенными в себе, вы пытаетесь убедить в чем-то начальника, стараетесь продать какую-нибудь вещь сотрудницам на работе. При этом вы полностью уверены в себе и тем самым получаете желаемый результат. Во время этих фантазий в вашем подсознании появляется ваш точный образ (как человека преуспевающего, уверенного в себе), сформированный еще в детстве.

Так нужно поступать с каждой целью, включенной в список. Процесс выполнения Ежедневных Деклараций абсолютно необходим в практике «Дина — Псик».

Вниманию скептиков. Именно в этот момент какая-то часть людей начинает склоняться к мысли: «Это сны наяву», «Это груши на вербе», «Это звучит смешно». Если к ним примыкаете и вы, то разрешите посоветовать: отбросьте на время скептицизм и дайте себе шанс. Здесь дело не в репутации «Дина — Псик», с ней все в порядке. Это доказывают мои жизненные успехи. Скептический отказ хотя бы попробовать лишит вас в очередной раз шанса на успех, углубляя к тому же ваши самоограничения.

Посмотрите на это следующим образом: вы ничего не теряете, за исключением времени. Даже если вы считаете, что шанс выиграть невелик, все равно лучше попытаться, ибо награда огромна. Мир везения и счастья ждет вас. Не попробовать — это то же самое, что отказаться даже от возможности успеха.

Как долго придется заниматься? Ответ на этот вопрос зависит от следующих условий:

1. Насколько неверна ваша сегодняшняя самооценка?

2. Сколько времени займет становление настоящей самооценки?

Не боитесь ли вы подлинного успеха?

Как тяжело гнетет вас бремя прошлых поражений?

Регулярно ли вы выполняете Ежедневные Декларации?

Видите ли вы действительно в своих фантазиях уже достигнутые вами цели?

Насколько вы готовы распрощаться со своим прошлым и жить сегодня с Ежедневными Декларациями (ЕД)?

Глава 3. Можно ли ускорить свое продвижение к успеху?

Да! Да, существует метод, который позволит добиться требуемых изменений в жизни еще быстрее, чем с помощью ЕД. Способ этот похож, но отличается способом осуществления и степенью прикладываемых усилий. Представьте, что ЕД — это сила, связанная с 220-вольтовым напряжением. Сверхвоздействие (СВ) же, о котором будет сейчас идти речь, можно сравнить с 380-вольтовой силой. СВ в состоянии еще больше ускорить ваше продвижение. Использование этого метода обеспечивает максимальную скорость.

Прежде чем вы познакомитесь с основами употребления СВ, нужно знать его ограничения. СВ употребляется только для достижения требуемых черт характера, а не материальных целей. Более того, СВ нельзя употреблять с целью приобретения вещей, иначе оно может навредить вашей способности к их получению. И вот почему. СВ создает веру в то, что вы уже имеете нечто необходимое вам. Выгодно это только в случае психологических черт, ибо вы начинаете вести себя так, будто уже имеете эту черту и сразу набираете очки. Однако, если в вашем подсознании укоренилось, что вы уже имеете и желанную зарплату, и ездите на автомобиле вашей мечты, ваша мотивация будет невысока.

Помните, что подсознание не поддается логике. Если во время ЕД мы повторяем, что нечто у нас уже есть, то наше сознание передает эту информацию на низшие этажи сознания. В это время вся система может скоординированно работать с целью достижения поставленных целей.

Разницу можно подсчитать следующим образом.

ЕД — Ежедневные Декларации

СВ — Сверхвоздействие

Повторяется не менее двух раз в день (утром, вечером и когда захочется). Можно иметь ЕД на карточке и обращаться к ним в любое время. Можно использовать только один раз в день. Выберите себе постоянное и удобное для вас время.

ЕД применяются для приобретения вещей, необходимых в обеспечении вашего счастья (квартира, машина и др.), а также для формирования черт характера, продуктивности, работоспособности и т. п., СВ можно применять только для формирования черт характера, а не для приобретения вещей. Использование СВ для приобретения вещей является тем же самым, что включение магнитофона в сеть 380 вольт.

Чтобы понять необходимость некоторых условий СВ, давайте рассмотрим, как они действуют. В этом деле поможет схематическое отображение уровней сознания, какими может обладать человек.

На одном конце шкалы находится сознание (100%) — состояние полной готовности, когда может возникнуть даже мышечное напряжение.

100% сознания

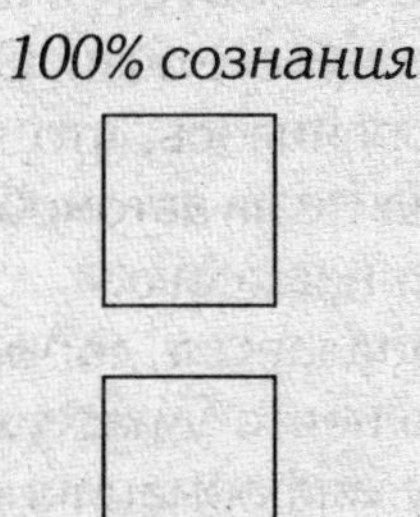

Полное сознание
Концентрация
Легкое напряжение мышц

Сознание
Погруженность
Небольшая напряженность

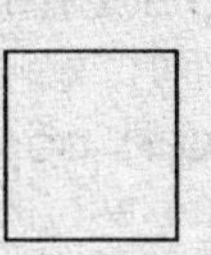

Полусон
Только в некоторой степени вы способны определить, что творится вокруг

Легкий сон

Глубокий сон

Кома — разбудить невозможно

0% сознания

Лучшим примером состояния готовности (100%) может быть сознание спортсмена-профессионала во время соревнований в таких видах спорта, которые требуют полной концентрации.

На другом конце шкалы находится глубокая спячка (кома) — состояние такой бессознательности, что даже медицинская помощь бессильна.

Попробуйте представить себе, как вы будете реагировать на побуждение, идущее от некоего внешнего источника, если вы находитесь на том или ином уровне.

Классный спортсмен в состоянии концентрации так сознательно господствует над тем, что он делает, что его не могут отвлечь даже крики болельщиков. Он не обращает внимания даже на зрителя-фанатика.

Тот же атлет, вырванный из здорового сна, может быть введен в заблуждение фальшивым побуждением: например, вырваться из охваченного огнем дома. Каждая мышца его тела будет реагировать неосознанно, только под влиянием побуждения.

Эти два примера — неприятие побуждения во время спортивных соревнований и приятие в состоянии полусна — могут быть использованы в Сверхвоздействии.

В обоих примерах один и тот же мозг подвергался внешнему побуждению. Единственное отличие — в состоянии этого мозга.

В состоянии полного сознания побуждение было отброшено. В случае же принятия побуждения мозг находился в состоянии более низком. Как видно, такое состояние значительно более податливо на побуждение. Нужно добавить, что во втором случае побуждение было ясным и на него не влияли внешние условия.

Использование СВ требует условий, оптимальных с точки зрения принятия воздействия. Кроме соответствующего состояния мысли, воздействие должно быть подано в возможно более эффективной форме.

Если вы учитесь пользоваться СВ, то лучше всего поступать следующим образом:

1. Сядьте в темном помещении.
2. Примите удобное положение, расслабьте мышцы.

3. Закройте глаза.

Осуществляя эти шаги, вы стремитесь максимально уменьшить влияние внешних воздействий. Не нужно ложиться. Вы будете перемещаться по шкале сознания, и существует опасность, что вы уснете.

У некоторых людей могут быть проблемы с расслаблением мышц. Для них предлагаются следующие упражнения.

Сидя в кресле, представьте себе по очереди разные части своего тела. Начните с кончиков пальцев рук. Почувствуйте, что они все более свободны. Затем переходите к кистям рук, локтям, плечам... По мере приближения к макушке головы наступит расслабление.

Расслабление мышц — это половина дороги к достижению состояния, соответствующего СВ. После мышечного расслабления нужно спокойно начать считать от 1 до 20. Так вы перемещаетесь вниз по шкале сознания. К 20 вы будете там, где должны быть.

Теперь вы можете воспользоваться материалами (текстом) СВ, которые подготавливаются заранее.

ПОДГОТОВКА СВЕРХВОЗДЕЙСТВИЯ К РАБОТЕ

Прежде всего выберите черту, которую вы хотите совершенствовать. Так как в данный момент вы можете работать только над одной из целей, то выберите наиболее достижимую. Вы будете совершенствовать ее до тех пор, пока не достигнете успеха.

У вас есть материал, описывающий требуемые качества — образ положительной цели в совершенной форме. Выберите из описания два-три ключевых слова, которые могли бы выполнять роль кода.

Прежде чем приступить к организации условий, нужных для достижения соответствующего состояния сознания, вы должны прочитать всю декларацию. По достижении сниженного сознания вы повторяете только ключевые слова. Произнося их в состоянии, поддающемся воздействию, вы будете вводить всю декларацию в подсознание с силой, о которой не подозреваете.

6-шаговая модель использования Сверхвоздействия:

1. Выбираете желаемую черту характера, которая больше всего требуется.
2. Выбираете ключевые слова для употребления в виде кода в состоянии сниженного сознания.
3. Закрываетесь в тихом, затемненном помещении. Принимаете удобное положение и расслабляете мышцы.
4. Старательно читаете всю декларацию. Запоминаете ключевые слова, погружаясь в состояние сниженного сознания при счете от 1 до 20.
5. Повторяете тихо ключевые слова, тем самым размещая всю декларацию в своем подсознании.
6. Возвращаетесь в полное сознание, зная, что стали более внимательны, более свободны, более энергичны, чем когда-либо прежде.

Эффективность СВ определяется практикой. Одним это дается легче, другим труднее, быстрее или медленнее, но в результате каждый может научиться быстро и уверенно погружаться в требуемое состояние сознания.

Что чувствует человек в этом случае? Некоторые пытались рассказать о своих ощущениях. В их ответах есть одинаковые элементы: расслабленность, бесчувственность тела, легкая дремота, некоторая отстраненность от стрессов и впечатлений бегущего дня. Погружение в это состояние будет идти все легче и быстрее.

Это как будто вы ищете дорогу в темноте: с трудом и медленно — в незнакомой местности, легко и уверенно — после многократных поездок.

ОДНО СЛОВО ПРЕДОСТЕРЕЖЕНИЯ. Нельзя перестараться. Это может все испортить. Состояние должно быть результатом расслабления, а не концентрации.

Хочу напомнить еще раз: эта методика не имеет смысла в достижении высоких заработков, приобретения машины или новой квартиры. Эти потребуют определенного времени. В то же время изменить свою личность можно очень быстро. Так быстро, как вы себе это запланируете.

Кроме приобретения требуемых черт характера, СВ можно использовать и для достижения других ценностей.

Примеры использования СВ

Страх перед стоматологом	Перед визитом СВ ликвидирует боль
Важная и трудная работа поздно ночью	Сверхвоздействие внимания и концентрации
Сонливость за рулем машины	Две-три минуты СВ на обочине
Собеседование перед приемом на новую работу, беспокойство, тревога	СВ успокаивает и уравновешивает
Бессонница	СВ даст глубокий и спокойный сон
Страх	СВ в состоянии полностью избавить от страхов, волнений и тревог

Дополнительным эффектом, который вы приобретете вместе с легкостью погружения в состояние сниженного сознания, будет усиление ваших чувств. Вы станете более свежими, полными бодрости и энергии. Будете более счастливы и уверены в себе.

Возвращаясь в полное сознание путем счета от 20 до 1, на числах 10 и 5 задержитесь и проговорите еще раз ваши ключевые слова. Кроме работы над требуемой чертой, вы получите и более хорошее самочувствие.

Как уже говорилось, СВ выполняется один раз в день. В то же время погружение в состояние неполного сознания можно осуществлять много раз в сутки. Это относится, например, к перечисленным выше случаям (визит к стоматологу, бессонница...).

Лучше всего обращаться к СВ отдохнувшим, а также до определенной степени возбужденным и внимательным. Встав с постели, сразу после приема пищи, а также поздней ночью — не стоит заниматься СВ.

ПОДВЕДЕНИЕ ИТОГОВ

У вас в руках два инструмента системы «Дина — Псик»: Ежедневные Декларации и Сверхвоздействие. Как вы уже заметили, их влияние распространяется на сознание и подсознание.

В следующей главе вы познакомитесь с третьим инструментом «Дина — Псик».

Глава 4.

Ваш подсознательный компьютер

Она из наиболее часто выполняемых вами работ — это принятие решения. Нет человека, который бы постоянно не делал этого. Простейший пример — принятие решения о том, есть или пить, либо что есть и что пить. Хотя вы и не придаете большого значения этим решениям — от этого они не перестают быть решениями, важными с точки зрения вашего существования.

Почти все жизненные функции, кроме дыхания, сердцебиения и т. п., связаны с принятием решения, а часто и целой их серии. Даже такое простое действие, как почесывание носа. Сначала мозг воспринимает сигнал зуда. Вы принимаете решение: почесать нос ладонью или рукавом, а может быть, пальцем? Если пальцем, то каким, какой рукой? Как сильно и как долго? Свободна ли рука или нужно что-то отложить в сторону, либо переложить в другую руку? Как видим, даже такое простое действие требует принятия многих решений. Но это только их часть. Вашему мозгу еще нужно произвести огромное число расчетов, чтобы суметь правильно реализовать принятое решение: как высоко поднять руку, каков должен быть путь руки с пальцами, каков должен быть изгиб руки и пальцев для достижения нужной точки на носу, которая к тому же не видна. Математически это похоже на расчет встречи двух космических кораблей в безвоздушном пространстве.

Количество параметров, необходимых Центру управления полетами для выполнения этой задачи, огромно. А вы делаете это без труда и очень часто. Не существует в природе такого компьютера, который был бы в состоянии запрограммировать и исполнить эту операцию за такое короткое время.

Расчет и реализация космического путешествия — не самая трудная задача с точки зрения вычислений и решений по сравнению с тем, что делает ваш мозг во время ежедневной дороги на работу. Ваши решения требуют больших вычислений и опираются на большее количество данных, должны быть выполнены моментально и учитывать множество дополнительных факторов.

Вывод прост: еще не создан компьютер, который по сложности и эффективности приблизился бы к человеческому мозгу.

Третий метод, применяемый «Дина — Псик», состоит в создании сознательного доступа к «компьютеру» вашего мозга. Обычные люди никогда не пользуются своим Подсознательным Компьютером. С момента, когда они начинают это делать, они перестают быть обычными людьми.

Многие великие личности пользовались, скорее всего, своим Подсознательным Компьютером. Они открыли его случайно. Вы же научитесь использовать его сознательно: в таких случаях нужно одно из двух: 1) или приводятся цитаты из их «записей» — конкретно, со ссылками на источник — где это читали (интересно, где можно прочесть записи Моцарта?); 2) или не писать подобных вещей. Заодно стоит объяснить: если человек в письме рассказывает о вдохновившем его пейзаже — при чем здесь Подсознательный Компьютер?

В ЧЕМ ОН МОЖЕТ ВАМ ПОМОЧЬ?

Предоставит значимые и творческие ответы, касающиеся ваших проблем.

Увеличит эффективность вашей интеллектуальной работы.

Усилит реализацию ваших Ежедневных Деклараций.

Какие здесь имеются особенности?

Сложность приятия решения тем больше, чем больше количество вариантов. Если решение ограничивается: да или нет, белое или черное, идти или остаться, то обычно поиск ответа упрощается.

Бывает также нелегко отделить эмоциональные факторы от самого процесса принятия решения. Иначе говоря, типичная компьютерная проблема. Наш подсознательный компьютер (ПК) в состоянии ее просчитать и выделить готовый ответ.

Большую точность ответов можно получить, развивая в себе умение с помощью ПК снижать стресс и напряжение нервной системы.

Последние исследования проблемы сна дали интересные результаты. Хотя время сна зависит от индивидуальных особенностей человека, его возраста, мнение о достаточности для отдыха 4–5 часов сна является неверным. Нормальная потребность во сне для человека соответствует 7–9 часам. В первые 4 часа идет регенерация тканей. Как утверждают ученые, в первый час сон особенно глубок, ему сопутствует интенсивный обмен веществ. С этим связан и рост расхода энергии. В этот период идет ускоренная ликвидация последствий чисто физической усталости. В последующие часы сон легче, требует меньше энергии. В этот период происходят более сложные процессы. Чувство формы, цвета и пространства возвращается к норме в результате восстановления организма на клеточном уровне.

Ваш ПК в состоянии восстановить нервную систему, уставшую от дневной активности, так же, как и сон, но значительно быстрее.

Во время практического использования Ежедневных Деклараций Персональный Компьютер получает от вас информацию. Его задачей является определение метода реализации целей, имеющих место в ЕД. Если вы почувствовали, что незаметно, «случайно» разрешили какую-либо проблему, тогда вам, наверное, удалось воспользоваться вашим ПК.

ПОДГОТОВКА ПК К РАБОТЕ. ПЕРВЫЙ АСПЕКТ ПК

Следующие три слова являются ключом, включающим ваш ПК:

НАПИСАТЬ — ПОПРОБОВАТЬ — СПРОСИТЬ.

1. Напишите, в чем состоит ваша проблема. Это прозвучит глупо, но, по-моему, многие проблемы существуют потому, что они не были четко поставлены и сформулированы.

Как только вы напишете несколько слов черным по белому, сразу увидите свою проблему в другом свете.

Начните со слов: «Должен ли я поступить так... а может?..» Далее подробно, полностью, но кратко опишите проблему, которую хотите решить.

2. Попробуйте затем сами решить проблему. Разделите листок на две колонки. В левой запишите все аргументы в пользу данного решения, в правой — против.

Уделите этому достаточно времени, чтобы убедиться, что вы не можете сами справиться с проблемой. И только потом обращайтесь к третьей ступени.

3. Попросите свой ПК решить проблему. Для многих это трудный этап. Нелегко поверить, что серьезное дело можно разрешить простой просьбой к своему подсознанию.

Люди часто управляют машиной, думая о своих личных делах, а дорогу оставляют своему ПК. Часто, вдруг понимая, что уже проскочили Московскую кольцевую, с трудом могут припомнить, что случилось во время езды через Москву.

Думайте о своем ПК как о вашем ассистенте, вашем работнике. Просто скажите ему: «Завтра в 7 часов утра проблема будет решена». Скажите, что решение должно быть готово к будущей субботе, или что-либо в таком духе, а потом забудьте о своей проблеме. Ваш

ПК не возьмется за дело, которым вы занимаетесь сознательно.

Если вы попросили свой ПК решить проблему, то забудьте о ней. ПК решит ее сам.

ВОПРОСЫ И ОТВЕТЫ

Вопрос. Нужно ли быть обладателем высокого интеллекта, чтобы пользоваться ПК?

Ответ. Для этого не нужно быть гигантом разума. Также не обязательно иметь высшее образование, докторскую диссертацию, защищенную в МГУ им. Ломоносова или аттестат профессора Гарвардского университета. Необходимо только точное исполнение технологии системы «Дина — Псик».

Вопрос. Есть ли ограничения в пользовании ПК?

Ответ. Только те, о которых написано выше. Во-первых, проблема должна быть написана ясно, полно, обстоятельно и недлинно. Во-вторых, вы должны предварительно попробовать решить ее самостоятельно, выписывая на листок все «за» и «против» (некоторые рекомендуют проводить эту процедуру непосредственно перед сном).

Вопрос. Как определить время готовности ответа?

Ответ. Не откладывайте принятие решения, но и не обманывайте свой ПК. Если не нужно быстрое решение, то не определяйте ему искусственно коротких сроков. Степень сложности проблемы, а также качество материала « за» и « против» будут иметь влияние на ответ, равно как и необходимость его получения в соответствующее время.

Вопрос. Почему это важно?

Ответ. Эффективная личность не может держать сотню нерешенных дел в голове, когда сознательная часть мозга должна заниматься текущими проблемами.

Если проблема не решается быстро даже после выписывания на листок всех «за» и «против», тогда следует обратиться к ПК. Нерешенные проблемы беспокоят, а беспокойство разрушает человека.

Вопрос. Что наиболее важно в использовании ПК?

Ответ. Важнейшей является возможность осознания пользоваться наиэффективнейшей частью вашего разума, частью, недоступной большинству людей. Нет сомнения в том, что подсознательная часть вашего разума имеет творческие и аналитические способности значительно большие, чем все остальные части.

Вопрос. Всегда ли нужно давать ПК какое-то время для ответа?

Ответ. Нет. Существуют приемы, с помощью которых можно получить ответы сразу. Нужно подготовиться, как со Сверхвоздействием. Если раньше, стараясь решить проблему самостоятельно, мы в письменной форме определяли ее формулировку, то сейчас ответ мы будем ждать только мгновение.

Вопрос. Как узнать ответ?

Ответ. Вы не услышите таинственных слов. Ответ просто придет к вам сразу, в форме, готовой к применению. Это почувствуется как правильное решение проблемы. Появится сильная потребность немедленно взяться за работу. Может случиться, что появится нечто вроде умственной блокады. Вы не будете в состоянии осознать ответ. Иногда он может прийти «переодетым». Например, что-то вроде бы без связи с делом. Потом вдруг подсознание само подскажет, как решить проблему.

Именно ощущение правоты или большого желания сразу же заняться работой обозначает правильный ответ.

Вопрос. Могу ли я попробовать сразу? Начнет ли это действовать после нескольких попыток?

Ответ. Если вы правильно поставите вопрос, то ответ получите всегда. По мере использования эффективность этого метода будет расти, как это бывает со всеми простыми вещами. Если вы убедитесь, что ПК не работает, то это лишь означает, что вы сами препятствуете его деятельности! Это не будет действовать до тех пор, пока ваше сознание не будет уверено, что ПК работает. Согласитесь, что это действует и... будет действовать.

Не откладывайте свои действия, когда узнаете ответ. Иначе могут возникнуть трудности с очередным пуском компьютера.

ВТОРОЙ АСПЕКТ ПК

Один аспект использования ПК уже известен. Сейчас узнаем второй, целью которого является помощь в поддержании вашего психологического состояния, а через это — увеличение эффективности вашей деятельности.

Во время сна ваше подсознание продолжает работать. Цель этой работы — избавление от стрессов и нагрузок, накопленных за день. Функция же эта реализуется только по окончании восстановления организма в первые часы сна.

Если нагрузки в течение дня были особенно тяжелы либо сна было недостаточно, то восстановление вашей психики может оказаться неполным. Это будет означать, что новый день начнется предрасположенностью к стрессу. Вы будете чувствовать себя раздраженным, а проблемы будут казаться сложнее, чем в действительности.

У каждого человека в течение дня есть лучшие и худшие часы. В трудный момент вы можете вдруг оказаться не готовым к реагированию на возникшую проблему. Это и есть тот момент, когда потребуется воспользоваться ПК в форме Тихого Лечения (ТЛ).

ТЛ — это метод, позволяющий восполнить то, что не удалось восстановить ночью.

Вы должны провести несколько минут определенным образом — и ваша эффективность и хорошее самочувствие сохранятся еще на несколько часов. Что же нужно делать в эти минуты? Ничего!

Вот как выглядит ТЛ:

1. Решите осознанно, что пришло время для ТЛ. Дело не в том, чтобы внезапно что-то случилось. Просто скажите себе достаточно отчетливо, что сейчас вы все мысли и дела пропустите через свой ПК.

2. Сядьте, если возможно, лягте. Закройте глаза. Лежа с закрытыми глазами, ведите себя как пассивный зритель. Старайтесь не думать ни о чем, но и не думать ни о чем не пытайтесь. Расслабьтесь... Просто посуществуйте спокойно с закрытыми глазами короткое время. Представьте, что какие-то крохотные рабочие снуют вокруг вас, словно ремонтируют все тело. Отключитесь — и они восстановят все, прежде чем вы встряхнетесь. Пусть все идет само собой.

3. Когда вы почувствуете потребность открыть глаза — откройте. «Ремонт» должен занять от 5 до 20 минут.

Вы почувствуете себя значительно лучше. Возрастут ваш энтузиазм, энергия, от усталости не останется и следа. Эффективность этого метода будет возрастать в течение первых двух недель ежедневного выполнения.

Но будьте осторожны. Иногда, как только вы откроете глаза, вам захочется закрыть их снова, чтобы вернуться к тем приятным ощущениям, которые были только что. Не делайте этого! Второе ТЛ сразу после первого не только разрушит его результаты, но вызовет неприятные ощущения. Скорее всего, заболит голова. Только один раз!

Помните, что ТЛ — это не сон. Это отдых для сознания, тогда как подсознание в течение нескольких минут поработает в полную силу. Результаты оправдают потерю нескольких минут.

Другой ценностью ТЛ является тренировка легкости доступа к вашему ПК, что увеличивает его эффективность в сфере решения проблем.

ТРЕТИЙ АСПЕКТ ПК

Третий аспект ПК не требует никаких действий, кроме описанных выше.

Так как Сверхвоздействие ускоряет приобретение определенных черт характера, то и сам ПК имеет отношение к достижению целей, которые вы ставите перед собой. Это касается как реально ощутимых, так и любых других целей.

День за днем вы будете совершать поступки, которые приближают вас к цели. Ваш ПК будет увеличивать скорость и надежность ее достижения. И его эффективность будет расти с каждым решением, с каждым расчетом. Ваш ПК будет подсказывать поступки, идеи, стратегию, которые будут способствовать претворению в реальность поставленных вами целей. Новые творческие идеи будут возникать, будто из ниоткуда, по мере обучения законам и методам системы «Дина — Псик» И. Добротворского.

Доверьтесь своим идеям. Забудьте о прошлом, когда вы отказывались от реализации всех замыслов, возникающих у вас в голове, считая их невыполнимыми. Все выполнимо в этом подлунном мире, кроме полета в другую галактику. Будьте внимательны и отвечайте всякий раз на вызовы, бросаемые вам вашим ПК. Если же престанете действовать согласно его побуждениям, самопроизвольная активность ПК постепенно ослабнет. Примите ваш ПК, проверьте и запустите — и его мощь будет расти.

Глава 5.

К жизненному успеху и личностной трансформации за 90 дней

Если вы внимательно прочитали весь предыдущий материал, то за вами 25% пути до достижения целей, обещанных системой «Дина — Псик». Вам уже известны основные установки этого метода.

Как вы, наверное, помните, чтобы достичь всего, чего хотите, вам только нужно: ПРОЧИТАТЬ все, ПОНЯТЬ это, ПРЕДСТАВИТЬ себе и, наконец, ВЫПОЛНИТЬ всю работу по данной схеме.

Итак, если прочитали, то за вами 25% пути. Степень понимания прочитанного текста влияет на то, кем вы являетесь в данный момент.

Повторим вкратце все, что вам нужно будет представить и исполнить.

1. Ежедневная Декларация. Это список позитивных и составленных в соответствующей форме целей. Вы можете их себе представлять утром и вечером.

2. У вас есть проверенный материал к Сверхвоздействию, который относится к вами желаемым чертам личности. Кроме того, вы имеет подготовленные ключевые слова, которые позволяют эти черты личности преобразовывать с помощью влияния вашего подсознания.

3. Вы умеете пользоваться вашим ПК одним из трех способов:

— для Решения Проблем (РП),
— в форме Тихого Лечения (ТЛ),
— для реализации целей, заложенных в Ежедневных Декларациях (ЕД).

90-ДНЕВНАЯ ПРОГРАММА «ДИНА — ПСИК»

Январь	ЕД утро	СВ	ТЛ	РП	ЕД вечер	Февраль	ЕД утро	СВ	ТЛ	РП	ЕД вечер	Март	ЕД утро	СВ
1.						1.						1.		
2.						2.						2.		
3.						3.						3.		
4.						4.						4.		
5.						5.						5.		
6.						6.						6.		
7.						7.						7.		
8.						8.						8.		
9.						9.						9.		
10.						10.						10.		
11.						11.						11.		
12.						12.						12.		
13.						13.						13.		
14.						14.						14.		
15.						15.						15.		
16.						16.						16.		
17.						17.						17.		
18.						18.						18.		
19.						19.						19.		
20.						20.						20.		
21.						21.						21.		
22.						22.						22.		
23.						23.						23.		
24.						24.						24.		
25.						25.						25.		
26.						26.						26.		
27.						27.						27.		
28.						28.						28.		
29.												29.		
30.												30.		
31.												31.		

4. Как организовать действия по реализации поставленных целей, пользуясь системой «Дина — Псик»?

Чтобы максимально облегчить вашу работу и повысить результативность, я составил таблицу, которая позволит ежедневно контролировать выполнение требуемых шагов. Вы должны каждый день выполнять каждый элемент 90-дневной программы «Дина — Псик». Не следует начинать с непосредственных действий, пока данные методы не станут вашей ежедневной привычкой.

Примечание:

ЕД — Ежедневная Декларация (отдельно утро и вечер).

СВ — Сверхвоздействие.

ТЛ — Тихое Лечение.

РП — Решение Проблемы (используя Подсознательный Компьютер)

Это крайне необходимо, и я уверяю вас, что это очень важно. Просто нет никакой другой системы, никакого другого метода, чтобы достичь всего, чего хочешь, без последовательной реализации представленной программы — шаг за шагом, каждый день.

ВОПРОСЫ И ОТВЕТЫ

Вопрос. Сколько Ежедневных Деклараций обычно выбирают для себя люди?

Ответ. В среднем около 20. Но считается, что чем больше, тем лучше. Важно, чтобы их практиковать 2 раза в день. Если вы сможете все выполнять в соответствии с описанными правилами, число не имеет значения.

Вопрос. Пропустить день вредно?

Ответ. Да! Нерегулярное выполнение «Дина — Псик» снижает ее эффективность. Только постоянство!

Вопрос. Существует ли возрастная граница для «ДП»?

Ответ. Никаких границ. Метод действует во всех возрастах. Именно энергия молодости или мудрость опыта могут стать полезными при использовании «ДП».

Вопрос. Мои друзья говорят, что я слишком замкнут и стеснителен. Со всеми ли так бывает?

Ответ. Да, более или менее. Каждый человек постоянно ощущает какие-то эмоции. Приятные эмоции вызывают хорошее самочувствие, неприятные вызывают напряжение. Торможение эмоций рождает стресс. «ДП» поможет ликвидировать эти проблемы.

Вопрос. Что является главным врагом успеха?

Ответ. Страх. Страх, который вызывает негативную самооценку, которая так или иначе сопровождает нас с молодых лет. Страх вызывает сильнейшие напряжения, вызывает беспокойство. Декларирование смелости, уверенности в себе помогает в контролировании этих угроз.

Вопрос. Существуют ли простые способы ослабления напряжения, например на работе?

Ответ. Хватит минуты поглощающего физического занятия. Чудеса могут сотворить удары по невидимому противнику, тренировки на боксерской груше... Можно попытаться сильно сдавить поверхность стола.

Вопрос. Должно ли быть стыдно плачущему мужчине?

Ответ. Многие психиатры считают, что не подавляемые слезы женщин, в отличие от мужчин, являются причиной большей продолжительности их жизни. Человек должен быть способен к такому способу снятия напряжения.

Неспособность к смягчению эмоций в некоей физической форме является своего рода недоразвитостью.

Вопрос. Есть ли в словах «теперь я могу глубоко вздохнуть», кроме переносного, и прямое значение?

Ответ. Конечно, есть. Существует множество выражений, отражающих то, как психическое состояние влияет на нас физически: «Мне делается дурно, когда ее вижу».

Вопрос. Как с помощью «ЕД» сделать так, чтобы люди охотно мне помогали?

Ответ. Это придет само собой вместе с использованием ЕД. Вы должны сказать: «Все относятся ко мне с любовью, независимо от ситуации». Каждый день следует проговаривать данные слова в Ежедневных Декларациях. Достижение успеха требует помощи и поддержки. Если вы по-дружески относитесь к людям, они ответят вам тем же. Иногда вам придется встретить кого-то, с кем это не сразу удастся. Будьте тверды — и результат придет. Кроме того, помощь другим позволяет вам избавиться от чувства вины за ошибки прошлого. Чувство вины вызывает серьезные трудности на дороге к успеху. Избавиться от него можно, оказывая помощь другим, не ожидая фанфар и наград.

Вопрос. Едва начав заниматься ЕД, я почувствовал, что мне это не очень подходит. Как это можно понимать?

Ответ. Видите ли, цели человека постоянно изменяются. И вам нужно просто менять список ЕД, сама же система «ДП» и ее 90-дневная программа неизменны.

Вопрос. Должна ли я рассказать мужу о своих занятиях; о том, что стараюсь изменить свою жизнь и личность, чтобы домашние дела пошли лучше?

Ответ. Нет. Оставьте нематериальные цели для себя. Когда их добьетесь, то эффект и так будет очевиден для всех. Но если вы не можете удержаться, не нужно с этим бороться. Помните, однако, о предупреждении — не спорьте ни с кем о своих целях и достижениях. Это рассеет вашу энергию. Иногда рассказ о своих делах заменяет само действие. Держите свои планы в себе. Честно исполняйте схему действий. И не тратьте напрасно мысли и энергию.

Каждый день пытайтесь изменить свою жизнь. Практикуйте Ежедневные Декларации утром и вечером — 20 минут. Каждый день Сверхвоздействие — 10 минут. Полчаса — час — на реализацию своих целей. Прочитайте. Помните. Представьте. Сделайте. И это всего 1,5 часа в день.

Выбрали ли вы направление? «Дина — Псик» — это машина, на которой вы доедете до цели быстро и удобно. Машина требует постоянных занятий и взамен порывает с вашими плохими чертами характера.

Просто разрешите, чтобы «Дина — Псик» управляла вашей жизнью. Сейчас. В это мгновение. Если вы не согласны, то автоматически откладываете дела на позже. А тем временем нужно действовать сейчас, ибо «сейчас» означает новое начало всей вашей оставшейся жизни.

Чтобы управлять машиной, не нужно понимать, как она устроена, однако нужно повернуть ключик. Я вам его дал. Он называется «Дина — Псик». Сделайте с ним что хотите.

Часть VI.
КАК СТАТЬ ЗДОРОВЫМ И СЧАСТЛИВЫМ: ПУТЬ К ЗДОРОВЬЮ, ОМОЛОЖЕНИЮ И ДОЛГОЙ ЖИЗНИ

ВВЕДЕНИЕ

Может ли человек прожить сто и более лет, не болея, сохраняя ясность ума, интерес к жизни, работоспособность?

— Может и должен,— утверждает автор Системы Естественного Оздоровления психолог Игорь Добротворский.

Для этого достаточно перейти на тот образ жизни, который предписан нам природой: придерживаться растительного питания, учиться правильно дышать, больше двигаться, заниматься психорегуляцией, использовать закаливающие процедуры. И самое главное — не терять, а развивать свойственную человеку духовность.

Система Естественного Оздоровления комплексно включает в себя все необходимые методики, которые помогают вам в борьбе с недугами и хворями. В них сконцентрирован многовековой опыт человечества. Здесь использованы результаты исследований великих ученых В. И. Вернадского, И. П. Павлова, А. А. Ухтомского,

В. М. Бехтерева, И. М. Сеченова, современных естествоиспытателей Ильи Пригожина и А. М. Уголева, систем индийской йоги, китайских кенрак и у-шу, техники китайского жезла, восточных единоборств и др.

Глава 1.

Основы движения

Сторонниками здоровья мы становимся лишь тогда, когда появляется идея хорошего здоровья и страстное желание эту идею осуществить.

Следует запомнить: ни возраст, ни перенесенное тяжелое заболевание не являются препятствием в достижении хорошего здоровья. Так, академик А. А. Микулин в пожилом возрасте перенес инфаркт миокарда. Изучив свой организм, он разработал систему физических и психических упражнений, которые вернули его к активной жизни. Его книга «Активное долголетие» для многих стала пособием по преодолению равнодушия к старению организма. Микулин прожил 90 лет и до последних дней играл в теннис и ходил в горы.

Тяжелейшее заболевание надолго уложило в постель многократного чемпиона по легкой атлетике Юрия Власова. Даже врачи не верили в успех. Однако этот замечательный человек сегодня пишет книги, встречается с молодежью, выступает по телевидению и помогает нам воспитывать силу воли, мужество, любовь к жизни.

Если вы прониклись идеей хорошего здоровья — с чего начать?

Естественно, вы проконсультируетесь с лечащим врачом, чтобы получить полное представление о состоянии своего организма. Затем обратитесь к литературе.

И тут окажется, что если вы берете книгу о здоровом питании, то в ней почерпнете сведения о разновидностях диет, нормах потребления белков, жиров, углеводов, о калориях, сбалансированном питании — совсем ничего или очень мало о физических упражнениях. О психотерапии в ней даже не упомянуто. Если вы возьмете книгу по физкультуре и закаливанию, то в ней опять-таки ничего или очень мало будет сказано о правильном питании, необходимости дыхательной гимнастики, психического саморегулирования. Но хорошее здоровье зависит от всестороннего одновременного воздействия на организм. Вы должны постоянно иметь в виду требования правильного питания, дыхательных упражнений, закаливания, физической активности и психической саморегуляции.

«Ищущие здоровья», к сожалению, чаще всего пользуются советами друзей и знакомых, вместо того чтобы выстроить для себя стройную систему самовоздействия. Они слепо принимают модную в данный момент панацею вроде корня женьшеня, бега трусцой, иглорефлексотерапии, иппликатора Кузнецова, талой или омагниченной воды, йоговских упражнений, гомеопатии, моржевания, точечного массажа, бани, обливания, меда, специальных дыхательных упражнений или еще какого-нибудь «единственного чудодейственного» метода.

При этом «ищущие здоровья» делятся на несколько групп: физически ослабленные начинают бегать и жонглировать гантелями; тучные то голодают, то пробуют на себе различные диеты, а страдающие чрезмерной раздражительностью, утомляемостью, бессонницей и другими симптомами нервного расстройства изучают методы психического самовоздействия. Однако эффективным может быть только комплексное использование всех средств укрепления здоровья.

У человека, страдающего ожирением, как правило, повышенная утомляемость, одышка, раздражительность. Диеты и периодическое голодание только ослабляют организм. Появляется вялость, снижается работоспособность, начинаются головные боли и... кончается подвиг, связанный с голоданием. А все эти неприятные явления можно было исключить с помощью физических упражнений. Лица с неврастенической симптоматикой чаще всего обращаются к методам психической саморегуляции, к аутогенной тренировке. И что же? Вот они научились отключаться от психотравмирующей обстановки, перестали волноваться на экзаменах или служебных совещаниях, лучше засыпают. Но можно ли говорить в этом случае об укреплении здоровья? Только отчасти. Психические процессы регулируются не только расслаблением, но и переключением рода деятельности. Поэтому без физических упражнений, закаливания не обойтись. При этом важно отрегулировать энергетические поступления, что достигается правильным, рациональным питанием. Только сочетание физических нагрузок, правильного питания, дыхания, закаливания и психической саморегуляции гарантирует высокий уровень здоровья.

«Дорогу осилит идущий»,— гласит народная мудрость. Собираясь в страну здоровья, вы должны достаточно основательно поработать над собой. Навыки здоровой жизни должны стать для вас столь же необходимыми, как воздух, вода и пища.

Между умственной и физической активностью должно быть равновесие. Без движения не может быть плодотворного интеллектуального труда. Понятия «здоровье» и «движение» неразделимы. «Тысячи и тысячи раз возвращал я своим больным здоровье посредством упражнений»,— писал древнеримский врач Клавдий Гален. «Ничто так не истощает и не разрушает человека, как продолжительное физическое бездействие»,— наставлял Аристотель. «Гимнастика, физические упражнения, ходьба должны прочно войти в повседневный быт каждого, кто хочет сохранить работоспособность, здоровье, полноценную и радостную жизнь»,— неоднократно повторял великий древнегреческий врачеватель Гиппократ, который сам прожил более 90 лет.

Гимнастика, физкультура во все века были составной частью медицины. С помощью лечебной физкультуры восстанавливается работа многих внутренних органов, лечебная гимнастика возвращает к активной жизни перенесших инфаркт миокарда. Но движение нельзя купить в аптеке. В этом случае все зависит от нас самих. Или мы будем двигаться, или безропотно отдадим себя разрушающему действию времени.

Посмотрите вокруг: многие ли ваши знакомые ходят на работу и с работы пешком? Многие ли гуляют перед сном? А кто из них хотя бы 15 минут отводит утром зарядке? Как много среди нас людей, обремененных различными болезнями, связанными с малой физической подвижностью: радикулитами, вегето-сосудистыми нарушениями, гипертонией, бронхитами, стенокардиями, колитами, головными болями, одышкой… Стало модным жаловаться на плохое самочувствие, глотать таблетки. Записаться в группу здоровья? Пойти в бассейн? Что вы!

Лозунг «Движение — это жизнь» должен прочно войти в ваше сознание. Попробуйте хотя бы на месяц объявить войну всему, что мешает вам двигаться. Смотрите на лифт как на своего личного врага, считайте кресло перед телевизором коварным бесом — искусителем, уносящим здоровье. Пройдите мимо автобусной остановки и полчаса прошагайте бодрым шагом — это будет ваша маленькая победа над немощью. В воскресенье предпочтите дивану, телевизору, книжке многокилометровую прогулку в лесу, парке и считайте ее золотым вкладом в сберкнижку здоровья. Такие вклады не имеют цены. Они продлят вам молодость и активную жизнь. Двигайтесь!

Конечно, физические нагрузки могут быть разными. Нужно понимать разницу между просто здоровым человеком и спортсменом высокого класса. Если вы хотите купаться в лучах спортивной славы, то наши рекомендации не помогут. Но если вы стремитесь к здоровой и счастливой жизни, то последуем дальше.

Все физические упражнения можно разделить на две группы. Во время бега на сто метров, занятий штангой и т. п.— нагрузка кратковременная и интенсивная, вдыхаемый с воздухом кислород не успевает усваиваться, и организм отнимает его у тканей, чтобы обеспечить мышцу сердца, легкие. Упражнения этой группы называются анаэробными.

Вторая группа упражнений — аэробных — способствует более полному усвоению кислорода. Это неторопливый бег на средние и большие дистанции, плавание, ходьба на лыжах, гребля в невысоком темпе, волейбол, бадминтон. Во время этих упражнений кровь хорошо насыщается кислородом, усиливается обмен веществ. Аэробные упражнения более полезны для здоровья (Кеннет Купер, США). А из них более доступен бег трусцой или, как его называют американцы,— «джоггинг» (бегун — джоггер). Всемирному распространению этого вида бега способствовала книга новозеландского журналиста Гарта Гилмора «Бег ради жизни», трижды издававшаяся в нашей стране.

Московский клуб любителей бега объединяет людей разных возрастов и профессий, но все глубоко убеждены, что именно бег может помочь преодолеть все физические и психические недуги, связанные с эмоциональными перегрузками. И не только преодолеть недуги, но и продлить молодость, удлинить активную пору жизни.

Если 80-летний мужчина играет в теннис, катается на велосипеде, а 70-летняя женщина свободно плавает, раскованным шагом ходит на лыжах — это ли не радость? Это ли не жизнь? А разве вам не приходилось встречать 40-летних нытиков, главное занятие которых — рассказывать о своих болезненных ощущениях или о коварстве медиков, выписавших им так мало пилюль!

Глубокое и частое дыхание бегущего является прекрасной гимнастикой, во время которой массируются легкие, печень, селезенка, желудок, кишечник. Такой массаж предупреждает застой желчи, устраняет запоры, уменьшает жировые отложения.

Бег — прекрасное средство укрепления психики. Возможно, раньше не придавали значения этой стороне влияния бега на организм. Но эксперименты, наблюдения, исследования, которые проводятся во многих странах, убедительно доказывают, что бег — очень сильное противоядие против тревоги, депрессивного состояния. Нервные люди, начиная заниматься бегом, становятся менее вспыльчивыми и раздражительными. Бег устраняет чувство постоянной взволнованности, излечивает от бессонницы. Бегающие люди всегда бодры, активны, уверенны в себе.

«Так ли это? — спросите вы.— Откуда берется в них бодрость, уверенность в себе? Какое отношение имеет это к бегу?» Самое прямое. Начинать бегать всегда трудно. Тяжело преодолеть желание подольше поспать утром, стремление к покою, к телевизору, к мягкому дивану после ужина (бегать можно и вечером!). Но вот вы себя победили. Утром заставили себя встать на 30 минут раньше и, натянув спортивный костюм, надев кроссовки, 15–20 минут пробежались по сонному еще двору, улице, вдохнули свежего воздуха. Значит, можете! Можете встать, если захотите, можете побегать.

В субботу вы решаетесь доехать до городской черты, побегать в лесу за городом — еще одна победа! Так вы доказываете самому себе, что способны осуществить задуманное. Так бег помогает формировать твердость и цельность характера, стремление к преодолению трудностей, помогает чувствовать себя победителем — отсюда и уверенность.

Попробуйте бегать. Через месяц-другой вы уже будете ждать следующего утра, чтобы вновь почувствовать себя легким и молодым. Бодро и радостно будете шагать после пробежки на работу, снисходительно поглядывая на недовольные, скучные лица людей, не умеющих или не желающих ощущать радость от возможностей своего тела.

Существует несколько теорий, объясняющих превосходное влияние бега на психику. Одна из них утверждает, что мозг, получающий необычно большое количество кислорода, начинает работать более эффективно, подключая центры, управляющие самокорректирующимися механизмами. Скорее всего, так оно и есть. Ведь человеческий организм — мудрая самонастраивающаяся машина. Но мы не бережем ее, порой издеваемся над ней, перенасыщая едой, справляя сигаретным дымом, нарушая тем самым работу главного центра управления — мозга.

Если мы хоть немного убедили вас в необходимости активного постоянного движения и вы избрали бег, то прежде всего посоветуйтесь с врачом, проверьте свое сердце. Врач поможет рассчитать силы, подобрать соответствующий темп. Существует простой прием дозирования бега, годный для людей любой физической подготовленности и исключающий опасность перегрузок. Общие принципы: бег должен быть медленным, сначала на короткие расстояния. Дух соревнования здесь совершенно недопустим, поэтому лучше тренируйтесь в одиночку, соблюдая обязательное условие — непрерывность занятий. Тренировки не должны прерываться более чем на два-три дня. Можно бегать утром, после короткой утренней гимнастики, а можно бегать и вечером после работы.

Наметьте посильную для себя дистанцию — 100, 200, 300, 400, 500 метров и т. д. Пройдите это расстояние быстрым шагом, затем пробегите трусцой. Проверьте, за какое время вы преодолели дистанцию трусцой. Перед бегом проверьте пульс и запомните количество ударов. Посчитайте пульс после бега. Количество ударов после бега не должно превышать 120–160. Посчитайте через минуту, затем через три. Если через три минуты пульс нормализовался до исходной точки, то выбранная дистанция для вас вполне приемлема. Придерживайтесь этого режима неделю-другую, а когда почувствуете, что преодолеваете дистанцию совсем легко, увеличьте ее на одну треть и повторите весь рекомендуемый принцип дозировки.

Таким образом можно увеличивать дистанцию (но не темп бега!), по крайней мере, с полгода. Если начали бегать с 50 метров, то к этому времени вы будете свободно преодолевать 2–3 километра и даже больше.

Через полгода можете оставить дистанцию неизменной, но увеличьте темп бега. При этом уменьшайте время на 1 минуту в неделю. Не забывайте контролировать пульс! Через год-два вы будете удивляться чувству вернувшейся молодости, бодрости, легкости, вы забудете, как покалывает сердце. Известный кардиолог профессор А. Воленберг утверждал, что при регулярных занятиях бегом в равномерном невысоком темпе инфаркт практически невозможен. А видный советский кардиолог академик А. Л. Мясников считал необходимым соблюдать четыре правила. Поменьше пользоваться автомобилем и побольше ходить пешком или бегать. По возможности не курить. Стремиться сохранять свой вес на том уровне, на котором он был в возрасте 22 лет. С детства воспитывать в себе оптимизм и отходчивость.

В Древней Элладе на высокой скале были выбиты слова: «Хочешь быть сильным — бегай, хочешь быть красивым — бегай, хочешь быть умным — бегай!».

Великий физиолог И. П. Павлов говорил, что от бега возникает чувство мышечной радости, эмоционального подъема. Это своеобразное сочетание радости физической и психической, конечно же, является лучшим лекарством для укрепления здоровья!

Глава 2.

Техника дыхания

Правильное дыхание — фундаментальная основа здоровья человека. «Дышать — значит жить. Ребенок делает глубокий вдох, удерживает воздух в легких, извлекая из него животворящие силы, и его жизнь началась. Старик испускает слабый выдох, дыхание его останавливается, и жизнь прекращается. От первого глубокого вдоха и до последнего выдоха умирающего длится жизнь — это чередование вдохов и выдохов»,— считал йог Рамачакарака.

Изучением регуляции дыхания сейчас занимаются явно недостаточно. По мнению ряда физиологов, естественная форма дыхания является наилучшей при физической нагрузке. То есть регулирование параметров дыхания в процессе выполнения физических упражнений практически ничего не дает, поскольку все зависит не от внешнего дыхания, а от системы транспорта и утилизации кислорода. Однако можно поставить и другого рода эксперимент: заниматься дыхательными упражнениями дни, недели, месяцы, а затем исследовать изменения в организме. По мнению Г. С. Шаталовой, легкие человека развиваются лет до 20, а затем, если специально не тренироваться, происходит их деградация, и годам к 60 легкие становятся, как у шестилетнего ребенка.

Тем не менее даже у спортсменов с возрастом параметры дыхания ухудшаются. Известный американский марафонец с 17 лет ежегодно участвовал в соревнованиях. Ежедневно пробегая по 10–15 миль, он тем самым тренировал свое дыхание, но все же к 60 годам максимальное потребление кислорода у него снизилось процентов на 30. В общем, активизация дыхания только при помощи физической нагрузки оказывается недостаточно эффективной.

В то же время дыхательная гимнастика йогов, пранаяма, дает просто поразительные результаты. Йоги способны долго обходиться без воздуха под землей и под водой. По их мнению, с воздухом люди вдыхают «свободную биологическую энергию» — прану, которая затем распределяется по телу. Поэтому йоги синхронно с дыхательными упражнениями мысленно «вдыхают прану» не только легкими, но и через различные участки тела, органов и энергетические центры — чакры. Дыхание осуществляется в различных позах синхронно с движением.

В древнекитайской системе ци-гун также существует представление о «вдыхании» с воздухом из окружающего мира «жизненной силы ци». При этом существенна регуляция дыхания, синхронная с движениями рук и тела, которая сопровождается концентрацией внимания. Таким образом, еще в древности из опыта знали, что регулирование дыхания в сочетании с движением и концентрацией внимания целительно воздействует на организм человека.

В современной практике известны:

пранаяма йогов;

китайская система ци-гун;

дыхательная гимнастика по А. Н. Стрельниковой;

дыхание по К. В. Динейке;

дыхательные упражнения по Г .С. Шаталовой;

дробное дыхание по А. А. Стрельцову;

метод поверхностного дыхания по К. П. Бутейко;

вьетнамская дыхательная гимнастика по системе Зыонгшинь (журнал «Вьетнам» 1985, № 10; 1986, № 1, 2, 5, 6 и др.);

дыхательная гимнастика по В. В. Гнеушеву;

дыхательная гимнастика по В. Я. Дурыманову;

дыхательная гимнастика при астме по А. Н. Толкунову и др.

Пранаяма

Дыхание йогов — пранаяма — считается третьим звеном йоги после упражнений в асанах. Слово «пранаяма» буквально означает «обуздание дыхания». Пранаяма — это, кроме того, распределение жизненной энергии по энергетическим центрам — чакрам. Общими закономерностями являются следующие. Дыхательные упражнения всегда начинаются с полного выдоха. Дыхание должно быть плавным, равномерным. Длительность вдоха, задержки вдоха и выдоха строго регламентированы по отношению ко всему дыхательному циклу. Поэтому упражнения выполняют под счет или под какие-либо мантры — стихи.

Индийская традиция упорядочения дыхания предусматривает следующее соотношение фаз: вдох 1, выдох 2, задержка 4; далее — 1:2:2 и, наконец, 1:1:1. Одна из основ пранаямы — полное дыхание: нижнее, среднее и верхнее. При нижнем дыхании сильным сокращением мышц живота и прижатием брюшины к позвоночнику выдыхают примерно за 3–4 удара пульса. При вдохе живот раздувается, диафрагма, работая как насос, то поднимается, то опускается вниз. При среднем дыхании грудная клетка поднимается, а живот втягивается. При верхнем — заполняются верхушки легких. Сочетание нижнего, среднего и верхнего дает собственно полное дыхание йогов.

Вдох начинается с брюшного (нижнего) дыхания, плавно переходящего к грудному. Поднимаются нижние ребра, затем одним плавным движением верхние. Выпятившийся живот при этом пассивно втягивается. Оканчивается вдох дополнительным верхним дыханием.

Рекомендуется делать не более десяти полных дыханий за занятие, 3–4 раза в день.

Традиция йогов советует использовать в ходьбе ритмическое дыхание Уджайти. Рекомендуется ритм вдоха, задержки и выдоха 1:2:2. После овладения — 1:4:2. Для начинающих задержку дыхания до полного удушья делать не рекомендуется. Дыхание надо синхронизировать с ритмом ходьбы, чтобы общий дыхательный цикл длился 32 шага, то есть 3–4 дыхательных цикла в минуту.

Ци-гун из арсенала у-шу

Дыхательные упражнения у-шу, иначе известные как ци-гун, традиционно используют в Китае как форму профилактической медицины. «Ци» дословно означает воздух или жизненность, «гун» — мастерство, сила. В древней китайской медицине полагали, что дыхательные упражнения превращают воздух в жизненную силу, которая лечит болезни и улучшает здоровье. Три главных аспекта ци-гун: поза тела, контроль дыхания и ума. Ци-гун особенно хорошо помогает при неврастении, повышенном артериальном давлении, язве желудка, язве двенадцатиперстной кишки, запорах.

Занимаясь дыхательной гимнастикой ци-гун, необходимо:

1. Расслабиться, встав в естественную позу.

2. Контролировать и регулировать дыхание, концентрируясь на ритме, длительности, объеме, скорости каждого вдоха.

3. Дополнять ци-гун другими физическими упражнениями.

4. Начиная с легких, постепенно усложнять дыхательные упражнения.

Из методов ци-гун в Китае сейчас наиболее популярны фан-сон-гун (расслабление), цзянь-чгуан-гун (сила) и ней-ян-гун (внутренний рост). Упражнения выполняются лежа, сидя и стоя. Дыхание через нос, тонкое, ровное, устойчивое, 6–8 циклов в минуту.

В фан-сон-гуне при вдохе — концентрация внимания (контроль ума) на успокоении, при выдохе — расслабление частей тела: головы, рук, кистей, груди, живота, спины, талии, бедер. Затем с каждым выдохом концентрация внимания переключается на расслабление вен, нервов, внутренних органов.

Упражнение выполняют 3–4 раза в неделю по 20–30 минут как единое движение — плавный танец.

Во время упражнений цзянь-чгуан-гун, выполняемых стоя, синхронно со вдохом руки поднимаются до уровня головы. Тело словно наполняется живительной энергией. При выдохе руки опускают, колени немного сгибают. С выдохом тело как бы очищается. Концентрация внимания на счете и на нижней части живота. Формула дыхания следующая: вдох, выдох, пауза. Во время паузы язык поднимается к гортани, при этом мысленно произносят несколько слов самовнушения: «спокойствие — хорошо». Длительность паузы контролируется числом произнесенных слов (обычно не более семи).

Дыхательная гимнастика по А. Н. Стрельниковой. Дыхательная гимнастика Стрельниковой создана специально для восстановления голоса у певцов, но, как оказалось, способствует излечению целого ряда заболеваний. Ее иногда называют парадоксальной, так как при вдохе, по Стрельниковой, грудная клетка должна сжиматься, а не расширяться, как обычно.

Вдох и выдох выполняются автоматически, важен ритм. Вдыхают через нос часто и шумно, как бы принюхиваясь — «гарью пахнет». Во время вдоха нужно наклоняться вперед и протягивать руки или сжимать грудную клетку руками. Наклоняться нужно ритмично, имитируя движения насоса. Стрельникова рекомендует синхронизировать дыхательные движения с ритмическими — ходьбой или танцами. Число вдохов в минуту 60 и более. В занятие выполняют до 1000 дыхательных движений.

Дыхание по К. В. Динейке

«Волшебником из Друскининкая» называют Каролиса Винцевича Динейку. Солнце, воздух, вода, массаж, движение, психофизическая тренировка — вот главные его волшебные средства. Он считает, что естественный тип дыхания — диафрагменный. При вдохе воздух опускается в низ грудной клетки, диафрагма опускается, живот слегка выпячивается. Грудная клетка поднимается, воздух заполняет при вдохе грудь, спокойно опускается вниз, а затем слегка подтягивается живот. Это похоже на полное дыхание йогов. Упражнение сначала выполняют лежа, затем сидя и, наконец, в ходьбе и беге.

В покое выполняют 6–10 дыханий за минуту. При движении рекомендуется делать вдох на 4 счета, выдох на 8. Для обучения регулированию дыхания Динейка рекомендует после вдоха делать задержку, что тренирует устойчивость организма к гипоксии. Дыхательные упражнения К. В. Динейка рекомендуют сочетать с психофизической тренировкой.

Дыхательные упражнения по Г. С. Шаталовой.

Шаталова считает, что способы выполнения дыхательных упражнений зависят от состояния организма, внешних условий и т. д. Правильное дыхание, по ее мнению, имеет огромное значение для оздоровления организма. Вдыхать воздух нужно маленькими порциями, нежно, как бы нюхая цветок. Важно, чтобы воздух проходил через нос, некоторое время удерживался в верхней части носоглотки, где расположены обонятельные рецепторы, возбуждающие головной мозг. Затем воздух наполняет трахею и верхушки легких.

В покое обычно выполняют 1–3 дыхательных движения в минуту. Выдох должен быть в 2 раза длиннее вдоха, причем воздух должен выходить как бы сам собой. После вдоха и выдоха — пауза.

Во время длительных пеших прогулок или длительного бега Шаталова рекомендует делать вдох на 5–10 шагов, а выдох на 10–15. Идеально — это вдох на 16–18 шагов, а выдох — на 24 шага. Движение и дыхание обязательно сочетаются с динамической аутогенной тренировкой.

Дробное дыхание по А. А. Стрельцову.

Воздух по этой системе вдыхают не плавно, а прерывисто, маленькими порциями (NB: Имеется и оригинальное дыхание уступами по Дурыманову! Но это уже другое.)

Это особенно удобно на бегу. Для начала под каждый шаг делают три коротких вдоха. Вдыхают шумно, как бы шмыгая носом. Затем так же шумно выдыхают. По мере тренировки дробность дыхания увеличивается, и вдох может делиться на 15–30 частей.

Дробное дыхание, согласованное с ритмом шага или бега, точно регламентирует длительность как вдоха, так и выдоха. Самое главное, однако,— оно способствует более полному насыщению крови кислородом.

Рациональное дыхание по И. Л. Добротворскому.

Вспомните, как нюхают цветок, на прекрасном лугу. Вдыхают только носом и направляют воздух в верхнюю часть носоглотки, чтобы ощутить аромат. Порция воздуха очень невелика. Точно так же нужно делать и при дыхании. Небольшие порции воздуха направляют в верхнюю часть носоглотки и лишь затем — в легкие.

Количество дробных вдохов и выдохов должно соответствовать возможностям организма, его тренированности, состоянию здоровья, условиям внешней среды. Подбирают такой ритм, при котором не задыхаются. Не сдерживайте дыхание, оно должно быть свободным и приятным. По мере тренировки от занятия к занятию увеличивайте количество дробных вдохов и выдохов. Во время оздоровительных упражнений тренируют устойчивость к гипоксии, поэтому выдох должен быть длиннее вдоха. Чтобы удлинить выдох, до или после него делают паузу, обычно 1–2 шага между вдохом и выдохом и 5–6 шагов между выдохом и вдохом.

Дыхание должно быть ритмичным, синхронизированным с шагами. Чтобы было легче, считайте про себя шаги. Соединяйте дыхательные упражнения с динамической аутогенной тренировкой.

СЕМЬ УРОКОВ РАЦИОНАЛЬНОГО ДЫХАНИЯ

Урок 1

Выйдите в парк, в лес, на луг — туда, где воздух насыщен свежестью, ароматом, живительной силой. Представьте, что вы держите цветок или наклонились к нему. Наберите в верхнюю часть носоглотки воздух, ощутите его аромат, затем один короткий вдох, второй, третий, четвертый. Синхронизируйте дыхание с ударами вашего сердца: каждый удар — дробный выдох. Установите ритм, который вам приятен. Например, 4–5 дробных вдохов, затем 4–5 дробных выдохов. Подышите так минут пять. Выдыхайте без напряжения. Легкие выталкивают воздух под тяжестью грудной клетки, словно спускается надутая камера. Небольшая пауза, 1–2 удара пульса и снова вдох.

Сосредоточьтесь на верхней части носоглотки. Ее чувствительность должна быть обострена. Ощутите, что воздух сначала попадает туда и лишь затем наполняет верхнюю часть легких. Не старайтесь их раздувать, не прикладывайте усилий. Дыхание должно быть достаточно поверхностным.

Урок 2

Повторите все, что разучили на предыдущем занятии, тренируйте дыхание при ходьбе. Синхронизируйте ритм дыхания с шагами. Под каждый шаг делайте дробный вдох 4–5 раз, а затем таким же образом выдох. В этом ритме идите минут 10–15. Если не утомляет, то постепенно увеличивайте количество дробных вдохов и выдохов до 10. Наблюдайте, чтобы не ощущалось удушья, дискомфорта, напряжения в движениях.

Урок 3

Выполните первые два упражнения. Остановившись, синхронизируйте дыхание с движениями рук, как в гимнастике ци-гун. Сомкните руки спереди, ладони на уровне живота смотрят вверх, ноги слегка согнуты в коленях. Делайте дробные вдохи, одновременно поднимая руки до уровня головы. Мысленно представьте, что тело наполняется жизненной силой. Небольшая пауза, ладони поверните вниз, делайте дробные выдохи. При движении рук вниз представьте, что организм очищается от болезней, от всего плохого. 5–6 дробных вдохов, 6–10 дробных выдохов. Время занятий 10–15 минут.

Чтобы облегчить задержку после выдоха, делайте внизу руками перекрестные движения.

Урок 4

От ходьбы переходим к бегу. Бежать надо медленно, трусцой. На каждые 3–4 шага — вдох. Ноздри раздуваются, шумно вдыхают воздух. Затем под каждый шаг так же шумно выдыхайте. Оптимальный ритм дыхания в беге — 6–8 дробных выдохов под один шаг.

Урок 5

Во время бега подключаем динамическую аутогенную тренировку в модификации автора. Старайтесь вдыхать через правую ноздрю, а выдыхать через левую. Сделав 10–15 дыхательных циклов, вдыхайте через левую ноздрю, наполняя воздухом левое легкое. Выдыхайте через правое легкое и, естественно, через правую ноздрю. При этом не прижимайте ноздрю пальцем — перекрывайте ее концентрацией дыхания и волевым усилием.

Овладев этими приемами саморегуляции, усложните задачу. Представьте, что живительная энергия, находящаяся в окружающем пространстве, с каждым дробным вдохом входит в тело через правую ладонь и медленно поднимается до центра груди. Во время выдоха эта энергия выходит через левую руку и левую ладонь. Каждые 10–15 циклов меняйте направление. По мере овладения этим упражнением то же самое сделайте с ногами. «Вдыхая» прану через правую ногу, доведите ее до копчика. Затем так же дробно «выдохните» через левую ногу. Теперь смените направление.

Чем более явственны будут мысленные представления, тем больший эффект достигается. Критерий правильности выполнения упражнения — реальность ощущения дыхания через руки и ноги, правильный ритм дыхания при полном отключении от контроля за ним.

Урок 6

Дробно вдыхая воздух, набирайте его в верхнюю часть легких. В конце вдоха — пауза, воздух опускается в нижнюю часть живота. Концентрируйтесь на движении энергии вниз до копчика. Сжимайте анальное отверстие и делайте дробный вдох, концентрируя внимание на движении энергии от копчика вверх по позвоночнику. «Выходит» она через голову. Упражнение сложное, эффективное. Овладев им, можно значительно увеличить количество дробных вдохов и выдохов.

Урок 7

Для тех, кто участвует в длительных пробегах и походах, когда ежедневно приходится преодолевать по 30–50 км, дробное дыхание, соединенное со спецрегуляцией, позволяет без особого утомления преодолевать самые длинные дистанции и избавляет от перенапряжения опорно-двигательного аппарата. Вместе с воздухом, дробно входящим в легкие через утомленные мышцы, связки и сухожилия, мысленно вдыхайте прану. Этот прием поможет снять усталость, получить истинное удовольствие от бега.

Глава 3. Искусство закаливания и водолечения

Вода — колыбель жизни. Она составляет две трети массы нашего тела.

Гиппократ отмечал, что для излечения больного надо черпать жизненную силу, которая находится в природе. Для этого необходимо прибегать к естественным методам лечения, например к водолечению. Гиппократ особенно ценил теплые и горячие ванны.

Гален утверждал, что стареющий организм надо всячески согревать и увлажнять. Он высоко ценил банные процедуры, которые, по его мнению, улучшают кровообращение и тем самым повышают жизненный тонус.

Авиценна писал, что различные упражнения и водные процедуры налаживают дыхание и обмен веществ, положительно влияя на общее оздоровление.

Немецкий пастор Себастьян Кнейпп, основываясь на своем 30-летнем опыте применения водолечения, так высказался о содействии воды выздоровлению: «Трех свойств воды — растворять, удалять и укреплять — вполне достаточно для нас, чтобы утверждать, что вода излечивает все вообще излечимые болезни».

С чего начать закаливание? Все зависит от состояния вашего здоровья. Если вы молоды и здоровы, то можете после ежеутренней физической зарядки на открытом воздухе тотчас начать растирать свое тело снегом. Летом обливаться холодной водой и при первой возможности купаться в открытом водоеме.

Человеку в возрасте, даже еще не успевшему обзавестись какой-нибудь болезнью, а больному тем более, торопиться не следует. Начинайте с малого. Налейте в тазик холодной, лучше ледяной воды и буквально на мгновение опустите в нее одну ногу. Сразу же разотрите ее полотенцем и наденьте шерстяной носок, затем то же самое проделайте с другой ногой. Понемногу увеличивайте продолжительность процедуры, причем главная цель — регулярность. Нельзя пропускать ни одного дня. Даже небольшой перерыв может свести на нет ваши усилия.

Когда почувствуете, что ледяные ножные ванны начали приносить вам удовольствие, можете переходить к обливаниям. Встряска организма сильнейшая, особенно если вода ледяная. Радость наполняет душу.

Людям в возрасте, которые не решаются на такие радикальные процедуры, можно начинать с прохладного душа. Температуру воды регулируйте в соответствии с самочувствием. По мере привыкания постепенно понижайте ее, но без спешки. Когда температура станет минимальной и вы научитесь переносить ее без каких-либо последствий, можете приступить к обтиранию снегом, а при желании — и к купанию в проруби.

Людям, страдающим какими-либо заболеваниями, нужна особая осторожность. После ледяных ножных ванн приступайте к обтиранию уже всего тела. В течение нескольких дней обтирайтесь полотенцем, губкой или просто рукой, смоченной водой. Обтерев конечности, шею, грудь и спину, вытрите их насухо и растирайте полотенцем до красноты. Продолжительность процедуры поначалу не должна превышать пять минут.

Не форсируйте события. Главный ориентир — ваше самочувствие после процедуры. Не допускайте никаких неприятных ощущений, и вы в конце концов сможете испытать если не все, то хотя бы некоторые из тех десяти преимуществ, которые, по словам древнеиндийских мудрецов, дает омовение водой: ясность ума, свежесть, бодрость, здоровье, силу, красоту, молодость, чистоту, приятный цвет кожи, внимание красивых женщин.

К методам закаливания относится и хождение босиком, которое к тому же является и прекрасным средством против плоскостопия.

Выбирая грунт для хождения босиком, надо учитывать, что различные его виды (по температуре и по механическому раздражению) действуют на организм по-разному. Горячий песок или асфальт, снег, лед, острые камни, шлак, хвойные иголки или шишки возбуждают нервную систему. Мягкая трава, теплый песок, дорожная пыль, комнатный ковер действуют успокаивающе.

После каждого хождения босиком необходимо тщательно мыть ноги с мылом водой комнатной температуры и проводить двух-трехминутный массаж —

разминание пальцев и подошв с последующим поглаживанием по направлению от стопы к коленям.

Можно рекомендовать следующий план занятий по закаливанию хождением босиком (в основном для больных и ослабленных лиц пожилого возраста).

Апрель: ходьба по комнате в носках (30–60 сек.), через две недели ходьба по ковру босиком (30–60 сек.). Ножные ванны 2 раза в день.

Май: ходьба босиком по полу (1,5–2 часа). Кратковременное выбегание босиком на нагретый асфальт, траву, землю. Ножные ванны.

Июнь — июль: постоянное хождение дома босиком. Ножные ванны. Ходьба по кромке водоема и мокрому песку. Ходьба босиком по траве, песку, неровной земле, гальке (30–50 мин.), бег босиком (1–5 мин.).

Август — сентябрь: все те же мероприятия, а также ходьба и бег по мокрому асфальту (до 1 часа).

Октябрь — ноябрь: все те же мероприятия, увеличив лишь продолжительность бега босиком.

Декабрь — февраль: все те же мероприятия, также контрастные ножные ванны. Пробежки босиком по снегу (до 1 мин.). Обтирание ног снегом.

В дальнейшем продолжать, постепенно увеличивая продолжительность занятий. Когда вернетесь домой после закаливающих процедур, обязателен массаж стоп.

Глава 4.

Секреты медитации

Одним из замечательных представителей человечества второй половины XX в. стал индийский ученый

Махариши Махеш Йоги — выпускник университета в Аллахабаде. Впервые о нем заговорили в 1957 году, когда он покинул Гималаи, где 14 лет жил отшельником, и отправился по свету с миссией — помочь людям почувствовать себя здоровыми и счастливыми. Он побывал более чем в ста странах. Глубина знаний Махариши в области древнеиндийских философских учений йоги, их прикладная направленность быстро снискали ему непревзойденный авторитет. Американские ученые и состоятельные предприниматели, с присущим им прагматизмом, своими средствами оказывали ученому значительную поддержку. И Махариши приступил к организации специальных учебных заведений для просвещения народов, обучения естественным методам оздоровления организма и очищения сознания.

Квинтэссенция идей доктора Махариши — учение о Творческом Разуме и Едином Поле, которое, по его мнению, согласуется со всеми — известными науке — законами природы и общественного развития. Махариши говорит: «Достижения квантовой физики демонстрируют унификацию всех частиц и сил природы в Едином Поле. Оно представляет собой общий закон природы, по которому развивается жизнь на нашей планете и сообщество людей. Вступить в контакт с объединенным Полем, существование которого доказано современной наукой и Ведами в древности, позволяет техника трансцендентальной медитации. Опыт и познание такого Поля позволяют создать новый базис для успешного обучения фундаментальным основам каждой науки».

Видные американские ученые подтвердили выводы Махариши о скрытых возможностях человеческого сознания. Человеческое сознание вступает в связь с Единым Полем путем медитации, основы которой заложены древним учением индийских йогов. Глубокая умственная и физическая релаксация изменяет характер деятельности нервной системы, восстанавливается нарушенная связь нервной и физической деятельности человека. В результате улучшается здоровье, достигается гармония с окружающей природой, повышаются творческие возможности человека.

Стратегическая цель программы Махариши определяется девизом: «Мир без войн и болезней»: «Человечество — это единая семья народов, которая больше не хочет жить в постоянном страхе перед угрозой войны и растущего терроризма». Для спасения мира от уничтожения он считает необходимым достижение гармоничных отношений между людьми, народами и государствами на основе использования законов природы, сконцентрированных в Едином Поле.

Аюрведа Махариши быстро обрела сторонников в медицинских кругах многих стран. Отличные результаты лечения разных, в том числе тяжелых, заболеваний, низкая его стоимость, отсутствие неблагоприятных побочных явлений убеждают лучше любых доводов. Аюрведа предлагает различные методы предупреждения болезней и борьбы с ними. Среди них — стимуляция иммунной системы, очищение организма (кишечника в первую очередь), уход за кожей, рациональное питание, психологическая релаксация. Все это дает ощутимые результаты. На состоявшейся в 1989 году Международной конференции медики из 18 стран Европы и Америки обратились к коллегам, общественности и правительствам всех стран с призывом способствовать широкому внедрению системы Махариши в медицинскую практику.

Быстрее других эффективность этой системы признали врачи США. Самая современная аппаратура и лаборатории доказывают сегодня эффективность Аюрведы

Махариши в профилактике и излечении болезней. Владеющие практикой трансцендентальной медитации (ТМ) дают снижение заболеваний сердечно-сосудистой системы на 87,3 процента, а злокачественных новообразований — на 55,7 процента. Если бы кто-то получил фармакологический препарат, устойчиво снижающий заболеваемость хотя бы одним только инфарктом миокарда — на 50%, не говоря уже о 80%,то это событие праздновали бы во всем мире как одно из грандиознейших достижений медицины нашего времени. К сожалению, этого до сих пор не произошло. Между тем, ТМ — не только эффективное профилактическое средство, но и не имеет вредных побочных действий, чего, как правило, нельзя сказать о многих лекарственных средствах.

У занимающихся ТМ нормализуется уровень холестерина в крови, артериальное давление. Главное условие — обучение должны вести специально подготовленные инструкторы.

В мире открыто более 130 соответствующих университетов Махариши, повсеместно созданы Центры для здоровых и больных людей. Над раскрытием секретов древних индийских врачевателей работают в таких научных учреждениях, как Массачусетсский технологический институт, Университет штата Огайо. Тысячелетний опыт таких систем врачевания, как Аюрведа, становится в этих клиниках равноправным партнером современной медицины.

Чтобы понять великое благо, которое несет Аюрведа Махариши, нам, воспитанным на жестко материалистической философии, нужно попробовать посмотреть на мир шире и раскованнее. Для защиты человечества нельзя пренебрегать никакими гуманными мерами.

Любопытна точка зрения учения Махариши на различные религии. Это глобальное учение считает, что любая религия, возникшая на определенной стадии развития народов, по-своему реализовала идею Единого Поля.

При многократном ускорении темпа жизни от человека требуется все больше энергии, творчества, и мы порой не можем справиться с потоком сложностей. Нам всем свойственна реакция на угрозу, и частое ее проявление блокирует естественные функции тела и мозга. Это и есть остаточный стресс, который стал проблемой здоровья и жизни. Мы не всегда можем убрать причины, вызывающие стрессы, но многое можем сделать для того, чтобы защитить себя от них. Чтобы успокоиться, люди иногда начинают пить кофе или крепкий чай, курить, принимать алкоголь. А для того, чтобы заснуть, принимают транквилизаторы, от которых мозг истощается, сон становится неглубоким и приходят беспокойные назойливые мысли. Когда мозг теряет способность перезаряжать свои собственные аккумуляторы в соответствии с требованиями жизни, он перестает функционировать нормально.

Для большинства людей характерны нетерпение, агрессивность и честолюбие. Они всегда спешат, имеют много обязательств. Это тот стиль жизни, который ведет к стрессам и потере здоровья. Эти люди скорее сожгут себя, чем добьются осуществления своих амбиций. Мышление в результате стресса становится менее ясным, энергия снижается, трудно прийти в норму. Человек перестает владеть собой, а из-за этого новые стрессы: порочный круг, если не суметь восстановить равновесие, энергию и способности. Человек чувствует себя как бы выгоревшим изнутри.

Общество не дает эффективного средства от стресса. Людям нужен доступ к источнику энергии, интеллекта, творческих способностей и гармонии. Получить это можно только из практики трансцендентальной медитации.

Что же это за источник? Доступен ли он каждому? Да! Понаблюдайте за растениями и животными, звездами, землей, рекой, вообще за природой. Высокую степень целесообразности и интеллекта вы найдете везде. Именно физики — представители самой конкретной науки о происхождении Вселенной — в последнее время поняли, что природа всегда и всюду содержит в себе источник упорядоченности и интеллекта. Этот источник упорядоченности может быть назван Единым Полем всех естественных законов природы, единым источником происхождения материальных и силовых полей природы. Это позволяет сделать вывод, что на самом глубоком уровне все в мире взаимосвязано и что Единое Поле является основой изумительной гармонии и порядка, которые мы обнаруживаем в природе.

Возможно ли его познание? К счастью, природа разработала и дала каждому человеку уникальный прибор — мозг. Человеческий мозг намного сложнее любого компьютера, а поэтому наилучшим образом приспособлен к использованию источника энергии безграничного природного потенциала с его творческими способностями, интеллектом, гармонией. Иначе говоря, все мы внутри себя имеем этот безграничный потенциал возможностей, хотя используем, по мнению некоторых ученых, всего 4%(!). Именно несложная техника ТМ открывает доступ к бесконечному потенциалу. Остается только научиться обращать свое внимание внутрь себя; обычно оно бывает обращено или на происходящее вокруг, или на собственные суетные мысли. А вот ТМ направляет его внутрь, к самому молчаливому и спокойному состоянию. Такое состояние сознания очень освежает, расслабляет и успокаивает. К тому же спокойные уровни мышления являются более сильными. При помощи ТМ мы получаем доступ к самому глубокому и плодотворному сознанию. А систематическая практика развивает способность использовать наш интеллектуальный потенциал все полнее и полнее.

ТМ может заниматься каждый, ибо это вполне доступно и естественно. Не нужно отказываться от привычного образа жизни, не надо искать специальных условий. Начав заниматься, вы научитесь ощущать тишину внутри себя, мозг станет спокойным и умиротворенным. Он отдыхает, не отключаясь, тело избавляется от напряжения и становится расслабленным. ТМ питает и балансирует все аспекты жизни, намного улучшает:

- способность к концентрации внимания,
- уверенность в собственных возможностях,
- способность личности интегрироваться в общество,
- творческие способности,
- все виды памяти,
- координацию духа и тела.

Значительное улучшение состояния было отмечено при мигренях, гипертонии, ангине, фобиях, нейродермитах, неврозах, коронарной недостаточности, бессоннице.

Во время ТМ возникает особое состояние, оно совершенно не похоже на сон, поскольку дает гораздо большую физиологическую компенсацию. В то же время сигналы, принятые электроэнцефалографом в разных участках мозга, показывают гораздо большую упорядоченность и связность мышления, чем при обычном бодрствовании. Вырабатывается способность противостоять волнениям и чувству смятения. Мысль становится богаче творчески, четче, яснее, увеличиваются ее побудительные мотивы, облегчается достижение успеха в любых начинаниях.

Вместе с тем, еще в 1960 году, Махариши предсказал и эффект обратной связи, когда каждый из медитирующих оказывает благотворное воздействие на все общество. Сейчас его называют «эффектом Махариши». Причем эксперты подтверждают, что существенное влияние отмечается уже там, где ТМ занимается хотя бы один процент населения.

В 1975 году после первой проверки эффекта, подтвердившей его предсказания, Махариши сказал: «Через окно науки мы видим рассвет новой эры». Он назвал ее эрой просвещения, жизни без страха, проблем, болезней и несчастий. И наступить она может только благодаря положительному влиянию людей, занимающихся трансцендентальной медитацией.

Заявки на обучение медитации вы можете присылать по адресу — E-mail: info@dobrotv.ru.

ПРИЛОЖЕНИЯ

Ответы Игоря Добротворского на вопросы корреспондента журнала «Карьера» № 9, 2000 г.

Каждый из нас сталкивается с непонятным, сразу не поддающимся оценке ощущением ограниченности. Многие ошибки, провалы, неудачи и неприятные случайности — следствие ограничения наших взглядов, опыта, способности, знаний. И приходит время выбирать: смириться с отсутствием необходимого опыта, с этой ограниченностью или преодолевать ее, завоевывая новые вершины. Для тех, кто предпочитает второе,— предлагаем классические и неординарные пути и способы личностного и профессионального развития.

* * * * *

— Что подвластно нашему влиянию в развитии и продвижении человека в первую очередь и что можно усовершенствовать?

Ну что ж, если хотите, то предметом нашего разговора будет не развитие человека вообще, а социальное развитие. И его, наверное, целесообразно разделить на личностное и профессиональное.

Схематически этот путь к новому выглядит следующим образом: человек понимает границы своих возможностей, сталкивается с тем, что его сегодняшнее состояние не позволяет достичь желаемого, четко определяет свои потребности и проводит самоинвентаризацию. Развитие в рассматриваемом контексте лежит между тем, где я нахожусь сейчас, и тем, где я намерен оказаться в определенном будущем.

— Как в наше время можно заниматься саморазвитием и что мы, собственно, развиваем? Что поддается развитию в нас самих? Где мы можем нащупать пустоты, заполнение которых приведет к большему росту?

Приобретение знаний, интеллект — как правило, первое, что приходит на ум при ответе на вопрос о желании что-то совершенствовать в себе. Но хочется все-таки чего-то большего ...

Большее — это освоение нового опыта и развитие более продуктивных навыков. Это процесс трансформации знания в привычку. Осмелюсь назвать его более продвинутым и глубоким и сравню с тем, как мы перебираемся с велосипеда на автомобиль. Кстати, вспомните-ка ощущения, которые вы испытывали, когда учились управлять автотранспортным средством. Как поначалу было трудно фокусировать внимание сразу на нескольких деталях, а уже через пару месяцев вы могли одновременно, не задумываясь, переключать скорости, следить за движением, искать радиоволну на приемнике, включать поворотник и т. д. Результат данного изменения проявляется в поведении: теперь вы умеете больше слушать и задавать правильные вопросы, вы начинаете больше делегировать поручения и умеете контролировать исполнение. Но часто бывает так: руководитель приобрел навык делегирования, но не может отпустить контроль ситуации, доверить исполнение дел своим подчиненным. Это еще более тонкая материя — комплекс наших установок и интеллектуальных моделей.

Качества личности и характера — это широкий спектр, включающий ценности и принципы человека, его мировоззрение и стереотипы, его привычки и личностное своеобразие. Именно уравновешивание важных для нас сфер жизни, коррекция собственных ценностей, изменение совокупности взглядов — это неисчерпаемый источник развития и возможность произвести монументальные изменения.

— Давайте все-таки поговорим наконец и о том, что же такое личностный и профессиональный рост сегодня, на заре нового тысячелетия.

Во-первых, нужно сказать, что, несмотря на цель и сферу изменений, мы выбираем один из возможных вариантов развития. Либо мы привлекаем дополнительные ресурсы, расширяем, так сказать, охват — то есть выбираем путь экстенсивный. Или занимаемся оптимизацией внутренних резервов. Такой путь, через повышение качества использования уже имеющихся ресурсов, принято называть интенсивным.

Во-вторых, кроме простых сфер, являющихся уже классическими (книги, академическое и дополнительное специальное образование), день нынешний предлагает нам новые, порой непривычные университеты. Начнем с так называемого краткосрочного образования для взрослых. Оно представлено форматом семинара и форматом тренинга.

Как правило, семинар более дидактичен и теоретичен, в то время как на тренинге больше практических занятий: индивидуальные занятия и групповые дискуссии, ролевые игры и специальные упражнения. Более конкретно: если семинар — это в основном ознакомление с новой информацией, передача знаний, то тренинг — интенсивный процесс получения практического опыта через ощущения. То есть это уже уровень обучения умениям и навыкам.

Таким образом, можно сказать, что есть тренинговые программы, практикующие обучение умениям и навыкам (например, в сфере коммерческих коммуникаций), а есть программы личностного роста, изучающие в первую очередь те парадигмы мышления, которые руководят нами по жизни.

— Итак, есть тренинговые программы, практикующие обучение умениям и навыкам. Есть семинары. А что вы можете рассказать поподробнее о программах личностного роста и о персональной работе?

Что ж, персональной работой первыми начали заниматься не так давно появившиеся в России специалисты по персональной тренировке (personal coaching). Хотя это и не совсем справедливо — первенство в индивидуальной поддержке и развитии людей все-таки остается за психотерапевтами. Но новый формат развивающей работы «один на один» имеет несколько иную концепцию. Если коротко, то попробую ее выразить так: вне зависимости от того, что у человека было в прошлом, можно помочь ему создать беспрецедентное будущее начиная с этого момента. То есть основной фокус направлен в будущее, а не в прошлое. Главный же вопрос — «Что возможно еще?»

Безусловно, личное развитие посредством коучинга (coaching) пока не затронуло всех. Как и все прогрессивное и эксклюзивное, его сначала примеряют на себе предприниматели, политики, спортсмены. Высшее звено руководителей остается основными клиентами на персональную тренировку. Но по мере расширения рынка можно ожидать проникновения этого формата во все социальные слои. За океаном даже домохозяйка, студент и оставшийся без работы специалист могут использовать услуги профессионалов для прояснения перспектив и достижения желаемых целей. Наше недалекое прошлое, возможно, откликнется сейчас такими понятиями, как консультант или наставник. Но коуч — это все-таки не просто инструктор и тем паче не духовный гуру. О профессии коуча обычно говорят как о сочетании трех профессий: консультанта, тренера и психолога.

— Как же назвать специалиста, проводящего коучинг?

Слово «тренер» (coach) пришло из-за рубежа и, как правило, ассоциируется со спортом. Но достижение спортивных высот, оказывается, происходит по тем же самым законам, что и социальное восхождение. И кроме недостатка информации (которую, впрочем, многие из нас не умеют добывать и использовать оптимально), дефицита времени для закрепления нового опыта, существуют ограничения иного свойства. Каждый из нас находится как бы внутри своей проблемы, и необъективность наших оценок происходящего может быть весьма существенной. Это называется «эффектом замыленного глаза», и даже самые искушенные в жизни могут быть подвержены его влиянию, скажем, вследствие эмоциональной зависимости от ситуации. Выручить же в этом случае как раз и может специалист по персональной тренировке.

— То есть специалист по персональной тренировке помогает и раскрывать потенциал личности, и решать проблемы, и достигать поставленных целей?

Можно сказать, что коучинг и его производные (например, VIP-тренинг) — это своеобразный вид поддержки человека в развитии. Он учитывает индивидуальные особенности тренируемого, развивая его способности, навыки и изменяя мировоззрение человека, исходя из актуальной ситуации. Один мой коллега назвал этот метод — «метод содостижения». То есть это как экспертная помощь в достижении целей и реализации потребностей, так и поддержка инициатив человека в принятии им определенных решений и в дальнейших его действиях. Путь это покажется пафосным, но персональная тренировка может оказаться революционной формой развития личности, революционной формой достижения человеком поставленных целей. В целом же суть коучинга — это раскрытие потенциала личности для максимизации ее собственной производительности и эффективности в достижении целей. И в этом случае вне зависимости от того, что мы хотим добавить в свою «палитру» — менеджерские качества, умение принимать взвешенные решения или планировать свою деятельность, способность быть заботливым родителем, навыки стратегического мышления ... — изменения происходят на каком-то одном или сразу на нескольких вышеприведенных уровнях.

* * *

— Это дает много сил и энергии для жизни.

Директор торговой компании.

— Я вернула себе любовь, жизнь, радость.

Начальник отдела персонала банка.

— Это было событие, которое многократно важнее любого другого события, произошедшего со мной.

Специалист по ценным бумагам.

— Я поверил в то, что возможности человека действительно не ограниченны.

Студент МГУ.

— Сейчас я чувствую себя гораздо более сильным и свободным, так как смог реализовать очень много важных решеий.

Руководитель отдела продаж риэлторской компании.

— Я научилась использовать свой внутренний потенциал, поддерживать высокий уровень работоспособности и быстро восстанавливать свои силы.

Заведующий сектором страховой компании.

СПИСОК ЛИТЕРАТУРЫ

Аасамаа И. Как себя вести.— Таллинн, 1980.

Абрамова Н. Т. Целостность и управление.— М., 1974.

Абчук В. А. Правила успеха.— Л., 1991.

Абчук В. А. Предприимчивость и риск.— Л., 1991.

Агостон А. Теория цвета и ее применение.— М., 1982.

Айзенк Г. Ю. Проверьте свои способности.— СПб., 1994.

Активные методы обучения в системе подготовки специалистов и руководителей /Отв. ред. Р. Ф. Жуков.— Л., 1989.

Анастази А. А. Психологическое тестирование: В 2-х т.— М., 1982.

Баев О. Я. Конфликты в деятельности следователя.— Воронеж, 1981.

Бассин Ф. В. Проблемы «бессознательного» (о неосознаваемых формах высшей нервной деятельности).— М., 1968.

Беляев Г. С., Лобзин В. С., Копылова И. А. Психогигиеническая саморегуляция.— Л., 1977.

Берн Э. Введение в психиатрию и психоанализ для непосвященных.— СПб., 1991.

Берн Э. Игры, в которые играют люди. Психология человеческих отношений. Люди, которые играют в игры. Психология человеческой судьбы.— М., 1988.

Бодалев А. А. Личность и общение.— М., 1978.

Бородкий Ф. М., Коряк Н. М. Внимание: конфликт! — Новосибирск, 1989.

Бреннен Б. Е. Руки света.— СПб., 1992.

Брунер Дж. Психология познания.— М., 1977.

Вайнцвайг П. Десять заповедей творческой личности.— М., 1990.

Вацлавик П. Как стать несчастным без посторонней помощи.— М., 1993.

Галушко В. П. Деловые игры.— Киев, 1989.

Грановская Р. М. Элементы практической психологии.— Л., 1988.

Гримак Л. П. Резервы человеческой психики: Введение в психологию активности.— М., 1987.

Добротворский И. Л. Как найти себя и начать жить.— Воронеж, 1993.

Добротворский И. Л. Технологии успеха.— М., 1996.

Добротворский И. Л. Золотые правила ежедневной жизни.— М, 1997.

Добротворский И. Л. 1001 путь к успеху.— М., 1999, 2000, 2001, 2002.

Добротворский И. Л. Новейшие психотехнологии: Самоучитель психологического мастерства.— М., 2002.

Добротворский И. Л. Учебник «Менеджмент: эффективные технологии. Полный курс основ менеджмента для студентов».— М., 2002.

Добротворский И. Л. Пособие «Самоменеджмент: эффективные технологии.— М., 2003.

Добротворский И. Л. Как стать лидером.— М., 2003.

Добротворский И. Л. Искусство войны в бизнесе.— М., 2003.

Добротворский И. Л. Тренинг профессиональных продаж.— М., 2003.

Добротворский И. Л. Деньги и власть.— М., 2003.

Добротворский И. Л. Как относиться к себе и к людям.— М., 2003.

Добротворский И. Л. Школа совершенствования.— М., 2003.

Добротворский И. Л. Новые технологии победы.— М., 2003.

Дэна Д. Преодоление разногласий. Как улучшить взаимоотношения на работе и дома.— СПб., 1993.

Дюрвиль Г., Дюрвиль А. Чтение по лицу характера, темперамента и болезненных предрасположений.— СПб., 1993.

Емельянов Ю. Н. Активное социально-психологическое обучение.— Л., 1985.

Емельянов Ю. Н. Обучение паритетному диалогу.— Л., 1991.

Жариков Е. С. Вступающему в должность.— М., 1985.

Зигерт В., Лонг Л. Руководить без конфликтов.— М., 1990.

Зиминцев А. М. Психология политической борьбы.— СПБ., 1993.

Ивин А. А. Искусство правильно мыслить.— М., 1986.

Искусство управления и конкретные ситуации / Сост. Г. Х. Попов.— М., 1977.

Иствуд А. Я вас слушаю... — М., 1984.

Каппони В., Новак Т. Сам себе психолог.— СПб., 1994.

Карандашев В. Н. Основы психологии общения.— Челябинск, 1990.

Карлоф Б. Деловая стратегия.— М., 1991.

Карнеги Д. Как завоевывать друзей и оказывать влияние на людей. Как вырабатывать уверенность в себе и влиять на людей, выступая публично. Как перестать беспокоиться и начать жить.— М., 1991.

Ковалев А. Г. Психология личности.— М., 1970.
Ковалев А. Г. Руководителю о работнике.— М., 1988.
Кон И. С. Открытие «Я».— М., 1980.
Котов Д. П., Шиханцов Г. Г. Психология следователя.— Воронеж, 1977.
Кречмер Э. Строение тела и характер. Психология индивидуальных различий, тексты.— М., 1982.
Крижанская Ю. С., Третьяков В. П. Грамматика общения.— Л., 1990.
Кудряшова Л. Д. Каким быть руководителю.— Л., 1986.
Кузьмин Е. С., Волков И. П., Емельянов Ю. Н. Руководитель и коллектив.— Л., 1974.
Лебедев В. И. Психология и управление.— М., 1990.
Леви В. Л. Искусство быть собой. Индивидуальная психотехника.— М., 1991.
Лезер Ф. Тренировка памяти.— М., 1974.
Леонтьев А. А. Психология общения.— Тарту, 1974.
Леонтьев А. Н. Проблемы развития психики.— М., 1972.
Лупьян Я. А. Барьеры общения, конфликты, стресс... — Минск, 1986.
Лурия А. Р. Язык и сознание.— М., 1979.
Мар Т. Чтение лица или китайское искусство физиогномики.— М., 1992.
Марищук В. Л. Психологические основы формирования профессионально значимых качеств.— Л., 1978.
Мартынов А. В. Исповедимый путь.— М., 1991.
Матюшкин А. М. Проблемные ситуации в мышлении и обучении.— М., 1972.
Мелибруда Ежи. Я — Ты — Мы: Психологические возможности улучшения общения.— М., 1986.
Методы практической психологии общения.— Л. 1990.
Мицич П. Как проводить деловые беседы.— М., 1987.
Науман Э. Принять решение — но как? — М., 1987.
Не повторить ошибок. Практические советы руководителю.— М. 1988.
Никифоров А. С. Эмоции в нашей жизни.— М., 1978.
Никифоров А. С. Самоконтроль человека.— Л. 1989.
Ниренберг Дж., Калеро Г. Читать человека как книгу. М.,1990.
Обозов Н. Н., Щекин Г. В. Психология работы с людьми.— Киев, 1990.

Обозов Н. Н. Психология межличностных отношений.— Киев, 1990.

Обозов Н.Н. Психология делового общения.— Л., 1991.

Организация и проведение деловых Игр /Под ред. В. Н. Буркова, А. Т. Ивановского, А. М. Немцова и А. В. Щекина.— М., 1975.

О'Шоннеси Дж. Принципы организации управления фирмой.— М. 1979.

Пайль В. Г. Психология в приложении к обучению.— М., 1976.

Панасюк А. Ю. Управленческое общение: Практические советы.— М. 1990.

Паркинсон Д. Р. Люди сделают так, как захотите ВЫ.— М., 1993.

Парыгин Б. Д. Основы социально-психологической теории.— М., 1971.

Пекелис В. Твои возможности, человек! — М., 1973.

Петровская Л. А. Компетентность в общении.— М., 1989.

Петровский А. В. Личность, деятельность, коллектив.— М., 1982.

Пиаже Ж. Избранные психологические труды.— М., 1969.

Пиз А. Язык жестов.— СПб., 1993.

Питере Т., Уотермен Р. В поисках эффективного управления — М., 1986.

Питерцев С. К., Степанов А. А. Тактические приемы допроса. Учебное пособие.— СПб., 1994.

Планкетт Л., Хейл Г. Выработка и принятие управленческих решений.— М., 1984.

Платонов К. К. Вопросы психологии труда.— М., 1970.

Платонов К. К. Занимательная психология.— М., 1962.

Платонов К. К. Психологический практикум.— М., 1980.

Платонов К. К. Структура и развитие личности.— М., 1986.

Пособие по психологии общения для сотрудников органов внутренних дел.— СПб., 1994.

Пособие-практикум по менеджменту.— СПб., 1992.

Психогигиеническая саморегуляция.— Л., 1977

Психология в управлении.— Л., 1983.

Психология индивидуальных различий. Тексты.— М., 1982.

Пярнитс Ю. Э., Савенкова Т. И. Стратегия и тактика гибкого управления.— М., 1991.

Робер М. А., Гильман Ф. Психология индивида и группы.— М. 1988.

Ромен А. С. Самовнушение и его влияние на организм человека.— Алма-Ата, 1971.

Рубинштейн С. Л. Проблемы общей психологии.— М., 1973.

Свенцицкий А. Л. Социальная психология управления.— Л., 1986.

Серов Н. В. Лечение цветом. Мода и гармония.— СПб., 1993.

Симоненко Ю. А. Искусство разбираться в себе и других.— Л., 1990.

Скотт Д. Г. Сила ума: описание пути к успеху в бизнесе. Способы разрешения конфликтов.— СПб, 1994.

Современная зарубежная социальная психология. Тексты.— М., 1984.

Соколов А. Н. Внутренняя речь и мышление.— М., 1968.

Сопер П. Л. Основы искусства речи.— М., 1992.

Социальная психология личности.— Л., 1974.

Стоддард Э. Л. Семь шагов к успеху.— Красноярск, 1991.

Стрёляу Я. Роль темперамента в психическом развитии.— М., 1982.

Суворова В. В. Психофизиология стресса.— М., 1975.

Суходольский Г. В. Основы психологической теории деятельности.— Л., 1988.

Теплов Б. М. Проблемы индивидуальных различий.— М., 1961.

Томас Ф. Тайны лица. (Физиогномика).— СПб, 1993.

Труд, контакты, эмоции.— М., 1982.

Узнадзе Д. Н. Психологические исследования.— М., 1966.

Управление по результатам.— М., 1988.

Филонов Л. Б. Тренинги делового общения сотрудников органов внутренних дел с различными категориями граждан.— М., 1992.

Фишер Р., Юри У. Путь к согласию, или Переговоры без поражения.— М., 1990.

Цыгичко В. Н. Руководителю о принятии решений.— М., 1991.

Чернышева М. А. Этика деловых отношений.— М., 1988.

Шадриков В. Д. Психологический анализ деятельности.— Ярославль, 1979.

Швальбе Б., Швальбе Х. Личность, карьера, успех. Психология бизнеса. М., 1993.

Шейнов В. П. Искусство общения: Подготовка и проведение деловых бесед. Рекомендации для руководителей.— Минск, 1990.

Шейнов В. П. Как сделать совещание более эффективным, но менее продолжительным. Как подготовить хорошее выступление. Рекомендации для руководителей.— Минск, 1990.

Шейнов В. П. Техника личной работы: Где взять недостающее время. Рекомендации для руководителей.— Минск, 1990.

Шейнов В. П. Управление конфликтными ситуациями. Рекомендации для руководителей.— Минск, 1990.

Шибутани Т. Социальная психология.— М., 1969.

Шрайнер К. Как снять стресс.— М., 1993.

Шувчук Б.О. 100 ситуаций в управлении.— М., 1977.

Эффективность труда руководителя.— М., 1982.

Якобсон П. М. Психологические проблемы мотивации поведения человека.— М., 1969.

Янг С. Системное управление организацией.— М., 1972.

Ярошевский М. Г. Психология в XX столетии.— М., 1971.

АНКЕТА ЧИТАТЕЛЯ

Уважаемый читатель!

Мы были бы очень признательны за любые замечания и предложения, которые вы сочтете нужным сделать. Ниже перечисляются вопросы, которые нас особенно интересуют:

1. Какое общее отношение сложилось у вас к книге (хорошая — плохая, нужная — ненужная) и почему?

2. Какие конкретно разделы вам понравились, не понравились и почему?

3. Были ли какие-то разделы слишком сложными или, наоборот, примитивными?

4. Какие еще темы, на ваш взгляд, следовало бы включить в книгу?

5. Есть ли у вас замечания по стилю изложения материала? Если можно, то сообщите краткую информацию о себе. Спасибо. Отзывы просьба направлять по адресу:

E-mail: info@dobrotv.ru www.dobrotv.ru

Почтовый адрес:

101000, Москва, а/я 464, Добротворскому И. Л.

КОРОТКО ОБ АВТОРЕ

Игорь Добротворский — бизнес-консультант, кандидат психологических наук, автор 14 книг и свыше 90 печатных статей по менеджменту, продажам, переговорам, лидерству, управлению персоналом.

В 1980-х годах прошел обучение у авторитетного эксперта А. Хараша, ученика основателя гуманистической психологии К. Роджерса (США). После этого обучался психотехнологиям личностного и профессионального развития — у Дэвида Ниннона (США); современным методам коммуникации и менеджмента — у видного специалиста Дэнниса Перси (Канада), ученика основателя уникального метода психотренинга Вернера Эрхарда; прикладным методикам — у крупного эксперта Хелен Колье (США) и др.

С 1991 года занимается проведением семинаров, тренингов и разработкой тренинговых программ.

В научном журнале Академии Педагогических наук «Вопросы психологии» № 2 за 1996 год академик А. А. Леонтьев назвал Игоря Добротворского «профессионалом практической психологии».

Специализация — проведение авторских корпоративных бизнес-тренингов:

☛ «Искусные приемы активных продаж».

☛ «Управление временем».

☛ «Технологии ведения переговоров»...

☛...и коучинг (один из видов тренинга, объединяющий в себе индивидуальное консултирование, тренинговое обучение и психотерапию).

СОДЕРЖАНИЕ

Предисловие от издательства 5

Часть I.
ИСКУССТВО ОБЩЕНИЯ С ЛЮДЬМИ 7

Пятнадцать шагов
к уверенности в себе 7
Формируем уверенность в себе 10
Откажитесь от самоуничижения 11
Контраргументы 11
Контракт с самим собой 12
Разговор с незнакомцем 13
Одежда и внешность 14
Приветствие 14
Анонимная беседа 15
Комплименты 15
Встречаясь с людьми 16
Имейте что сказать 18
Начало разговора 19
Поддержание разговора 20
Активное слушание 21
«До свидания,
приятно было познакомиться» 21
Станьте общественным существом 22
Сегодня — знакомые, завтра — друзья 24
Двенадцать проб по А. Б. Добровичу 25

Часть II.
СЕКРЕТЫ ПРЕУСПЕВАНИЯ 32

Глава 1.
Как выработать в себе сознание преуспевания 32
Умножение 33
Использование рычага 35
Благодарность 36
Задержки роста 40
Бумеранг 40
Прямое и обратное действие 42
Вознаграждение 42
Обусловленная реакция 43
Мужество 45
Признание своего «Я» 49
Что в действительности представляют собой деньги 49
Глава 2.
Приемы преуспевания 52
Духовное Исцеление Разума 54
Основные приемы 56
Исцеление разума мышлением 56
Освобождение от прошлого 57
Определение целей и желаний 58
Завершение процесса исцеления разума 58
Чего можно достичь с помощью Духовного Исцеления Разума 59
Дальнейшее исцеление 60
Глава 3.
В пользу преуспевания 65
Огромная энергия 66
Внутреннее влечение 68
Эмоциональная выносливость 69
Огромная самоуверенность 71

Умственная дисциплина 72
Общительность 72
Представляйте свою цель выполненной 74
Выбор конкретных, реальных целей. 75
Достижение вашей цели 76
Оцените свою финансовую ситуацию 77
Оценивайте свой прогресс 78
Оплачивайте свои покупки сразу 79
Остерегайтесь давать и брать взаймы 79
Не рассчитывайте
получить что-нибудь даром 80
Создайте себе резерв 80
Выработайте в себе
финансовую уверенность. 81
Глава 4.
Кратчайший путь
к финансовому благополучию и успеху 82
Самоуважение 83
Безопасность. 84
Свобода 85
Любовь 86
Работайте на себя 89
Получайте удовольствие от сделанного 91
Используйте ваши
специальные знания и мастерство. 91
Предлагайте людям то, что они хотят 92
Тщательно выполняйте
свою «домашнюю работу». 93
Экспериментируйте с новыми подходами 94
Максимально используйте
счастливый случай 95
Настойчивость и терпение 96
Рассказывайте о своих успехах 96
Сосредоточьтесь на процессе,
а не на достижении богатства. 97

Глава 5.
Дальнейшие рекомендации по достижению ваших целей 100
Преуспевание и вы 101
Управление своей жизнью 102
Путь к свершению 102
Лаборатория добра 105
Великий преобразователь 106

Часть III.
ТЕХНОЛОГИЯ ПРЕВРАЩЕНИЯ МЕЧТЫ В РЕАЛЬНОСТЬ 109

Глава 1.
Кто вы есть на самом деле, что вы можете сделать в жизни 109
Глава 2.
Живите полноценной сознательной жизнью 114
Четыре великих принципа познания Истины 115
Живите сбалансированной жизнью 117
Глава 3.
Пробудите чудотворные способности вашего разума 118
Уровни разума 120
Глава 4.
Вы можете быть зрелым и ответственным настолько, насколько желаете 123
Взрослый ли вы человек на самом деле? 124
Глава 5.
Здоровая жизнь в здоровом теле 128
Стресс — основная причина болезней 129

Разбудите жизненную энергию
для полноценной жизни 129
Глава 6.
Вселенная — ваш друг 132
Дружите с окружающим миром 133
Глава 7.
Преуспевайте во всем 136
Существует сила внутри вас —
положитесь на нее 137
В чем ваша истинная ценность 137
Глава 8.
Техника медитации 140

Часть IV.
КАК ПО-НАСТОЯЩЕМУ
ДОСТИГАТЬ УСПЕХА: ДЕВЯТЬ ШАГОВ
(в изложении по Наполеону Хиллу) 143

Глава 1.
Шаг первый: воображение 143
Синтетическое и творческое воображение . . . 146
Развивайте воображение 148
Природа знает, где скрыт успех 149
Идея — это деньги 150
А не хватило мелочи 150
Миллион за неделю 152
Ясные намерения — ясный план 154
Глава 2.
Шаг второй: планирование 155
На ошибках учатся 157
Продать можно все 159
С чего начинается руководство 159
Одиннадцать секретов управления 160
Десять ошибок руководителя 162
Руководители нужны всюду 164

Пять способов найти хорошую работу 165
Как подготовить запрос или заявление 166
Ищите работу по душе 168
Три способа самооценки 170
Эгоист или человеколюбец 171
Тридцать три несчастья 172
Сам себе реклама? 178
Каковы ваши успехи? 179
Двадцать восемь вопросов
тет-а-тет 179
Глава 3.
Шаг третий: решение 182
Они говорят, а жить вам 183
Как делается история 184
Сила воспитанного ума 185
Глава 4.
Шаг четвертый: настойчивость 186
Шесть этапов
превращения идеи в деньги 187
Обобщение шести этапов
с методикой самовнушения 189
Если мыслить — то категориями денег 190
Ваш тайный друг 192
Настойчивым может стать каждый 193
«Изощренная настойчивость» —
в 16 переменах 194
Критиковать — дело нехитрое 196
Не упускайте свой шанс 197
Четыре шага
в воспитании настойчивости 198
Кому помогает Высший Разум? 198
Еще о настойчивости 199
История устройства
трансатлантического
телеграфного сообщения 200

Глава 5.
Шаг пятый: «мозговой центр» 202
Что такое «мозговой центр»? 204
Не пренебрегайте
хорошими советами 205
Нищета не строит планов 207
Глава 6.
Шаг шестой: тайна секса 208
Движущая сила пола 209
Стимулы сознания — не по Заратустре 210
Воображение — шестое чувство 211
«Четвертое измерение мысли» 212
Внутренний голос 213
Идея зреет 214
Откройте в себе гения 215
Сублимация 217
Первая и последняя любовь Наполеона 217
Сублимированная сила секса 221
Пустая трата энергии 223
Природа — вторая натура 224
Секс и торговля 225
Секс и предрассудки 228
Уроки плодотворных лет 229
Поверьте в свою гениальность 230
Могучий опыт любви 232
Мелочи брака 234
Власть женственности 235
Глава 7.
Шаг седьмой: глубины подсознания 237
В начале было слово 238
О коне и трепетной лани 240
Подсознание и молитва 242
Глава 8.
Шаг восьмой: развивая интеллект 243
Во власти невидимых сил 245

Мозг в мозг 246
Что такое телепатия? 247
Глава 9.
Шаг девятый:
открывая шестое чувство 249
Великий первотолчок 250
Как пробудить шестое чувство 250

Часть V.
СИСТЕМА ПСИХОДИНАМИКИ
«ДИНА — ПСИК» 253

Глава 1.
Самопроверка 253
Глава 2.
Шаг за шагом 261
Глава 3.
Можно ли ускорить
свое продвижение к успеху? 275
Подготовка Сверхвоздействия к работе 279

Подведение итогов 282
Глава 4.
Ваш подсознательный компьютер 282
В чем он может вам помочь? 284
Подготовка ПК к работе 286
Первый аспект ПК 286
Вопросы и ответы 287
Второй аспект ПК 289
Третий аспект ПК 291
Глава 5.
К жизненному успеху
и личностной трансформации
за 90 дней 292
Вопросы и ответы 294

Часть VI.
КАК СТАТЬ ЗДОРОВЫМ И СЧАСТЛИВЫМ: ПУТЬ К ЗДОРОВЬЮ, ОМОЛОЖЕНИЮ И ДОЛГОЙ ЖИЗНИ 298

Введение 298
Глава 1.
Основы движения 299
Глава 2.
Техника дыхания 307
Семь уроков рационального дыхания 314
Глава 3.
Искусство закаливания и водолечения 317
Глава 4.
Секреты медитации 320
Приложения 328
Список литературы 334
Анкета читателя 340
Коротко об авторе 341

Практическое издание

Серия «Бизнес и успех»

ДОБРОТВОРСКИЙ ИГОРЬ ЛЕОНИДОВИЧ

НОВЫЕ ТЕХНОЛОГИИ ПОБЕДЫ.
Как по-настоящему
достичь успеха

Практическое руководство

Генеральный директор издательства *С. М. Макаренков*

Редактор *И. И. Гомоляка*
Художественное оформление серии: *Н. Ю. Дмитриева*
Компьютерная верстка: *И. А. Травникова*
Технический редактор *Е. А. Крылова*
Корректоры *Н. С. Курлова, В. К. Павлова*
Подписано в печать с готовых диапозитивов 22.04.2003
Формат 84x108/32. Гарнитура «Korinna»
Печать офсетная. Печ. л. 11. Тираж 5 000 экз.
Заказ № 1788

Адрес электронной почты: info@ripol.ru
Сайт в Интернете: www.ripol.ru

ИД «РИПОЛ КЛАССИК»
107140, Москва, Краснопрудная ул., д. 22а, стр. 1
Изд. лиц. № 04620 от 24.04.2001 г.

Отпечатано с готовых диапозитивов
во ФГУП ИПК «Ульяновский Дом печати»
432980, г. Ульяновск, ул. Гончарова, 14